D1261603

LA FEMME QUI DÉCIDA DE PASSER UNE ANNÉE AU LIT

Sue Townsend

La femme qui décida de passer une année au lit

la courte échelle

Les éditions de la courte échelle inc.
160, rue Saint-Viateur Est, bureau 404
Montréal (Québec) H2T 1A8
www.courteechelle.com

Dépôt légal, 3e trimestre 2013
Bibliothèque nationale du Québec

Titre de l'édition originale (Royaume-Uni) : *The Woman Who Went to Bed for a Year*

Traduit de l'anglais par Fabienne Duvigneau

La courte échelle reconnaît l'aide financière du gouvernement du Canada par l'entremise du Fonds du livre du Canada pour ses activités d'édition. La courte échelle est aussi inscrite au programme de subvention globale du Conseil des arts du Canada et reçoit l'appui du gouvernement du Québec par l'intermédiaire de la SODEC.

La courte échelle bénéficie également du Programme de crédit d'impôt pour l'édition de livres — Gestion SODEC — du gouvernement du Québec.

Catalogage avant publication de Bibliothèque et Archives nationales du Québec et Bibliothèque et Archives Canada

Townsend, Sue
[Woman who went to bed for a year. Français]
La femme qui décida de passer une année au lit
Traduction de : The woman who went to bed for a year.
ISBN 978-2-89695-679-1
I. Duvigneau, Fabienne. II. Titre. III. Titre : Woman who went to bed for a year. Français.

PR6070.O897W6614 2013 823'.914 C2013-940998-X

Imprimé au Canada

Pour ma mère, Grace

« Soyez bienveillant, car tous ceux que vous
rencontrez mènent un dur combat »

Attribué à Platon, et à bien d'autres

1

Dès qu'ils furent tous partis, Eva tira le verrou de la porte et débrancha le téléphone. Elle aimait bien avoir la maison pour elle toute seule. Elle passa de pièce en pièce, rangeant ici et là, ramassant les tasses et les assiettes déposées en divers endroits par son mari et ses enfants. Quelqu'un avait abandonné une cuillère à soupe sur l'accoudoir du fauteuil — qu'elle avait patiemment restauré à son cours de tapisserie. Elle fonça aussitôt dans la cuisine et examina le contenu de son carton de produits d'entretien.

« Qu'est-ce qui pourrait enlever une tache de soupe aux tomates Heinz sur de la soie damassée ? »

Tout en fouillant dans sa panoplie de ménagère, elle se morigénait elle-même. « C'est ta faute. Tu aurais dû laisser le fauteuil dans ta chambre. Toi et ton stupide orgueil. Si tu n'avais pas cherché à épater en l'exposant au salon… Tu voulais qu'on l'admire et qu'on te dise qu'il était beau. Comme ça, tu pouvais répondre qu'il t'avait fallu deux ans de travail et que le motif était inspiré du *Bassin aux nymphéas avec saules* de Claude Monet. »

Une année entière, rien que pour les arbres.

Elle n'avait pas remarqué une petite flaque de soupe aux tomates sur le carrelage de la cuisine, jusqu'au moment où elle y posa le pied et barbouilla le sol de traces orange. La soupe frémissait toujours dans une petite casserole antiadhésive oubliée sur la gazinière. « Trop paresseux pour retirer une casserole du feu », pensa-t-elle. Puis elle se rappela que les jumeaux n'étaient plus son problème maintenant, mais celui de l'université de Leeds.

Surprenant son reflet dans la vitre du four noircie par la fumée, elle se détourna vivement. Si elle avait pris le temps de s'arrêter, elle aurait vu une femme de cinquante ans avec un visage d'une exquise finesse, des yeux pâles au regard attentif et une bouche à la Clara Bow qui semblait toujours sur le point de parler. Personne — pas même Brian, son mari — ne la voyait jamais sans rouge à lèvres. Sa bouche ainsi maquillée complétait les vêtements noirs qu'elle aimait porter, du moins le pensait-elle. Parfois, elle s'autorisait une touche de gris.

Un jour, en rentrant du travail, Brian l'avait trouvée dans le jardin où elle venait de déterrer des navets, chaussée de ses bottes en caoutchouc noir. Il s'était exclamé : « Pour l'amour du Ciel, Eva ! On croirait une image de l'après-guerre en Pologne ! »

Son visage s'inscrivait dans les tendances de la mode actuelle. « Vintage », d'après la vendeuse du stand Chanel où elle achetait son rouge à lèvres (veillant toujours à jeter le ticket de caisse — son mari ne comprendrait pas que l'on dépense de telles sommes d'argent en produits de beauté).

Elle attrapa la casserole, sortit de la cuisine, gagna le salon et renversa la soupe sur son précieux fauteuil. Puis elle monta à l'étage. Dans sa chambre, sans ôter ni ses vêtements ni ses chaussures, elle se mit au lit et y resta un an.

Elle ignorait que cela allait durer un an, bien sûr. Lorsqu'elle se coucha, elle pensait se relever une demi-heure plus tard, mais c'était tellement délicieux de se lover entre les draps blancs et propres où flottait une odeur de neige fraîche. Elle se tourna du côté de la fenêtre ouverte et observa le sycomore qui répandait ses feuilles embrasées dans le jardin.

Elle avait toujours adoré le mois de septembre.

Elle s'éveilla à la nuit presque tombée et entendit son mari crier dehors. Son portable sonna. À l'écran s'affichait le numéro de sa fille, Brianne. Pour toute réaction, elle tira la couette sur sa tête et chanta *I Walk the Line* de Johnny Cash.

Quand elle ressortit la tête de la couette, la voix excitée de sa voisine déclarait : « Ce n'est pas normal, Brian. »

Ils se tenaient tous les deux dans le jardin devant la maison.

— C'est vrai, quoi, disait son mari. Je viens de faire l'aller-retour jusqu'à Leeds, j'ai besoin de prendre une douche.

— Évidemment.

Eva réfléchit à cet échange. En quoi l'aller-retour en voiture à Leeds rendait-il nécessaire de prendre une douche ? L'air du Nord était-il chargé de poussière ? À moins que Brian ait transpiré sur la M1 ? pesté contre les camions ? hurlé à l'adresse des conducteurs qui lui collaient au train ? vilipendé la météo ?

Elle alluma la lampe de chevet.

Ce qui déclencha dehors une autre salve d'artillerie dirigée contre elle : « Arrête ces conneries et ouvre la porte ! »

Elle aurait voulu descendre pour satisfaire la demande de son mari, mais elle se découvrit incapable de sortir du lit. Elle avait l'impression d'être tombée dans une cuve de béton à prise rapide qui empêchait tout mouvement. Une douce langueur s'était répandue dans son corps, et elle pensa : « Il faudrait que je sois *folle* pour quitter ce lit. »

Il y eut un bruit de verre brisé. Peu de temps après, elle entendit Brian dans l'escalier.

Il l'appela.

Elle ne répondit pas.

Il ouvrit la porte de la chambre.

— Ah, tu es là, dit-il.

— Oui. Je suis là.

— Tu es malade ?

— Non.

— Alors qu'est-ce que tu fais au lit, tout habillée, avec tes chaussures ? À quoi tu joues ?

— Je ne sais pas.

— C'est le syndrome du nid vide. J'en ai entendu parler à *L'heure des femmes*.

Voyant qu'elle gardait le silence, il reprit : « Bon. Tu te lèves ? »

— Non.

Il demanda : « Et le dîner alors ? »

— Merci, mais je n'ai pas faim.

— Je veux dire, *mon* dîner ? Il y a quelque chose à manger ?

Elle répondit : « Je ne sais pas, regarde dans le frigo. »

Il descendit l'escalier avec fracas. Ses pas résonnaient sur le parquet laminé qu'il avait si mal posé l'année précédente. Puis, au craquement du bois, elle devina qu'il était entré dans le salon. Bientôt, il remonta tout aussi bruyamment.

— Bon sang, qu'est-ce qui est arrivé à ton fauteuil ? demanda-t-il.

— Quelqu'un a laissé une cuillère avec de la soupe sur l'accoudoir.

— Mais il y en a partout.

— Je sais. C'est moi qui l'ai jetée.

— Quoi ? Tu as balancé de la soupe ?

Eva acquiesça.

— Tu fais une dépression, Eva. J'appelle ta mère.

— Non !

Il rentra la tête dans les épaules, frappé par la violence de sa réaction.

Elle comprit à son regard dérouté qu'après vingt-cinq ans de mariage, l'univers domestique qu'il connaissait si bien s'effondrait. Il redescendit et poussa un juron en s'apercevant que le téléphone était débranché. Quelques secondes plus tard, Eva entendit le bruit des touches qu'il enfonçait. Elle décrocha le combiné de la chambre et écouta sa mère à l'autre bout du fil qui énonçait laborieusement son numéro : « 0116-2-444-333, Mrs Ruby Brown-Bird à l'appareil. »

Brian dit : « Ruby, c'est Brian. Il faut que vous veniez tout de suite. »

— Pas possible, Brian. Je me fais faire une permanente. Qu'est-ce qui se passe ?

— C'est Eva — il baissa la voix — je crois qu'elle est malade.

— Appelez une ambulance, dit Ruby avec irritation.

— Elle n'a rien, physiquement.

— Bon, alors tout va bien.

— Je viens vous chercher et je vous ramènerai après. Vous jugerez par vous-même.

— Brian, je ne peux pas ! J'héberge une réunion de Permanentes et je dois passer au rinçage dans une demi-heure. Sinon je vais ressembler à Harpo Marx. Tenez, je vous passe Michelle.

Il y eut quelques bruits étouffés, puis une jeune femme prit la parole au bout du fil.

— Bonjour… Brian, c'est ça ? Michelle à l'appareil. Vous voulez que je vous explique en détail ce qui arriverait si Mrs Bird laissait agir plus longtemps sa permanente ? D'accord, j'ai une assurance, mais je serais vraiment embêtée de devoir me présenter devant un tribunal si elle me collait un procès. Je croule sous les rendez-vous jusqu'au soir du 31 décembre.

Ruby revint en ligne. « Brian, vous êtes toujours là ? »

— Ruby, elle s'est mise au lit tout habillée. Et avec ses chaussures.

— Je vous avais prévenu, Brian. Vous vous rappelez ? Devant la porte de l'église, juste avant d'entrer, je vous ai dit : « Notre petite Eva est un *outsider*. Elle ne parle pas beaucoup, et on ne sait jamais ce qu'elle pense… »

Il y eut un long silence, puis Ruby reprit : « Vous n'avez qu'à appeler *votre* mère. »

La communication fut coupée.

Eva fut soufflée d'apprendre que sa mère avait tenté, à la dernière minute, de saboter son mariage. Elle attrapa son sac à main posé à côté du lit et chercha quelque chose à manger. Elle gardait toujours de quoi grignoter dans son sac. C'était une habitude qui remontait à l'époque où les jumeaux étaient petits et ouvraient le bec comme des oisillons quand ils avaient faim. Elle trouva un sachet de chips écrasé, un Bounty aplati et un demi-rouleau de pastilles Polo à la menthe.

Elle entendit Brian pianoter à nouveau sur le clavier du téléphone.

Brian avait toujours un peu d'appréhension quand il appelait sa mère. Sa langue fourchait et il ne parvenait plus à articuler correctement. Quel que soit le sujet de la conversation, elle le culpabilisait.

Sa mère décrocha dès la première sonnerie et lâcha un « Oui » hargneux.

Brian dit : « Allô, maman, c'est toi ? »

Eva décrocha à nouveau dans la chambre en veillant à couvrir le combiné de la main.

« Évidemment, c'est moi. Il n'y a personne d'autre ici. Je suis seule sept jours sur sept. »

Brian bredouilla : « Mais… euh… tu… euh… n'aimes pas recevoir de visites. »

— Exact, je n'y tiens pas, mais ça me ferait plaisir de pouvoir refuser si quelqu'un proposait. Bon, qu'est-ce qui se passe ? Je suis en train de regarder *Emmerdale.*

— Excuse-moi, maman. Tu veux me rappeler pendant la pub ?

— Non. Je t'écoute… Qu'on soit débarrassés.

— C'est à propos d'Eva.

— Ah ! C'est bizarre, mais ça ne m'étonne pas ! Elle t'a quitté ? La première fois que j'ai posé les yeux sur cette fille, j'ai su qu'elle te briserait le cœur.

Brian se demanda s'il avait déjà eu le cœur brisé. Il n'était jamais très en contact avec ses émotions. Quand il avait rapporté à la maison son diplôme de licence en sciences, mention Très Bien, pour le montrer à sa mère, le petit ami de cette dernière avait commenté : « Tu dois être très heureux, Brian. » Brian avait hoché la tête en s'obligeant à sourire. En vérité, il ne se sentait pas plus heureux que le jour précédent, lequel s'était déroulé dans la plus parfaite banalité.

Après avoir longuement examiné le rectangle de parchemin embossé, sa mère avait déclaré : « Ça ne va pas être facile de te faire embaucher en astronomie. Il y a des gens bien plus qualifiés que toi qui ne trouvent pas de travail. »

Aujourd'hui, Brian annonça d'une voix lugubre : « Eva s'est mise au lit tout habillée. Avec ses chaussures. »

— Je ne suis pas franchement surprise, Brian, répliqua sa mère. Il faut toujours qu'elle soit au centre de l'attention. Tu te souviens quand on a loué une caravane à Pâques, en 1986 ? Elle avait emporté une valise pleine de ces ridicules accoutrements de beatnik. On ne se promène pas déguisé en beatnik dans un village comme Wells-next-the-Sea. Tout le monde la regardait de travers.

Eva hurla à l'étage : « Vous n'aviez qu'à pas jeter ma petite robe noire à la mer ! »

Brian n'avait encore jamais entendu sa femme hurler.

Yvonne Beaver demanda : « Qui est-ce qui crie comme ça ? »

— C'est la télé, mentit Brian. Quelqu'un vient de gagner un paquet d'argent à *Eggheads*.

Sa mère fit observer : « Les petites tenues d'été que je lui avais achetées lui allaient très bien. »

Eva se revit en train de sortir les horribles vêtements du sac de voyage. Elle se rappelait leur odeur, à croire qu'ils avaient croupi pendant des années dans un entrepôt humide d'Extrême-Orient, et leurs couleurs sinistres, mauve, rose et jaune. Il y avait des chaussures ouvertes qu'Eva avait prises pour des sandales d'homme et un anorak beige qui aurait mieux convenu à un retraité. Quand elle les avait essayés, elle s'était trouvée vieillie de vingt ans.

Brian déclara : « Je ne sais pas quoi faire, maman. »

— Elle est probablement ivre, dit Yvonne. Laisse-la cuver.

Eva lança le téléphone dans la chambre et hurla : « C'étaient des sandales *d'homme* ! J'ai vu des *hommes* les porter avec des chaussettes blanches ! Tu aurais dû prendre ma défense, Brian. Tu aurais dû dire : "Même morte, ma femme ne voudrait pas qu'on la voie avec des sandales aussi laides aux pieds !" »

Elle hurlait si fort que sa gorge lui faisait mal. Puis elle cria à Brian de lui apporter un verre d'eau.

« Ne quitte pas, maman, dit Brian. Eva demande que je lui monte un verre d'eau. »

Sa mère le mit en garde d'une voix sifflante : « Surtout pas, malheureux ! Tu tresserais la corde pour te faire pendre... Dis-lui qu'elle n'a qu'à se servir toute seule ! »

Brian était tout désorienté. Pendant qu'il hésitait, debout dans l'entrée, sa mère continua : « Je me passerais bien de ces embêtements. Mon genou recommence à me torturer. J'étais sur le point d'appeler mon médecin pour lui demander de me couper la jambe. »

Brian alla dans la cuisine et ouvrit le robinet.

Sa mère l'interrogea : « C'est de l'eau que j'entends couler ? »

Brian mentit à nouveau : « Je change l'eau des fleurs. »

— Des fleurs ! Tu as de la chance de pouvoir t'offrir des fleurs.

— Elles viennent du jardin, maman. C'est Eva qui les a plantées.

— Tu as de la chance d'avoir un jardin.

Sa mère raccrocha. Elle ne disait jamais au revoir.

Brian monta à l'étage avec un verre d'eau froide. Quand il le tendit à Eva, elle but une petite gorgée, puis le posa sur la table de chevet encombrée d'objets divers. Brian dansait d'un pied sur l'autre au bout du lit. Il n'y avait personne pour lui dire ce qu'il devait faire.

Il faisait presque pitié à Eva, mais pas assez pour qu'elle sorte du lit. « Pourquoi tu ne vas pas regarder la télé en bas ? » se contenta-t-elle de suggérer.

Brian était un fervent adepte des émissions de valorisation immobilière du type « Pour mieux vendre sa maison », et plaçait ses animateurs Kirstie et Phil sur un piédestal. À l'insu d'Eva, il avait écrit à Kirstie pour la complimenter sur son physique, lui demandant si elle était mariée à Phil, ou bien s'il s'agissait d'un partenariat purement professionnel. Il avait reçu une réponse trois mois plus tard : « Merci de l'intérêt que vous me témoignez », signé : « Bien à vous, Kirstie. » L'enveloppe contenait aussi une photo la montrant dans une robe rouge au décolleté inquiétant. Prudemment, Brian avait glissé la photo entre les pages d'une vieille Bible que personne n'ouvrait jamais.

Eva se leva pendant la nuit, pressée par une envie d'uriner. Elle se déshabilla et enfila un pyjama qu'elle réservait, suivant le conseil de sa mère, pour le cas où elle devrait aller à l'hôpital en urgence. Ruby pensait que si on se montrait avec une robe de chambre, un pyjama et une trousse de toilette présentables, les infirmières et les médecins vous traitaient mieux que les patients qui apportaient leurs petites affaires minables dans un sac Tesco.

Eva se recoucha. Elle se demanda comment se passait la première nuit de ses enfants à l'université et les imagina ensemble dans une chambre, pleurant et se languissant de leur maison, comme le jour où ils étaient entrés à la maternelle.

2

Brianne était assise dans l'espace salon-cuisine du dortoir. Jusque-là, elle avait rencontré un garçon qui s'habillait en fille, et une fille habillée en garçon. Ils discutaient de clubs et de musiciens dont elle n'avait jamais entendu parler.

Brianne, qui n'avait pas une très forte capacité d'attention, cessa bientôt d'écouter, mais elle hochait la tête de temps à autre en lâchant un « Cool », quand cela paraissait approprié. Elle était grande, avec des épaules larges, des jambes longues et des pieds en proportion. Son visage se dissimulait en partie derrière une frange de cheveux noirs effilés qu'elle repoussait quand elle voulait vraiment voir quelque chose.

Une fille filiforme entra, vêtue d'une maxi-robe léopard et de bottes Ugg marron clair, avec à la main un gros sac de chez Holland & Barrett qu'elle fourra dans le réfrigérateur. Elle avait la moitié de la tête rasée, un tatouage en forme de cœur brisé sur le crâne et un rideau de cheveux vert fluo du côté opposé.

Brianne dit : « Incroyable, ta coiffure. Tu as fait ça toute seule ? »

— Mon frère m'a aidée. Il est pédé.

Sa voix avait une inflexion interrogative, comme si elle sollicitait une approbation ou doutait elle-même de la validité de ses déclarations.

« Tu es australienne ? » demanda Brianne.

La fille s'écria : « Ah non alors ! »

Brianne se présenta : « Je m'appelle Brianne. »

— Moi, c'est Poppy. Brianne ? J'ai jamais entendu ce nom.

— Mon père s'appelle Brian, expliqua Brianne d'une voix morne. C'est pas dur de marcher avec une maxi-robe ?

— Non, dit Poppy. Essaye-la si tu veux. Elle est en stretch, elle t'ira peut-être.

Elle ôta la robe en la faisant passer par-dessus sa tête et apparut en culotte et soutien-gorge vaporeux dont la dentelle, rouge écarlate, était si fine qu'on aurait cru une toile d'araignée. Elle semblait totalement dépourvue de pudeur. Brianne, elle, était bourrée de complexes. Elle détestait toutes les parties de son corps : visage, cou, cheveux, épaules, bras, mains, ongles, ventre, seins, aréoles, taille, hanches, cuisses, genoux, mollets, chevilles, pieds, ongles de pied, et même sa voix.

Brianne déclara : « Je l'essaierai dans ma chambre. »

— Tu as des yeux incroyables, fit remarquer Poppy.

— Ah bon ?

— Tu portes des lentilles vertes ? demanda Poppy en écartant la frange de Brianne pour mieux examiner son visage.

— Non.

— Ils sont d'un vert incroyable.

— Ah bon ?

— Trop beaux.

— Il faut que je maigrisse.

— T'as raison. Moi, je m'y connais en régimes. Je t'apprendrai à vomir après chaque repas.

— Je ne veux pas être boulimique.
— Regarde Lily Allen, elle est bien passée par là.
— Je déteste vomir.
— Même si c'est le prix à payer pour être mince ? Souviens-toi du dicton : on n'est jamais trop riche ni trop mince.
— Qui a dit ça ?
— Winnie Mandela, je crois.

Poppy, toujours en petite tenue, suivit Brianne jusqu'à sa chambre. Dans le couloir, elles tombèrent sur Brian Junior qui fermait sa porte à clé. Il regarda Poppy avec de grands yeux, elle fit de même. C'était le plus beau garçon qu'elle ait jamais vu. Levant les bras au-dessus de sa tête, elle prit une pose glamour en espérant que Brian Junior admirerait ses seins, taille de bonnet C.

Il marmonna dans sa barbe, mais suffisamment fort pour être entendu : « Beurk. »

Poppy s'exclama : « Comment ça, beurk ? Tu peux développer ? J'aimerais bien savoir ce qui est répugnant chez moi, exactement. »

Brian Junior, mal à l'aise, se balança d'une jambe sur l'autre.

Poppy défila devant lui, dans un sens puis dans l'autre, et s'immobilisa après une pirouette, une main posée sur sa hanche saillante. Elle tourna vers lui des yeux pleins d'espoir. En vain. Sans rien dire, il remit la clé dans la serrure, ouvrit la porte et rentra dans sa chambre.

Poppy dit : « Quel petit ange. Carrément lourd, mais mignon tout plein. »

Brianne expliqua : « Il a dix-sept ans, comme moi. On a passé le A-Level avec un an d'avance. »

— C'est ce que je devais faire aussi, sauf que j'ai perdu du temps à cause d'une tragédie personnelle...

Poppy se tut, attendant qu'on l'interroge sur la nature de cette tragédie. Comme Brianne gardait le silence, elle ajouta : « Je ne peux pas en parler. Enfin, j'ai quand même eu la mention Très Bien. Oxbridge a retenu ma candidature. J'ai passé un entretien, mais très honnêtement, je ne supporterais pas de faire mes études et de vivre dans un endroit aussi ringard. »

Brianne demanda : « Où ça, l'entretien ? À Oxford ou à Cambridge ? »

Poppy répliqua : « T'as un problème d'audition ou quoi ? Je viens de te le dire : à Oxbridge*. »

— Et tu as été acceptée à l'université de *Oxbridge*?

Brianne voulut vérifier : « C'est *où* au fait, Oxbridge ? »

Poppy grommela : « Quelque part dans le centre de l'Angleterre », et se détourna.

Brianne et Brian Junior, les célèbres jumeaux Beaver, avaient tous deux été sélectionnés par le Trinity College de Cambridge. Lors de l'examen, on les installa chacun dans une pièce, sous l'œil d'un surveillant, pour leur soumettre un problème de mathématiques d'une difficulté telle qu'il semblait impossible à résoudre. Lorsqu'ils posèrent leur stylo, après avoir noirci pendant cinquante-cinq minutes les feuilles de papier A4 fournies par l'université, le président du jury lut leur travail comme s'il s'était agi d'un roman palpitant. Brianne, méticuleuse comme toujours — quoique sans imagination —, avait tracé tout droit jusqu'à la solution, tandis que Brian Junior y parvenait par des voies plus mystérieuses. Le jury s'abstint de les questionner quant à leurs distractions ou passe-temps favoris. Il était évident

* Mot-valise désignant à la fois l'université de Cambridge et celle d'Oxford. (Toutes les notes sont de la traductrice.)

qu'ils ne faisaient rien en dehors de leur domaine de prédilection.

Les jumeaux déclinèrent l'offre de Cambridge. Brianne expliqua que son frère et elle avaient décidé de suivre le célèbre professeur de mathématiques Lenya Nikitanova à Leeds.

« Ah, Leeds, dit le président. Le corps enseignant y est remarquable en mathématiques. De rang mondial… Nous avons essayé d'attirer la charmante Nikitanova chez nous en lui proposant un salaire proprement mirobolant, mais elle a répondu par courriel qu'elle préférait se consacrer aux enfants de la classe ouvrière — voilà bien une expression que je n'avais pas entendue depuis l'ère Brejnev — et qu'elle acceptait le poste de maître de conférences à l'université de Leeds ! Typique… C'est une exaltée ! »

Ce jour-là, dans la résidence universitaire de Sentinel Towers, Brianne dit : « Je préfère essayer la robe toute seule. Je suis pudique. »

Poppy décréta : « Non, je viens avec toi. Je t'aiderai. »

Brianne se sentait étouffer en présence de Poppy. Elle n'avait pas envie de l'accueillir dans sa chambre. Elle ne voulait pas d'elle comme amie, pourtant, elle ouvrit sa porte et la laissa entrer.

La valise de Brianne était ouverte sur le lit étroit. Poppy se mit aussitôt à déballer les vêtements et les chaussures et à les ranger dans le placard. Assise sur le lit, impuissante, Brianne répétait : « Non, Poppy. Laisse, je peux le faire. » Elle se dit qu'elle réorganiserait tout à sa façon après le départ de Poppy.

Poppy ouvrit un coffret à bijoux décoré de minuscules coquillages et essaya plusieurs parures. Elle attrapa un bracelet en argent orné de trois breloques : une lune, un soleil et une étoile.

Ce bracelet avait été acheté par Eva à la fin du mois d'août pour fêter le A-Level de Brianne et sa mention Très Bien avec félicitations du jury. Brian Junior, lui, avait déjà perdu les boutons de manchette offerts par sa mère en l'honneur de sa mention Très Bien avec félicitations spéciales du jury.

— Je te l'emprunte, dit Poppy.

— Non ! s'écria Brianne. Pas celui-là ! J'y tiens.

Elle prit le bracelet des mains de Poppy et le glissa à son propre poignet.

Poppy déclara : « Oh là là ! T'es vraiment matérialiste. Relax. »

Pendant ce temps, Brian Junior faisait les cent pas dans sa chambre atrocement minuscule. Trois enjambées suffisaient pour passer de la porte à la fenêtre. Il se demandait pourquoi sa mère n'avait pas téléphoné comme promis.

Il avait déjà défait sa valise et tout rangé avec soin. Ses stylos et crayons étaient alignés par couleurs, en partant du jaune jusqu'au noir. Il était important pour Brian Junior qu'un stylo rouge se trouve exactement au milieu.

Quelques heures plus tôt, une fois les affaires des jumeaux sorties de la voiture et montées dans les chambres, après que les grille-pain, les bouilloires et les lampes Ikea furent branchés et pendant que les ordinateurs étaient en train de charger, Brian, Brianne et Brian Junior s'étaient assis en rang d'oignons sur le lit de Brianne, n'ayant rien à se dire.

Brian avait répété « Bon » plusieurs fois.

Les jumeaux attendaient que leur père parle, mais il était retombé dans le silence.

Enfin, il s'éclaircit la gorge et dit : « Bon, alors ça y est, hein ? C'est un peu effrayant pour moi et pour maman, encore plus pour vous deux… Il va falloir voler de vos propres ailes, rencontrer des gens nouveaux. »

Il se leva et se tint debout devant eux. « Les enfants, essayez de vous faire des amis, d'accord ? Brianne, présente-toi et souris. Les autres étudiants ne sont pas aussi intelligents que toi et Brian Junior, mais l'intelligence n'est pas tout. »

Brian Junior répondit d'une voix morne : « On est là pour travailler, papa. Si on avait besoin d'amis, on serait sur Facebook. »

Brianne prit son frère par la main et dit : « Ce serait peut-être bien d'avoir un ami, Bri. Tu sais, quelqu'un avec qui on parle de… » Elle hésita.

Brian lui vint en aide : « De fringues, de garçons, de coiffures. »

Brianne pensa : « De coiffures ? Pouah ! Non. Moi, je voudrais parler des merveilles du monde, des mystères de l'univers. »

Brian Junior reprit : « On se fera des amis quand on aura obtenu notre doctorat. »

Brian rit. « Détends-toi un peu, BJ. Soûle-toi, envoie-toi en l'air, rends un devoir en retard, ça te changera. Enfin quoi, tu es étudiant ! Pique un cône de signalisation ! »

Brianne regarda son frère. Elle ne l'imaginait pas soûl comme une barrique avec un cône de signalisation sur la tête, pas plus que passant à l'émission *Strictly Come Dancing* et dansant la rumba, vêtu d'une combinaison en lycra vert fluo.

Avant le départ de Brian, il y eut des étreintes maladroites et des claques dans le dos échangées avec gaucherie. Des nez reçurent des baisers destinés à des joues. Ils se marchèrent sur les pieds les uns des autres, pressés de quitter la chambre à l'atmosphère confinée pour se précipiter vers l'ascenseur. Là, ils durent attendre des minutes interminables, le temps que la cabine grimpe les six étages en grinçant et en cliquetant.

Quand les portes s'ouvrirent, Brian se jeta à l'intérieur. Il agita la main en signe d'au revoir et les jumeaux répondirent de même. Brian enfonça le bouton « Rez-de-chaussée », les portes se fermèrent et les jumeaux se tapèrent dans la main avec enthousiasme.

Puis l'ascenseur revint, livrant son prisonnier en la personne de Brian.

Les jumeaux découvrirent avec horreur que leur père pleurait. Ils allaient entrer dans la cabine lorsque les portes se refermèrent, leur barrant la voie. L'ascenseur tressauta et repartit vers le bas.

— Mais pourquoi il *pleure*, papa ? demanda Brian Junior.

— À mon avis, il est triste parce qu'on a quitté la maison, répondit Brianne.

Brian Junior n'en revenait pas.

— Et c'est normal, cette réaction ?

— Je crois.

— Maman n'a pas pleuré quand on est partis.

— Non. Maman garde ses larmes pour les grandes catastrophes.

Au bout d'un moment, voyant que l'ascenseur ne ramenait pas leur père, ils gagnèrent leurs chambres et tentèrent, sans succès, de joindre leur mère.

3

À dix heures du soir, Brian Senior vint se déshabiller dans la chambre.

Eva ferma les yeux. Elle entendit le tiroir de la commode où il rangeait son pyjama s'ouvrir et se refermer. Après lui avoir laissé une minute pour enfiler le vêtement, elle dit, le dos tourné : « Brian, je n'ai pas envie que tu dormes ici ce soir. Si tu allais dans la chambre de Brian Junior ? Tu peux être certain qu'elle est propre et incroyablement bien rangée. »

— Tu te sens mal ? demanda Brian. Physiquement, je veux dire ?

— Non, répondit-elle. Je vais très bien.

Brian la sermonna : « Eva, sais-tu que dans certains groupes thérapeutiques, les patients n'ont pas le droit de dire "Je vais bien" ? Parce qu'inévitablement ils ne vont *pas bien*. Avoue-le, tu es chagrinée à cause du départ des jumeaux. »

— Non, je suis contente de ne plus les voir.

La voix de Brian tremblait de colère. « C'est terrible d'entendre une chose pareille dans la bouche d'une mère. »

Eva se tourna vers lui. « On a complètement raté leur éducation, dit-elle. Brianne se laisse marcher dessus par tout le monde, et Brian Junior panique dès qu'il doit parler à un autre être humain. »

Brian s'assit sur le lit.

— Ce sont des enfants hypersensibles, je te l'accorde.

— Névrosés, oui, répliqua Eva. Ils passaient des heures dans un carton quand ils étaient petits.

Brian s'exclama : « Ah bon ? Je ne savais pas ! Que faisaient-ils ? »

— Rien. Ils ne parlaient pas. De temps en temps, ils se regardaient. Si j'essayais de les faire sortir, ils mordaient et griffaient. Ils voulaient rester ensemble dans leur petit monde en carton.

— Ce sont des enfants surdoués.

— Mais sont-ils heureux, Brian ? Je ne saurais pas répondre, je les aime trop.

Brian s'arrêta un moment à la porte, comme s'il était sur le point d'ajouter quelque chose. « Pourvu qu'il ne sorte pas une grande déclaration », pensa Eva. Elle se sentait déjà épuisée par les émotions de la journée. Brian ouvrit la bouche, mais, se ravisant, il partit en fermant la porte sans bruit.

Eva s'assit dans le lit, repoussa la couette et découvrit avec stupeur qu'elle portait encore ses talons hauts noirs. Elle contempla sa table de chevet sur laquelle s'amassaient divers pots et tubes de crème hydratante presque identiques. « Un seul me suffit », pensa-t-elle. Elle choisit le flacon Chanel et lança les autres un par un dans la corbeille à l'extrémité de la pièce. C'était une bonne lanceuse. Elle avait représenté le lycée de Leicester pour l'épreuve de javelot filles aux Olympiades du comté.

En la félicitant d'avoir établi un nouveau record pour l'école, son professeur de lettres avait murmuré : « Une vraie Athéna, Miss Brown-Bird. Et, au passage, vous avez un corps superbe. »

Il lui fallait aller aux toilettes maintenant. Heureusement, elle avait persuadé Brian de faire abattre la cloison afin de créer une salle de bains intégrée à la chambre. Ils étaient les derniers dans leur rue à avoir réaménagé ainsi l'espace.

La maison des Beaver, de style édouardien, avait été construite en 1908. La date était gravée sous l'avant-toit, au centre d'une frise de lierre et de chèvrefeuille. Rares sont les acquéreurs qui se laissent guider par des raisons purement sentimentales, mais Eva faisait partie de ceux-là. La feuille verte du chèvrefeuille des bois, caractéristique des paquets de Woodbine que fumait autrefois son père, restait indissociable de son enfance. Par chance, la maison avait été habitée par un Ebenezer Scrooge* des temps modernes, qui, résistant à l'hystérie rénovatrice des années soixante, l'avait conservée intacte, avec des pièces spacieuses, des plafonds hauts, des moulures, des cheminées, ainsi que des portes et des planchers en chêne massif.

Brian la détestait. Lui, il désirait une « machine à vivre ». Il s'imaginait dans une cuisine d'un blanc immaculé, debout le matin à côté d'une cafetière à expresso. Il n'avait pas envie d'habiter à un kilomètre du centre-ville. Il voulait une boîte en verre et en acier, façon Le Corbusier, avec vue sur un paysage de campagne et sur un vaste ciel. Il avait expliqué à l'agent immobilier qu'il était astronome et que ses télescopes supportaient mal la pollution. Face à Brian et à Eva, l'agent immobilier s'était demandé comment deux personnalités aussi diamétralement opposées avaient bien pu se marier.

---

* Vieillard égoïste et avare du conte de Charles Dickens, *Un chant de Noël.*

Eva déclara qu'elle ne pourrait pas s'adapter à un système modulaire minimaliste et qu'elle devait habiter dans une maison avec des rues éclairées tout autour. À quoi Brian avait rétorqué qu'il ne supporterait pas de vivre dans une vieille baraque infestée de punaises, de puces, de rats et de souris, et où des gens étaient *morts*. Lors de la première visite, il s'était plaint de sentir ses poumons « encombrés par un siècle de poussière ».

Eva aimait que la maison se dresse à un croisement de rues et n'ait pas de vis-à-vis. Par les grandes et belles fenêtres, elle voyait les hauts immeubles du centre-ville et, au-delà, les bois et la campagne, barrés à l'horizon par une rangée de collines.

Pour finir, face à la pénurie extrême d'habitat futuriste dans le comté rural du Leicestershire, ils avaient acheté la villa édouardienne du 15 Bowling Green Road et son terrain pour 46 999 livres. Ils prirent possession de leur bien en avril 1986, après avoir vécu trois ans avec Yvonne, la mère de Brian. Eva ne regretta jamais d'avoir tenu tête à Brian et à Yvonne à propos de la maison. Le jeu en valait la chandelle, malgré les trois semaines de bouderie qui s'ensuivirent.

Lorsqu'elle alluma la lumière dans la salle de bains, son image lui apparut en une myriade de reflets. Une femme d'allure encore assez jeune, mince, avec des cheveux blonds coupés court, des pommettes saillantes et des yeux gris clair. Obéissant à ses instructions — parce qu'elle pensait que la pièce semblerait ainsi plus grande —, l'entrepreneur avait habillé les murs de miroirs sur trois côtés. Elle avait aussitôt voulu lui demander de les enlever mais n'en avait pas eu l'audace. Quand elle s'asseyait sur les toilettes, elle se voyait donc reproduite à l'infini.

Elle ôta ses vêtements et entra dans la cabine de douche en évitant de se regarder.

Sa mère lui avait dit récemment: « Pas étonnant que tu n'aies que la peau sur les os, tu ne t'assieds jamais. Même ton dîner, tu le prends debout. »

C'était vrai. Après avoir servi Brian, Brian Junior et Brianne, elle se contentait de picorer dans les casseroles et les plats posés sur la cuisinière. L'angoisse qu'il y avait à préparer tout un repas et à l'apporter sur la table à la bonne température, en espérant que la conversation ne tournerait pas à la dispute, semblait produire des remontées acides qui lui coupaient l'appétit.

L'étagère installée dans le coin de la douche regorgeait de shampoings, de démêlants et de gels lavants. Eva sélectionna ceux qu'elle préférait et jeta les autres dans la poubelle près du lavabo. Puis elle se rhabilla en hâte et enfila ses escarpins à talons qui la grandissaient de neuf centimètres, lui donnant un pouvoir dont elle avait bien besoin ce soir. Elle se promena dans la chambre en répétant ce qu'elle allait dire à Brian s'il revenait et essayait de réintégrer le lit conjugal.

Il lui faudrait agir vite, pendant qu'elle en avait le courage.

Elle évoquerait la façon dont il la rabaissait en public. Comment il la présentait à ses amis en disant: « Et voici la Klingon*. » Elle parlerait aussi des billets de loterie d'une valeur de vingt livres qu'il lui avait offerts à son anniversaire.

Mais ensuite, elle pensa à sa belle assurance qui était retombée si vite, à son air triste quand elle lui avait demandé de dormir ailleurs. Debout près de la porte

* Extraterrestre dans *Star Trek*.

de la chambre, elle considéra un instant l'affrontement à venir, puis déposa les armes et se recoucha.

Elle s'éveilla en sursaut à 3 h 15. Brian hurlait et se débattait avec la couette. Lorsqu'il eut allumé sa lampe de chevet, elle le vit assis sur le bord du lit, tapant du pied sur la moquette et se tenant le mollet droit.

— Une crampe ? demanda-t-elle.

— Non ! Tu m'as planté ton talon aiguille dans la jambe, bordel !

— Tu aurais dû rester dans la chambre de Brian Junior au lieu de revenir en douce dans mon lit.

Brian protesta : « *Ton* lit ? Il me semble qu'on dort ensemble, non ? »

Brian, qui supportait mal la douleur et encore moins le sang, se retrouvait avec les deux en plein milieu de la nuit. Il se mit à gémir bruyamment. Maintenant qu'Eva était mieux réveillée, elle vit qu'il avait en effet une plaie ouverte à la jambe.

« Ça saigne, dit-il. Beaucoup... Il faut que tu nettoies avec de l'eau distillée et de la teinture d'iode. »

Comme Eva était dans l'incapacité de se lever, elle attrapa le vaporisateur de Chanel No 5 sur sa table de nuit, visa la blessure de Brian et appuya longuement. Brian poussa une série de cris stridents, bondit vers la porte en sautant à cloche-pied sur la moquette beige et disparut.

Juste avant de se rendormir, Eva se dit qu'elle avait bien réagi. Car tout le monde sait que Chanel No 5 est un bon antiseptique en cas d'urgence.

Eva fut à nouveau réveillée vers 5 h 30.

Brian boitillait dans la chambre en criant : « J'ai mal ! J'ai mal ! » à intervalles réguliers. Quand Eva s'assit dans le lit, il continua : « J'ai appelé les urgences. Quelle bande d'abrutis ! Idiots ! Crétins ! Imbéciles ! Demeurés ! Débiles ! Benêts ! Cuisiniers de fast-food ! Batraciens ! Une rebouteuse africaine en saurait plus que ces gens-là ! »

Eva répondit avec lassitude : « Brian, je t'en *prie*. Tu n'es jamais fatigué de te battre contre le monde ? »

— Non. Je n'aime pas beaucoup le monde.

Eva éprouva une immense pitié pour son mari, là, debout au pied du lit, nu, avec une serviette de table en lin blanc nouée autour de la jambe et des miettes de pain grillé dans sa barbe. Elle se détourna.

Il était un intrus dans ce qu'elle considérait maintenant comme *sa* chambre.

* * *

Brianne se demandait combien de temps Poppy continuerait à pleurer. Elle l'entendait sangloter de l'autre côté de la cloison.

Sur le réveil qui la suivait partout depuis son enfance, Barbie et Ken indiquaient respectivement les chiffres quatre et un. Ce n'était pas ainsi qu'elle avait imaginé sa première nuit à l'université.

Elle pensa : « Cette horrible fille m'a entraînée dans un scénario de *EastEnders*. »

Vers 5 h 30, elle fut brusquement tirée d'un sommeil agité par des coups frappés à sa porte. Poppy gémissait. Brianne se raidit. Aucun moyen de lui échapper. Sa chambre se trouvait au sixième étage — et de toute façon, l'ouverture de la fenêtre à guillotine était limitée à quelques centimètres.

— C'est moi. Poppy. Laisse-moi entrer !

— Non ! Va dormir, Poppy ! s'écria Brianne.

Poppy implora : « Brianne, aide-moi ! J'ai été agressée par un borgne ! »

Brianne ouvrit sa porte et Poppy fit irruption dans la chambre. « J'ai été agressée. »

Brianne regarda dans le couloir. Personne. La porte de la chambre de Poppy était ouverte et la chanson punk emo qu'elle écoutait en boucle — *Almost Lover*, de A Fine Frenzy — s'en échappait à pleins tubes. Elle jeta un coup d'œil à l'intérieur et ne vit aucune trace d'agression. Le dessus-de-lit était tiré, sans un pli.

Quand elle revint dans sa propre chambre, Poppy avait enfilé sa chemise de nuit préférée en acrylique soyeux, s'était glissée sous sa couette et sanglotait dans son oreiller. Brianne ne savait pas quoi faire. Elle mit en marche la bouilloire et demanda : « Je téléphone à la police ? »

— Tu ne trouves pas que j'ai été assez souillée comme ça ? s'écria Poppy. Je vais dormir dans ton lit avec toi.

Une demi-heure plus tard, recroquevillée sur le bord de son lit, Brianne se promit d'aller à la bibliothèque le lendemain et de chercher un livre pour apprendre à ne pas se laisser marcher sur les pieds.

4

Quand elle se réveilla le deuxième jour, Eva repoussa la couette et s'assit sur le bord du lit.

Puis elle se rappela qu'elle n'était pas obligée de préparer le petit déjeuner pour toute la famille, de crier à chacun de se lever, de vider le lave-vaisselle ou de remplir une machine, de repasser un tas de linge, de traîner un aspirateur dans l'escalier ou de ranger des placards et des tiroirs, de nettoyer le four ou d'essuyer le plan de travail ainsi que les bouteilles de sauce marron ou rouge, de passer un chiffon sur les meubles en bois, de faire les carreaux ou de laver les sols, de redresser les tapis et les coussins, de frotter à la brosse les traces dans les cuvettes des WC ou de ramasser des vêtements sales et de les déposer dans le panier à linge, de remplacer des ampoules électriques grillées et des rouleaux de papier toilette, de redescendre des affaires du bas qui se trouvaient en haut et de remonter celles du haut qui se trouvaient en bas, de passer chez le nettoyeur, de désherber des plates-bandes, de se rendre dans des jardineries pour acheter des bulbes et des plantes annuelles, de cirer des chaussures ou de les apporter chez le cordonnier où l'on faisait faire des doubles de clés, de rendre des livres à la bibliothèque, de trier les déchets recyclables, de payer les factures, d'aller voir une mère en se reprochant de ne pas aller voir une belle-mère, de donner à manger au poisson et de nettoyer le filtre de l'aquarium, de répondre au téléphone qui sonnait pour deux adolescents et de leur transmettre des messages, de se raser les jambes ou de s'épiler les sourcils, de se faire les ongles, de changer les draps et les taies d'oreiller de trois lits (le samedi), de laver à la main des pulls en laine et de les étendre à plat sur des serviettes, de payer d'autres factures, d'aller acheter des choses à manger qu'elle ne mangerait pas elle-même, de les rouler dans un chariot jusqu'à la voiture, de les charger dans le coffre, de rentrer à la maison, de ranger les produits frais au réfrigérateur et l'épicerie dans les placards ou sur une étagère trop haute pour elle, mais parfaitement adaptée à la taille de Brian.

Elle ne couperait pas de légumes et ne ferait pas revenir de viande pour préparer un sauté. Elle ne cuirait pas de pain ni de gâteaux parce que Brian préférait la pâtisserie maison à celle qu'on achetait dans le commerce. Elle ne tondrait pas la pelouse, ne désherberait pas, ne planterait pas, ne balaierait pas les allées et ne ramasserait pas les feuilles dans le jardin. Elle ne traiterait pas la nouvelle clôture à la créosote. Elle ne fendrait pas de bois pour allumer un bon feu de cheminée devant lequel Brian s'asseyait lorsqu'il rentrait du travail en hiver. Elle ne se brosserait pas les cheveux, ne se doucherait pas et ne se maquillerait pas à toute vitesse.

Aujourd'hui, elle ne ferait rien de tout cela.

Elle ne s'inquiéterait pas de porter des vêtements aux couleurs mal assorties, parce qu'elle ne s'habillerait plus. Elle se voyait rester en pyjama et robe de chambre pendant un certain temps.

Pour manger, pour faire sa toilette et pour s'approvisionner, elle compterait sur les autres. Sur qui, précisément, elle l'ignorait, mais elle était persuadée que la plupart des gens sont désireux de se montrer bons et charitables.

Elle savait qu'elle ne s'ennuierait pas — elle serait très occupée à réfléchir.

Elle se lava rapidement le visage et les aisselles dans la salle de bains, mais elle se sentait mal d'avoir quitté le lit. En posant seulement un pied par terre, pensa-t-elle, elle risquerait à tout moment d'être rattrapée par son sens du devoir qui la pousserait à sortir de la chambre. Peut-être demanderait-elle à sa mère de lui apporter un seau. Elle se remémora le pot en porcelaine que sa grand-mère gardait sous le matelas défoncé de son lit — sa mère devait le vider tous les matins quand elle était enfant.

Eva se rallongea contre les oreillers et glissa à nouveau dans un sommeil dont elle fut tirée par Brian qui demandait : « Qu'as-tu fait de mes chemises propres ? »

Elle répondit : « Je les ai données à une lingère qui passait. Elle va les laver et les battre sur les pierres d'un joli petit ruisseau. Elle les rapportera vendredi. »

Brian, qui n'avait pas tout écouté, s'écria : « Vendredi ! Mais j'en ai besoin maintenant ! »

Eva se tourna vers la fenêtre. Quelques feuilles dorées tombaient du sycomore en tournoyant. « Ton travail ne t'oblige pas à porter une chemise, déclara-t-elle. Le professeur Brady s'habille comme s'il était un des Rolling Stones. »

— C'est sacrément embarrassant, répliqua Brian. On a reçu une délégation de la NASA la semaine dernière. Ils étaient tous en veston-cravate, et Brady leur a fait visiter la boîte avec son vieux pantalon de cuir, un t-shirt Yoda et des bottes de cow-boy aux talons élimés ! Sachant ce qu'il est *payé !* Tous les cosmologues sont pareils. Quand on les voit rassemblés dans une pièce, on croirait une bande de junkies en cure de désintox ! Je te jure, Eva… Sans nous, les astronomes, le bateau aurait coulé depuis longtemps !

Eva avait envie qu'il sorte de la chambre. Elle se tourna vers lui et dit : « Tu n'as qu'à mettre ton polo bleu marine, ton pantalon chino et tes chaussures Richelieu marron. » Elle demanderait à sa mère qui n'avait pas fait d'études de montrer au Dr Brian Beaver, éminent scientifique, titulaire d'une licence, d'une maîtrise, d'un doctorat en philosophie (Oxford), comment appuyer sur les boutons de la machine à laver.

Avant que Brian parte, elle lui demanda : « Tu crois qu'il y a *vraiment* un Dieu, Brian ? »

Il était assis sur le lit et attachait ses lacets.

— Ne me dis pas que tu te tournes vers la religion, Eva. Ça finit toujours par des larmes. D'après le dernier livre de Steve Hawking, Dieu n'a aucune finalité. C'est un personnage de contes de fées.

— Alors pourquoi des millions de gens croient en lui ?

— Eva… Il est prouvé, *statistiquement*, que quelque chose peut sortir de rien. Le principe d'incertitude de Heisenberg rend possible l'apparition d'une bulle d'espace-temps à partir de nulle part…

Il marqua une pause. « Mais je reconnais que sur le plan des particules, c'est complexe. Il faut *vraiment* que les gars de la supersymétrie dans la théorie des cordes trouvent le boson de Higgs. Et la réduction du paquet d'ondes reste problématique. »

Eva hocha la tête et dit : « Je vois. Merci. »

Il passa le peigne d'Eva dans sa barbe, puis demanda :

— Alors ? Tu comptes rester au lit combien de temps ?

— Où finit l'univers ? reprit Eva.

Brian tortilla les poils drus de sa barbe entre ses doigts.

— Tu peux me dire pourquoi tu veux te retirer du monde, Eva ?

— Je ne sais plus comment y vivre, répondit-elle. Je ne sais même pas faire marcher la télécommande. Je préférais quand il n'y avait que trois chaînes et qu'il suffisait d'appuyer sur les boutons. Tac, tac, tac.

Elle mima le geste sur une télévision imaginaire.

— Tu vas traînasser au lit parce que tu ne sais pas te servir de la télécommande ?

Eva marmonna : « Je ne sais pas non plus comment fonctionne le nouveau micro-ondes en position gril. Ni à combien se monte notre facture d'électricité par trimestre. On doit de l'argent, Brian, ou c'est la compagnie qui nous en doit ? »

— Je ne sais pas, avoua-t-il.

Il lui prit la main et dit : « À ce soir. Pendant que j'y pense... Je dois faire une croix sur le sexe ou pas ? »

5

— Steve et moi, on ne dort plus ensemble, annonça Julie. Il couche dans le débarras avec sa PlayStation et une vidéo des Guns N' Roses.

— Il ne te manque pas ? Physiquement ? demanda Eva.

— Non, on fait toujours l'amour ! En bas, une fois que les enfants sont couchés. Avant on était obligés de se magner pendant les pubs — tu sais combien j'adore mes feuilletons —, mais maintenant on regarde la télé en différé. Depuis que j'ai raté l'épisode où Phil Mitchell prend de l'héroïne pour la première fois... Alors ? Pourquoi tu restes au lit ?

— C'est agréable, répondit Eva.

Elle aimait bien Julie, mais elle avait déjà envie qu'elle parte.

— Je perds mes cheveux, dit Julie.

— Tu n'as pas un cancer ?

Julie rit. « Non, c'est le stress du boulot. On a une nouvelle directrice. Mrs Damson, elle s'appelle. Dieu sait d'où elle sort, celle-là. C'est le genre, il faut *vraiment* faire huit heures... Du temps de Bernard, on ne bossait pas beaucoup. On arrivait à 8 heures, je mettais la bouilloire en marche, et avec les autres filles, on restait à blaguer dans la salle du personnel jusqu'à ce que les clients cognent à la porte pour qu'on les laisse entrer. Parfois, pour rire, on faisait comme si on ne les avait pas entendus et on n'ouvrait pas la porte avant 9 h 30. Bernard, c'était un bonheur de travailler pour lui. C'est pas sa faute si notre agence ne réalisait jamais de bénéfices. Il n'y avait plus de clients, point final. »

Eva ferma les yeux en feignant de dormir, mais Julie continua.

« Mrs Damson n'était là que depuis trois jours et j'ai commencé à avoir des boutons. » Elle releva sa manche pour montrer son bras nu à Eva. « Regarde, j'en suis couverte. »

— Je ne vois rien, dit Eva.

Julie rabaissa sa manche. « Ça commence à passer. »

Elle se leva, fit les cent pas dans la chambre, s'empara d'un flacon d'Olay Régénérant qui promettait de donner une nouvelle jeunesse à la peau, rit sous cape et le reposa sur la table de nuit.

— Tu fais une dépression, déclara-t-elle.

— Ah bon ?

— C'est le premier symptôme… Quand j'ai pété les plombs après la naissance de Scott, je suis restée au lit pendant cinq jours. Steve devait retourner sur sa plate-forme pétrolière. J'avais peur, Eva, parce que les accidents d'hélicoptère sont tellement fréquents. Je ne mangeais pas, je ne buvais pas, je ne me lavais pas. Je ne faisais que pleurer. Je désirais *tellement* une fille. J'avais déjà quatre garçons.

— C'est pour ça que tu te sentais déprimée.

Julie poursuivit, sans prêter attention à Eva. « J'étais *si* sûre que ce serait une fille ! Je n'avais acheté que de la layette rose. Quand je sortais mon bébé du landau, les gens disaient : “Elle est trop mignonne, comment s'appelle-t-elle ?” Je répondais : “Amelia”, parce que c'était le prénom que j'aurais voulu lui donner. Tu crois que ça explique pourquoi Scott est gay ?

— Il n'a que cinq ans, dit Eva. Il est beaucoup trop jeune pour être quoi que ce soit.

— Je lui ai acheté une dînette en porcelaine l'autre jour. Une théière, un pot à lait, un sucrier, deux tasses, des soucoupes et des petites cuillères… Très joli, avec des roses. Il a joué avec toute la journée — jusqu'à ce que Steve rentre et donne un coup de pied dedans.

Elle partit d'un petit rire. « Il a pleuré, pleuré. »

— Scott ? demanda Eva.

— Non, Steve ! Tu n'écoutes pas.

— Et Scott ? Qu'est-ce qu'il a fait ?

— Comme toujours quand ça barde à la maison. Il se cache dans ma penderie et il caresse mes vêtements.

— Ce n'est pas un peu…

— Un peu quoi ? dit Julie.

— Bizarre ?

— Tu crois ?

Eva hocha la tête.

Julie s'assit pesamment sur le lit.

— Pour être honnête, Eva, je n'assure plus trop avec mes garçons. Ils ne sont pas méchants, mais je ne sais plus comment m'y prendre. Ils font tellement de bruit et ils passent leur temps à se battre. Le boucan, quand ils courent dans l'escalier… Et leur manière de manger et de se disputer pour la télécommande, leurs horribles fringues de garçons, l'état de leurs ongles. On va peut-être réessayer d'avoir une fille, la prochaine fois que Steve rentre de la plate-forme. Qu'est-ce que t'en penses ?

— Je vous le défends !

La véhémence d'Eva les surprit toutes les deux.

Eva regarda par la fenêtre. Voyant un garçon grimper dans le sycomore de son jardin, elle fit un geste du menton et dit sur un ton désinvolte : « Ce n'est pas l'un de tes garçons qui est en train de grimper dans notre arbre ? »

Après un coup d'œil, Julie courut ouvrir la fenêtre et cria : « *Scott !* Descends de là, imbécile, tu vas te casser le cou ! »

— C'est un garçon, Julie, déclara Eva. Tu peux ranger la dînette.

— Oui, je vais essayer d'avoir une fille.

En descendant l'escalier, Julie pensa : « J'aimerais bien être au lit, moi aussi. »

6

Brianne jeta un coup d'œil à sa montre. 11 h 35. Elle était réveillée depuis 5 h 30, grâce à Poppy et à son besoin d'attention chronique.

Celle-ci téléphonait depuis presque une heure, sur le portable de Brianne, à quelqu'un qui s'appelait Marcus.

Brianne pensa : « Elle a mis *mon* bracelet avec les charmes, elle utilise *mon* téléphone, et je n'ai pas le courage de lui demander — non, *d'exiger* — qu'elle me les rende. »

Au téléphone, Poppy dit tout à coup : « Alors, vous ne voulez pas me prêter rien que cent livres ? Vous n'êtes qu'un sale radin ! » Elle secoua le téléphone puis le jeta sur le lit.

— Putain, y a plus de crédit ! lâcha-t-elle avec colère en regardant Brianne comme si c'était sa faute.

— J'étais censée appeler ma mère, fit remarquer Brianne.

Poppy rétorqua : « T'as de la chance d'avoir une mère. Moi, j'ai personne. » Elle prit l'accent cockney pour plaisanter. « Oh, la pov' Poppy qu'a l'est toute seule au monde. Y a personne qui l'aime. »

Brianne se força à sourire.

Poppy reprit sa voix normale et déclara :

— Je suis bonne comédienne. J'ai hésité entre Leeds ou la RADA*. Pour être honnête, j'aime pas le look des étudiants ici. Ils font vraiment trop province. Et j'ai pas du tout envie de commencer le cours histoire et civilisation américaines. Ils ne nous emmènent même pas en Amérique, c'est nul ! Je vais peut-être changer et prendre comme toi. C'est quoi, déjà, ce que t'as choisi ?

— Astrophysique, répondit Brianne.

Quelques coups légers furent frappés à la porte. Brianne ouvrit. Brian Junior se tenait sur le seuil. « Hyper sexy » en ce début de matinée, avec ses paupières lourdes de sommeil et ses cheveux ébouriffés par l'oreiller.

Poppy s'écria : « Salut, Bri ! Qu'est-ce que tu fabriquais encore dans ta chambre, petit vicelard ? »

Brian Junior rougit. « Je reviendrai plus tard... quand... »

— Non, fit Brianne. Dis-moi tout de suite.

Brian Junior expliqua : « C'est pas grand-chose, mais papa a appelé. Il a raconté qu'après notre départ maman s'était mise au lit tout habillée, même avec ses chaussures, et qu'elle ne s'est toujours pas levée. »

— Moi, ça m'arrive souvent de me coucher avec mes chaussures, intervint Poppy. Tous les hommes aiment voir une femme en stilettos.

Elle bouscula les jumeaux pour sortir dans le couloir et alla frapper à la porte voisine où vivait Ho Lin, un étudiant en médecine chinois. Quand il ouvrit, vêtu d'un pyjama à rayures bleu et blanc très anglais, Poppy dit : « Ça urge, mon chou. Je peux utiliser ton téléphone ? », et elle entra d'autorité et ferma la porte.

* Académie royale d'art dramatique.

Brianne et Brian Junior se regardèrent. Ni l'un ni l'autre ne voulaient avouer qu'ils trouvaient Poppy monstrueuse, et qu'elle leur avait à elle seule gâché cette première expérience de la liberté. De par l'éducation qu'ils avaient reçue, ils pensaient que si l'on n'exprimait pas quelque chose à voix haute, cela n'existait pas. Leur mère était une femme réservée et avait transmis ce trait de caractère à ses enfants.

Brianne déclara : « C'est ce qui arrive aux femmes, à cinquante ans. Ça s'appelle la *men-o-pause.* »

— Et qu'est-ce qu'elles font ? demanda Brian Junior.

— Oh, elles perdent la boule, elles volent dans les magasins, elles se couchent pendant trois jours... des trucs comme ça.

— Pauvre maman, dit Brian Junior. On l'appellera après le forum des Première année.

En arrivant au bâtiment qui abritait le syndicat étudiant, ils se dirigèrent droit vers le Club de mathématiques. Après s'être frayé un chemin parmi une foule d'étudiants ivres, ils parvinrent à une table sur tréteaux habillée d'un collage aux motifs d'équations.

Un jeune étudiant coiffé d'un bonnet de laine s'exclama : « Je rêve... Les jumeaux Beaver ! Respect, les gars. Vous êtes trop ! C'est vrai, quoi. Une *légende !* Chacun une médaille d'or aux Olympiades internationales de maths. » Il ajouta à l'intention de Brian Junior : « Et le Prix spécial. Méga respect. "Une solution d'une élégance remarquable", ils ont dit. Tu peux me montrer la démarche ? Ce serait un honneur. »

— D'accord, si tu as le temps d'y passer deux heures, répondit Brian Junior.

Le jeune au bonnet acquiesça : « Quand tu veux, où tu veux. Un cours particulier avec Brian Beaver

Junior, ce serait *d'enfer* sur mon CV. Je vais chercher un stylo ! »

Un petit groupe s'était formé autour de Brian Junior et Brianne. Le bruit avait circulé que les jumeaux Beaver se trouvaient dans le bâtiment. Tandis que Brian Junior récitait de mémoire la preuve qu'il avait conçue *ex nihilo* — les examinateurs n'auraient jamais imaginé une telle réponse —, il entendit Brianne qui grommelait : « Oh merde ! »

Poppy avait surgi derrière eux. Elle s'écria : « Je vous ai retrouvés ! » Puis, agitant un doigt pour faire mine de les menacer, elle ajouta : « Il va falloir que vous preniez l'habitude de me dire où vous allez. C'est vrai, quoi. Vous êtes mes *meilleurs* amis. » Elle avait enfilé une vieille robe du soir en taffetas par-dessus un col roulé noir. Se tournant vers l'étudiant au bonnet, elle demanda : « Je peux m'inscrire au club, s'te plaît ? D'accord, j'ai pas beaucoup de cervelle, mais j'apporterai la touche glamour qui a l'air de sérieusement vous manquer. Parce que je ne voudrais pas dire, mais bon... Et je ne vous empêcherai pas de faire vos petits calculs. Je resterai assise comme une jolie potiche sans ouvrir ma gueule jusqu'à ce que je sois au niveau ! »

Oubliant temporairement Brian Junior, l'étudiant tendit avec empressement un formulaire d'inscription à Poppy avec un large sourire.

7

Eva déplorait le jour où Marks & Spencer avait lancé les pyjamas pour hommes en élasthanne, un concept qui ne mettait pas en valeur le corps du quinquagénaire moyen ni ses organes génitaux. Le tissu moulait cruellement l'entrejambe de Brian.

Après trois nuits d'un sommeil perturbé, il l'avait suppliée pour réintégrer le lit conjugal en alléguant un mal de dos. Eva avait cédé à contrecœur.

Brian se livra à la routine qu'il répétait chaque soir à l'heure du coucher : se gargariser et cracher dans le lavabo de la salle de bains, remonter le réveil, écouter la météo marine à la radio, explorer tous les coins de la pièce et sous le lit pour dénicher les araignées avec une épuisette d'enfant qu'il rangeait dans l'armoire, éteindre ce qu'il appelait la « grande lumière », ouvrir la petite fenêtre, puis s'asseoir sur son côté du lit et enlever ses chaussons, toujours le gauche d'abord.

Eva ne se rappelait pas à quel moment Brian était devenu un homme d'âge mûr. Peut-être quand il avait commencé à soupirer en se relevant d'un fauteuil.

D'ordinaire, il fournissait un récit détaillé et fastidieux de sa journée, parlant de gens qu'Eva n'avait jamais rencontrés, mais ce soir il était silencieux. Dans le lit, il se coucha si près du bord qu'Eva eut la vision d'un homme marchant dangereusement près d'une fosse à serpents.

Elle lui souhaita bonne nuit d'une voix normale.

Dans le noir, il parla enfin : « Je ne sais pas quoi dire quand on me demande pourquoi tu restes au lit. Je suis gêné. Au boulot, je n'arrive pas à me concentrer. J'ai ma mère et ta mère qui me posent des questions auxquelles je ne peux pas répondre. Alors que d'habitude je connais les réponses — je suis docteur en astronomie, bordel. Et en planétologie. »

— Mais tu ne me réponds pas vraiment quand je te demande si Dieu existe, dit Eva.

Brian rejeta la tête en arrière et s'écria : « Fais marcher ta cervelle, bon sang ! »

Eva répliqua : « Je ne me sers pas de ma cervelle depuis si longtemps que, la pauvre, elle est blottie dans un coin en attendant qu'on lui donne à manger. »

— Arrête de confondre le Ciel, le paradis et toutes ces conneries avec le cosmos ! Et si ta mère me demande encore une fois de « lire dans ses étoiles »... Je me tue à lui expliquer, mais elle n'est pas foutue de comprendre la différence entre un astronome et un astrologue !

Il se leva d'un bond, se cogna le doigt de pied contre la table de nuit, poussa un hurlement et sortit de la chambre en boitillant. Eva entendit la porte de la chambre de Brian Junior claquer.

Ouvrant son meuble de chevet où elle rangeait ce qui lui était précieux, Eva sortit ses anciens cahiers d'écolière. Elle les gardait propres et en bon état depuis plus de trente ans. Tandis qu'elle les feuilletait, la lumière de la lune fit étinceler les médailles dorées qu'elle avait reçues en récompense de son excellent travail.

C'était une élève douée dont on lisait toujours les rédactions devant la classe. Selon ses professeurs, en travaillant dur et avec l'aide d'une bourse, elle aurait même pu poursuivre des études à l'université. Mais il lui avait fallu trouver un emploi et rapporter sa paye à la maison. Comment Ruby aurait-elle pu acheter un uniforme pour le lycée avec sa retraite de veuve ?

En 1977, Eva quitta le collège pour filles de Leicester et fut engagée comme apprentie standardiste à la Poste. Elle était nourrie et logée par Ruby, en échange de quoi celle-ci lui retenait les deux tiers de son salaire.

Quand Eva fut virée parce qu'elle ne cessait de se tromper en transférant les appels, elle n'osa pas l'annoncer à sa mère. Elle trouva refuge dans une petite bibliothèque de style Art nouveau où elle passait ses journées à lire les classiques de la littérature anglaise. Deux semaines plus tard, le bibliothécaire en chef — un cérébral qui n'entendait rien à la gestion — placarda une offre d'emploi : « Cherche assistant bibliothécaire, expérience requise. »

Eva n'avait aucune expérience. Mais au cours de son entretien avec le bibliothécaire en chef, celui-ci la déclara suprêmement qualifiée puisqu'il l'avait vue lire *Le Moulin sur la Floss, Jim-la-Chance, La Maison d'Âpre-Vent* et même *Amants et Fils.*

Eva raconta à sa mère qu'elle avait changé de travail et toucherait un salaire inférieur à la bibliothèque.

Ruby la traita d'imbécile. Les livres ne valaient pas qu'on en fasse tout un plat, dit-elle, et ils étaient tout sauf hygiéniques. « Va savoir quelles mains sales les a tripotés. »

Mais Eva adorait son boulot.

Lorsqu'elle déverrouillait la lourde porte de la bibliothèque et pénétrait dans l'espace feutré de la salle de lecture, avec la lumière du matin tombant des hautes fenêtres qui éclairait les livres sagement alignés sur les étagères, elle éprouvait une telle joie qu'elle aurait même accepté de travailler sans être payée.

8

Peter, le laveur de carreaux, passa chez les Beaver l'après-midi du cinquième jour. Eva avait dormi douze heures d'affilée, émergeant de temps en temps du sommeil pour y replonger aussitôt. Elle se promettait ce plaisir depuis le jour où les jumeaux avaient été tirés de ses entrailles et placés dans ses bras, dix-sept ans auparavant.

Brianne était une enfant maladive, blanche comme un cachet d'aspirine et irritable, avec une houppette de cheveux noirs et un air perpétuellement renfrogné. Elle avait un sommeil agité et s'éveillait au moindre bruit. Dès qu'elle entendait le premier vagissement de son bébé, Eva se précipitait pour la prendre dans ses bras afin d'échapper à ses interminables hurlements. Brian Junior, lui, faisait ses nuits et, quand il ouvrait les yeux le matin, il jouait avec ses orteils et souriait au mobile Scooby-Doo suspendu au-dessus de sa tête. « Cet enfant est un cadeau du Ciel », disait Ruby.

Lorsque Brianne pleurait, Ruby conseillait : « Mets-lui un doigt ou deux de gnôle dans le biberon. Comme ma mère avec moi. Ça m'a pas fait de mal. »

Eva frissonnait intérieurement en regardant le visage marqué de sa mère.

Elle parlait au laveur de carreaux une fois par mois depuis dix ans, pourtant elle ne savait rien de lui — mis à part qu'il s'appelait Peter Rose, qu'il était marié et avait une fille handicapée nommée Abigail. Elle entendit le bruit de l'échelle qui glissait le long de la façade avant de s'arrêter contre le rebord de la fenêtre. Elle aurait pu s'enfuir dans la salle de bains pour se cacher, mais décida plutôt de « la jouer stylée » — une expression souvent employée par Brianne qu'elle choisit d'interpréter comme « la capacité à sourire dans une situation embarrassante ».

Donc Eva sourit et agita gauchement la main quand la tête de Peter surgit à la fenêtre. Il rougit violemment, puis se ressaisit et demanda : « Vous voulez que je repasse plus tard ? »

— Non, répondit-elle. Allez-y, je vous en prie.

Après avoir barbouillé la fenêtre d'eau savonneuse, il reprit : « Vous êtes pas dans votre assiette ? »

— J'avais juste envie de rester au lit, répondit Eva.

— Moi aussi, c'est ce que j'aimerais faire quand j'ai mon jour de congé. Me rouler en boule et hiberner. Mais je ne peux pas. Avec Abigail…

— Comment va-t-elle ? interrogea Eva.

— Toujours pareil, dit Peter, sauf qu'elle devient plus lourde. Elle parle pas, elle marche pas, elle fait rien toute seule…

Il se tut un instant et frotta vigoureusement la vitre. « Elle porte encore des couches, à quatorze ans. Elle n'est même pas jolie. Sa mère lui met de beaux vêtements, avec des couleurs qui vont bien ensemble, elle la coiffe, et tout. Notre petite Abigail a de la chance, elle a la meilleure maman du monde. »

Eva dit : « Moi, je ne pourrais pas. »

Peter séchait la vitre avec un instrument qui ressemblait à un essuie-glace monté sur un manche.

— Pourquoi vous ne pourriez pas ? demanda-t-il avec une curiosité sincère.

Eva répondit : « C'est tellement de travail. Soulever une gamine de quatorze ans, sans rien recevoir en retour. Je ne pourrais pas. »

Peter dit : « Je suis bien d'accord avec vous. Elle ne sourit jamais, elle ne réagit même pas quand on fait quelque chose de gentil pour elle. Des fois, j'ai presque l'impression qu'elle se fout de notre gueule. Simone trouve que je suis méchant d'avoir cette idée. Elle dit que j'accumule du mauvais karma. Elle dit que c'est ma faute si Abigail est comme ça. Peut-être qu'elle a raison. J'en ai fait des conneries, quand j'étais môme. »

Eva protesta : « Je suis sûre que ça n'a rien à voir avec vous. Abigail est là pour une raison. »

Peter demanda : « Quelle raison ? »

Eva répondit : « Peut-être pour que vous donniez le meilleur de vous-même, Pete. »

Tandis qu'il rassemblait son matériel et se préparait à redescendre, il poursuivit : « Abigail dort dans notre lit maintenant. Et moi, j'ai un petit lit dans la chambre d'amis. Je vis comme un vieillard alors que je n'ai que trente-quatre ans. Bientôt j'aurai du poil qui me sortira des oreilles et je chanterai : "Putain que la route est longue jusqu'à Tipperary". »

Il disparut sous la fenêtre et bientôt l'échelle fut ôtée.

Eva était bouleversée par la triste histoire de Peter. Elle l'imagina passant devant la chambre où sa femme et sa fille dormaient ensemble, puis se couchant, seul, dans le lit à une place de la chambre d'amis. Elle se mit à pleurer sans pouvoir s'arrêter.

Ensuite, elle s'endormit et rêva qu'elle était coincée en haut d'une échelle.

La sonnerie aiguë du téléphone sans fil posé sur sa fragile base la fit sursauter. Elle regarda l'appareil d'un œil plein de haine. Elle détestait ce téléphone. Elle ne se rappelait jamais la combinaison qu'il fallait taper sur le clavier beige pour prendre l'appel entrant. Parfois, une voix standard à l'accent distingué informait le correspondant : « Eva et Brian ne sont pas disponibles pour l'instant. Laissez un message après le bip. » Chaque fois, Eva sortait de la chambre en courant et fermait la porte. Plus tard, atrocement honteuse, elle écoutait le message.

Eva essaya de répondre, mais à la place elle activa un message d'accueil qu'elle n'avait encore jamais entendu. Bien qu'elle eût envie de s'enfuir, elle ne pouvait quitter son lit et ne réussit qu'à se boucher les oreilles en plaquant les coussins sur sa tête. La voix de sa mère lui parvint malgré tout.

« Eva ! Eva ? Oh, je déteste ces machines-répondeurs-trucmuche ! Je voulais juste te raconter que Mrs Trucmuche, celle qui tient la mercerie, tu vois qui ? Grande, maigre, avec une grosse pomme d'Adam, tout ce qu'elle fait, c'est tricoter, tricoter, tricoter, elle a eu un petit garçon mongolien et elle l'a placé dans une maison, zut, son nom m'échappe... Ça commence par un "B". Ah, j'y suis ! Pamela Oakfield ! Eh ben, elle est morte ! On l'a retrouvée par terre dans son magasin. Elle est tombée sur une de ses aiguilles à tricoter ! En plein dans le cœur, imagine-toi. Alors, maintenant, la question c'est qui va s'occuper de la boutique ? Le gogol, évidemment, il n'en est pas capable. Bref, l'enterrement a lieu jeudi dans une semaine. Je vais me mettre en noir. D'accord, de nos jours, les gens se déguisent en clowns, mais c'est pas à mon âge que je changerai. Enfin, bref... Oh, je déteste ces machines-trucmuche. Je ne sais jamais quoi dire ! »

Eva imagina un garçon trisomique gérant une mercerie. Puis elle se demanda pourquoi ce garçon et ses semblables avaient un chromosome *en plus*. Est-ce qu'à nous, les gens normaux, il *manquait* un chromosome ? s'interrogea-t-elle. La nature s'était-elle trompée dans ses calculs ? Et ces innocents aux yeux bridés et à la langue trop courte, qui au sein d'une même journée pouvaient témoigner tant d'affection à quelqu'un puis s'en détacher brusquement, étaient-ils censés naître majoritaires et diriger le monde ?

Le message de Ruby avait duré deux minutes, mais quand il se termina enfin, le téléphone sonnait toujours. Eva se pencha pour débrancher le fil de la prise murale. Puis elle pensa à ses enfants. Comment pourraient-ils la joindre en cas d'urgence ? Son portable n'avait plus de batterie et elle ne comptait pas le recharger. Elle rebrancha le téléphone. Il sonnait encore. Elle attrapa le combiné et attendit que le correspondant parle.

Une voix distinguée dit : « Bonjour, Nicola Forester à l'appareil. Est-ce Mrs Eva Beaver qui respire au bout du fil ou bien un animal domestique ? »

Eva répondit : « C'est moi. »

La voix reprit : « Oh, mon Dieu, vous paraissez tellement aimable. Et moi qui m'apprête à balancer un seau d'eau froide — si je puis dire — sur votre couple. »

Eva pensa : « Pourquoi les gens bien élevés apportent-ils toujours de mauvaises nouvelles ? »

La voix continua : « Votre mari a une liaison avec ma sœur depuis huit ans. »

Quelques secondes se muèrent en une éternité. Le cerveau d'Eva était incapable d'assimiler les paroles qu'elle venait d'entendre. Sa première réaction fut d'éclater de rire en imaginant Brian chevauchant une femme qu'elle ne connaissait pas dans une maison où elle n'était jamais allée. Il était impossible de penser que Brian avait une vie en dehors de son travail et de son foyer.

Elle dit à la femme au téléphone : « Excusez-moi, mais pourriez-vous rappeler dans dix minutes ? »

Nicola répondit : « J'imagine que c'est un choc terrible. »

Eva replaça le combiné sur sa base. Elle s'assit au bord du lit, les pieds par terre, et quand elle fut capable de se lever sans risquer de tomber, elle marcha jusqu'à la salle de bains où elle se tint debout toute raide en s'accrochant au lavabo. Puis elle entreprit de transformer son visage avec les produits de maquillage contenus dans sa vieille pochette Mac. Elle avait besoin de s'occuper les mains. Lorsqu'elle eut terminé, elle retourna au lit et attendit.

Le téléphone sonna de nouveau. Nicola dit : « Je suis terriblement désolée de vous avoir annoncé cette nouvelle aussi brutalement. Je déteste les situations désagréables, voyez-vous, alors je prends mon courage à deux mains et je me lance un peu trop vite. Je vous appelle aujourd'hui parce qu'il mène ma sœur en bateau en lui promettant une vie de famille heureuse et qu'il vous tient maintenant pour responsable du fait qu'il ne vous quitte pas. »

Eva dit : « Moi ? »

— Oui, apparemment, vous vous êtes mise au lit et il se sent obligé de rester pour s'occuper de vous. Ma sœur est effondrée.

Eva demanda : « Comment s'appelle votre sœur ? »

— Titania. Je suis très en colère. Il trouve sans cesse des excuses. Au début, il ne pouvait pas partir parce que les jumeaux passaient le brevet, ensuite c'était à cause du A-Level, et après il devait les aider à choisir une université. Titania pensait que le jour où il les emmènerait à Leeds, enfin, ils s'installeraient ensemble dans un petit nid d'amour, mais ce salaud l'a déçue encore une fois.

Eva dit : « Vous êtes sûre qu'il s'agit bien de *mon* mari, le Dr Brian Beaver ? Ce n'est pas trop son genre. »

— C'est un homme, non ? répliqua Nicola.

— Vous l'avez rencontré ?

— Oh oui, répondit Nicola. À maintes reprises. Personnellement, je ne lui trouve rien d'un tombeur… mais ma sœur a toujours aimé les intellos et elle a un faible pour les barbus.

Le cœur d'Eva battait à tout rompre. Elle se sentait presque transportée de joie. C'était ce qu'elle souhaitait, au fond. Un événement qu'elle avait attendu. Elle demanda : « Ils travaillent ensemble ? Ils se voient souvent ? Ils sont amoureux ? Il veut nous quitter et vivre avec elle ? »

Nicola expliqua : « Il a l'intention de vous quitter depuis qu'ils se sont rencontrés. Il la voit au moins cinq fois par semaine et de temps en temps le week-end. Elle travaille avec lui au Centre national de l'espace. Elle se dit physicienne, bien qu'elle ait seulement terminé son doctorat l'année dernière. »

Eva soupira : « Bon sang ! Quel âge a-t-elle ? »

Nicola répondit : « Ce n'est pas une Lolita. Elle a trente-sept ans. »

— Lui, cinquante-cinq, dit Eva. Il a des varices. Et deux enfants ! Et il m'aime, *moi.*

Nicola corrigea : « En fait, il ne vous aime pas. Et il a dit à ma sœur qu'il savait que vous ne l'aimiez pas. C'est vrai ? »

Eva répliqua : « Je l'ai aimé », et elle posa brutalement le combiné sur sa minable petite base en plastique.

* * *

Eva et Brian s'étaient rencontrés à la bibliothèque de l'université de Leicester où travaillait Eva. Elle adorait les livres, mais avait découvert que sa tâche consistait en grande partie à adresser des lettres sévères aux étudiants et aux membres du corps enseignant qui rendaient les livres en retard ou abîmés — elle trouva un jour un préservatif usagé en guise de marque-page dans une édition originale de *L'Origine des espèces.*

Brian reçut une de ses lettres et vint se plaindre. «Je suis le Dr Brian Beaver, dit-il, et vous m'avez écrit en me reprochant officieusement de ne pas avoir rendu l'ouvrage *terriblement* simpliste du Dr Brady, *L'Univers expliqué.* »

Eva hocha la tête.

La colère transparaissait surtout dans la voix de Brian, son visage et son cou étant largement dissimulés par une épaisse barbe noire, une masse de cheveux en bataille, de grosses lunettes à monture en écaille et un chandail à col roulé noir.

Il correspondait à l'idée qu'Eva se faisait de l'intellectuel, avec un air vaguement français. Elle l'imaginait lançant des pavés sur des gendarmes objets de mépris, luttant aux côtés de ses amis révolutionnaires pour renverser l'ordre social.

«Je ne rendrai pas l'ouvrage de Brady, continua-t-il, parce qu'il est bourré d'erreurs théoriques et écrit dans une langue tellement grotesque que je l'ai jeté dans la Soar. Je ne peux pas prendre le risque de le voir tomber entre les mains de mes étudiants. »

Il fixa intensément Eva en attendant sa réaction. Plus tard, lors de leur deuxième rendez-vous, il raconta qu'il l'avait trouvée plutôt à son goût. Un peu épaisse côté hanches, peut-être, mais il lui ferait vite perdre ses kilos en trop.

— Vous êtes diplômée ? demanda-t-il.

— Non, répondit-elle. Puis elle ajouta : Désolée.

— Vous fumez ?

— Oui.

— Combien par jour ?

— Quinze, mentit-elle.

— Vous allez devoir arrêter, dit-il. Mon père est mort brûlé vif à cause d'une cigarette.

— À cause d'une seule cigarette ?

— Notre maison n'était chauffée qu'avec un poêle à mazout. Papa le mettait en marche quand la température tombait au-dessous de zéro. En le rechargeant, il a renversé un peu de mazout sur son pantalon et sur ses chaussures. Ensuite il a allumé une cigarette, il a lâché l'allumette et…

La voix de Brian se serra. Ses yeux se remplirent de larmes qui menaçaient de déborder.

Eva dit : « Vous n'êtes pas obligé de… »

— La maison a senti le rôti du dimanche pendant des années, poursuivit Brian. C'était vraiment troublant. Je me suis réfugié dans les bouquins…

Eva raconta : « Mon père est mort à son travail. On s'en est aperçu seulement quand les feuilletés au poulet ont commencé à arriver sur le tapis roulant sans les champignons. »

Brian demanda : « Il était préposé aux champignons chez Pukka Pies ? Moi aussi, j'y ai travaillé quand j'étais étudiant. Je fourrais les oignons dans le spécial bœuf-oignons.

— Oui, répondit Eva. Il était intelligent, mais il a quitté le collège à quatorze ans. Il était inscrit à la bibliothèque, ajouta-t-elle à la décharge de son défunt père.

Brian déclara : « On a eu de la chance. Nous, les babyboomers, nous avons bénéficié de l'État providence. Distribution de lait dans les écoles, jus d'orange, pénicilline, accès gratuit aux soins, école gratuite… »

— Université gratuite, compléta Eva. Elle poursuivit, avec un mauvais accent de Brooklyn : « J'aurais pu être un champion[1]. »

Brian resta perplexe. Il n'avait pas vu beaucoup de films.

Ils se fréquentèrent pendant trois années interminables. Eva repoussait sans cesse leur mariage parce qu'elle continuait à espérer que Brian allume une étincelle entre ses jambes de sorte qu'elle éprouve ensuite du désir pour lui. Mais le petit bois était humide et les allumettes déjà craquées. De plus, elle ne pouvait se résoudre à échanger son nom de jeune fille, Eva Brown-Bird[2], contre Eva Beaver[3]. Elle avait admiré Brian et appréciait le statut dont elle jouissait à présent en tant que sa compagne parmi les cercles universitaires, mais à partir du moment où elle le vit debout devant l'autel, les cheveux tondus à ras et sans barbe, il devint un étranger pour elle.

Quand elle le rejoignit, quelqu'un — une voix de femme — chuchota suffisamment fort pour se faire entendre : « Au menu ce soir, castor à la casserole. »

Un rire à peine réprimé roula comme une vague dans l'église glacée.

Eva frissonna dans sa robe blanche en dentelle, horrifiée par les cheveux de Brian. Par souci d'économie, il se les était coupés lui-même avec une mini-tondeuse équipée d'un miroir de poche commandée par catalogue.

Les membres de la famille Beaver, assis à droite de l'allée, n'offraient pas un spectacle des plus attrayants. Il eût été exagéré de les comparer à des castors, mais tout de même, ces incisives et ces cheveux bruns lissés en

---

1. « *I coulda' been a contender* » : célèbre réplique de Marlon Brando dans le film *Sur les quais* (1954) d'Elia Kazan, qui traite de questions sociales.
2. *Brown-bird* : oiseau brun.
3. *Beaver :* castor.

arrière… on les aurait aisément imaginés glissant dans l'eau et rongeant la base du tronc d'un jeune pin.

Les Brown-Bird avaient pris place sur les bancs du côté gauche. Ce n'étaient que formes voluptueuses, aussi bien féminines que masculines, un frémissement de sequins, de plumes, de froufrous et de bijoux. Ils parlaient, riaient, s'agitaient. Certains prirent la Bible sur la tablette devant eux. C'était un livre qu'ils ne connaissaient pas. Les fumeurs cherchaient des chewing-gums au fond de leurs poches ou dans leurs sacs à main.

Tandis que Brian signait le registre, Eva put observer ses cheveux sous un autre angle, et c'est alors qu'elle aperçut son cou extraordinaire, le plus mince qu'elle eût jamais vu — hormis chez la tribu des Padaung en Thaïlande. En redescendant l'allée centrale au bras de son mari, elle découvrit ses pieds minuscules et, lorsqu'il écarta les pans de sa veste, le motif de son gilet en soie combinant fusées, spoutniks et planètes. Eva, elle, aimait les chevaux, mais était-ce une raison pour en arborer sur sa robe de mariée ?

Avant de sortir par la grande porte de l'église où le photographe avait installé son trépied, Eva n'aimait plus Brian — si tant est qu'elle l'eût jamais aimé.

Ils étaient mari et femme depuis onze minutes.

Après le discours de Brian au repas de noces, dans lequel il ne complimenta ni son épouse ni les demoiselles d'honneur, mais encouragea les invités ébahis à soutenir le programme spatial de la Grande-Bretagne, Eva ne le trouvait même plus sympathique.

Les larmes de la mariée ne surprennent personne — certaines femmes pleurent de bonheur, d'autres de soulagement —, mais quand elle sanglote pendant plus d'une heure, son nouveau mari est forcément un peu agacé. Et s'il lui demande quelle en est la raison et qu'il s'entend répondre : « Toi. Pardon », comment doit-il réagir à ça ?

9

Quand Brian rentra du travail ce soir-là, il se présenta à la porte de la chambre d'Eva avec une assiette sur laquelle étaient posés une tasse de thé au lait et deux biscuits à la farine complète. Il soupira en plaçant l'assiette en équilibre sur la table de chevet. Le thé se renversa un peu sur les biscuits, mais Brian ne sembla pas s'apercevoir que leur consistance s'en trouvait aussitôt modifiée.

Eva le regarda d'un œil différent, essayant de l'imaginer en train de faire l'amour à une inconnue qui s'appelait Titania. Utilisait-il la même technique qu'avec elle une fois par semaine — vagues caresses sur le dos, brève manipulation des mamelons ? Prenait-il aussi les petites lèvres de Titania pour son clitoris ? S'écriait-il : « Vas-y, p'tit gars, viens voir papa ! » juste avant d'éjaculer ?

Eva pensa : « Merci, Titania. Je te suis sincèrement reconnaissante. Je n'aurai plus jamais à subir cette épreuve hebdomadaire. »

« Pourquoi marches-tu à reculons, Brian ? demanda-t-elle en riant. On dirait que tu viens de déposer une couronne de fleurs sur le Cénotaphe de Londres. »

Le fait est que Brian ne se sentait plus en sécurité quand il lui tournait le dos. Il ne reconnaissait pas la femme docile qu'il avait épousée et craignait qu'elle se moque — en mimant un bonnet d'âne dans son dos. Chose qu'il ne pouvait tolérer, surtout après l'humiliation récente subie à son travail quand Mrs Horden, la femme de ménage, l'avait surpris en train de se livrer avec Titania à un acte sexuel incluant un modèle réduit du grand collisionneur de hadrons.

Brian dit : « Tant mieux pour toi si ça t'amuse. Ma santé se détériore, tu n'as pas remarqué ? En plus, mon article sur le mont Olympe a été descendu par le professeur Lichtenstein, ce qui est insupportable. Je suis au bord de l'effondrement, Eva. »

— Moi, je te trouve très en forme. Énergique, *viril*… débordant de testostérone.

Brian se tourna vers sa femme. « Viril ? Je suis épuisé. Pourquoi les tâches domestiques prennent-elles tellement de temps ? »

Eva répondit : « Ce ne sont pas les tâches domestiques qui t'épuisent. »

Ils se défièrent du regard en silence.

Brian finit par baisser les yeux et dit : « Je n'ai même pas trouvé une minute pour aller travailler dans les remises. » Il poursuivit sur un ton agressif : « Mais j'y vais de ce pas. Le repassage attendra. » Il descendit l'escalier bruyamment et sortit par la porte de service.

La maison était entourée d'un jardin exceptionnellement vaste. Le propriétaire initial, un certain Mr Tobias Harold Eddison, avait profité des difficultés financières de ses voisins après la Première Guerre mondiale pour les persuader un à un de lui vendre de petites parcelles de terrain — jusqu'à ce qu'il acquière suffisamment d'espace pour planter un verger, creuser une grande mare à poissons et, ce qui était inhabituel à l'époque, construire une cabane dans un arbre à l'intention des enfants.

Les remises de Brian se logeaient en bas de la pente tout au fond du jardin, abritées derrière une rangée de houx qui se chargeaient de baies rouges en abondance pendant les mois d'hiver.

Au fil des années, Brian avait construit une maquette du système solaire dans la première remise en utilisant des pailles en plastique, des balles de ping-pong et divers objets sphériques, tels des fruits achetés au marché de Leicester et revêtus de nombreuses couches de vernis jusqu'à ce qu'ils deviennent durs comme la pierre. Jupiter avait présenté un problème — mais Jupiter, avec ses dimensions colossales, était toujours un problème. Il s'était servi d'un ballon sauteur qu'il avait privé de ses cornes, puis rafistolé avec des rustines de plus en plus résistantes, mais Jupiter continuait à perdre de la pression atmosphérique — ou, comme disait M. Tout-le-monde, de l'air.

La représentation tridimensionnelle de Brian avait été peu à peu supplantée par un réseau d'ordinateurs et d'écrans de projection qui tentaient de reproduire l'univers visible, mais il se rappelait souvent avec émotion les nuits passées à peindre ses planètes en écoutant Radio 4.

Au Centre spatial, il était parmi ceux qui maîtrisaient le mieux les informations cryptées contenues dans les ordinateurs mis à la disposition des chercheurs. Mais son cœur demeurait fidèle aux remises. À l'image de l'expansion de l'univers, le premier cabanon de Brian était maintenant connecté à trois autres plus petits. Il avait ouvert des portes, aménagé des passages et tiré un câble électrique depuis la maison. Quatre ans plus tôt, quand Titania se plaignit d'avoir mal au dos à force de faire l'amour sur un bureau coincé entre deux ordinateurs, Brian avait acheté deux énormes poufs — rose pour elle, bleu pour lui. Ils furent ensuite supplantés par un lit double de taille standard qu'il avait fait livrer en douce pendant qu'Eva était au travail.

La première remise était dotée d'un toit escamotable qui permettait à Brian d'explorer le ciel nocturne à l'aide du télescope construit de ses propres mains. Les voisins avaient protesté — le bruit que faisait le panneau en s'ouvrant ou en se fermant pouvait en effet « chatouiller les oreilles », Brian l'admettait, tout comme le grincement des rouages lorsque l'instrument balayait la voûte céleste. Mais ces « pygmées intellectuels » ne comprenaient-ils pas ? Ils côtoyaient Brian Beaver, un authentique explorateur de l'espace. Il ne restait plus rien à découvrir sur Terre — maintenant que les lointaines populations primitives d'Amérique du Sud fumaient des Marlboro Light.

Brian voulait que quelque chose soit baptisé en sa mémoire, mais pas n'importe quelle étoile. On pouvait déjà donner son nom à un astre pour cinquante livres et offrir le certificat à sa femme. C'est ce qu'il avait fait pour le quarantième anniversaire d'Eva. Elle n'avait pas eu l'air aussi enchantée qu'il l'espérait — surtout lorsqu'il lui apprit qu'Eva Beaver, l'étoile, plus connue sous la dénomination SAO 101276, était morte trois cent quatre-vingts millions d'années auparavant et qu'on ne voyait donc que la lumière d'un fantôme.

Non, Brian voulait léguer son nom à quelque chose d'exceptionnel, quelque chose qui lui attirerait le respect de la communauté astronomique du monde entier. À l'âge de dix ans, il avait regardé la cérémonie de remise des prix Nobel à la télé avec sa mère.

Elle avait dit : « Si tu travailles bien en sciences, Brian, tu pourrais gagner le prix Nobel. Tu rendrais ta maman très heureuse. »

Brian s'était entraîné à dire, en suédois: «Je n'aurais jamais pu découvrir [un blanc] sans le soutien de ma mère, Yvonne Beaver.»

Le suédois était une langue très difficile. Il n'était pas sûr de la prononciation et n'avait pas pu vérifier. À l'époque, on ne croisait pas beaucoup de Suédois à Leicester.

Brian avait travaillé si dur à l'école qu'il s'était mis à dos tous les autres élèves, mais, du point de vue de ses résultats, il avait littéralement décollé. À présent, la cinquantaine passée, il atterrissait en prenant conscience de la cruelle réalité, à savoir qu'il n'était pas particulièrement doué — juste un bon scientifique parmi tant d'autres qui ne seraient jamais connus du public — et qu'il s'était bercé d'illusions en imaginant gagner un jour le Nobel.

Il s'enfermait dans ses remises tous les soirs à 20 h 30 et les après-midi de chaque week-end.

Brianne avait un jour confié à Eva: «Pendant des années, j'ai cru que papa allait dans un endroit qui s'appelait Dansarmise.»

Tout récemment — à l'insu d'Eva —, Brian avait abattu la cloison entre deux des cabanons et installé un nouveau lit *king size*, suprêmement confortable, deux fauteuils, un réfrigérateur et une petite table, aménageant ainsi un studio en rez-de-jardin de taille réduite mais très design.

Titania le rejoignait souvent. Elle ouvrait le portail au fond du jardin avec sa propre clé et entrait discrètement par l'arrière de l'un des cabanons. Les jumeaux et Eva avaient pour consigne de ne jamais déranger Brian quand la lumière rouge s'allumait au-dessus de la porte de la remise principale pour indiquer qu'il «travaillait».

Il «travaillait», pensa Eva allongée dans le noir. Toutes ces heures, toutes ces années, il avait choisi de les passer avec une inconnue qui s'appelait Titania.

10

Brian junior attendait devant la salle de cours où le professeur Nikitanova devait rencontrer ses nouveaux étudiants.

Brianne venait de l'exhorter: « Courage, gamin. Promets-moi que tu ne t'enfuiras pas dès que j'aurai le dos tourné. »

— *Gamin*? fit-il. Pourquoi tu parles comme un acteur de *Coronation Street*?

Brianne baissa la voix pour ne pas être entendue par les autres étudiants: « Bri, faut qu'on se *normalise.* On doit utiliser des expressions clichés, tu vois? Par exemple "cool", "genre", "d'enfer", "mec", "cramé", "dingue", "ouf"... »

Brian Junior hocha la tête.

Au moment où Brianne allait partir pour se rendre à son propre entretien, il l'agrippa par la manche de sa veste en cuir et dit: « Brianne, reste avec moi, je ne sens plus mes mains ni mes pieds. Je crois que mon système nerveux est en train de me lâcher et que je risque de garder des séquelles irréversibles. »

Brianne avait l'habitude de ces crises d'anxiété qui saisissaient Brian Junior quand il devait faire face à une situation nouvelle. Elle répondit: « Récite-toi les nombres premiers, Bri, et essaie de te détendre. »

Il y eut un brouhaha au fond du couloir. Le professeur Nikitanova s'avançait vers ses étudiants, juchée sur des semelles compensées bleu-vert, suivie du vice-chancelier et de son équipe de maîtres-assistants.

Embrassant d'un seul regard la crinière de cheveux blonds, la combinaison une pièce noire et la bouche écarlate d'où pendait une cigarette allumée malgré l'interdit, Brianne fut émerveillée. Elle avait rencontré le reste du corps enseignant de l'unité d'astrophysique, chapeautée par le professeur Partridge*, un homme qui portait un cardigan tricoté par sa femme avec les poils de leurs divers animaux domestiques.

Nikitanova tendit les clés à Brian Junior et s'exclama, pendant qu'il se précipitait pour déverrouiller la porte : « Doucement, très cher ! Nous allons passer deux ans ensemble, sauf si je me lasse de vous. »

Elle rit, et Brian Junior se rappela la rumeur qui circulait sur Internet selon laquelle le mari de Nikitanova, oligarque raffiné, faisait protéger sa femme — ravissante, supra-intelligente et aimant les plaisirs de la vie — par un commando de forces spéciales de l'ex-KGB. Les membres du commando savaient que s'il lui arrivait quoi que ce soit — toute expérience *fâcheuse* —, ils mourraient dans d'atroces souffrances (mais soulagés de voir leur fin approcher).

Plus tard, ce soir-là, allongé sur son lit, Brian Junior cherchait la solution d'un problème que Nikitanova avait donné à son groupe d'étudiants — « Pour faire travailler vos méninges » — quand on frappa à sa porte.

C'était Poppy.

---

* En français : perdrix.

Elle se mit à parler avant même d'être entrée dans la chambre. «J'arrive pas à dormir, alors je suis venue faire un brin de causette... Putain, il fait chaud ici!»

Elle était vêtue d'une chemise de nuit en flanelle qui ressemblait à celle du loup dans l'imagerie traditionnelle du *Petit Chaperon rouge.* Sous les yeux alarmés de Brian Junior, elle se pencha jusqu'à terre, attrapa le bas du vêtement à deux mains, le passa par-dessus sa tête et le jeta dans un coin.

Brian Junior n'avait jamais vu de femme nue, sauf dans des magazines pornos ou des vidéos sur Internet où leur corps apparaissait couleur poulet rôti et totalement dépourvu de poils. Ce fut donc un choc lorsqu'il découvrit l'abondante toison noire qui fleurissait entre les cuisses grêles et blanches de Poppy ainsi que les touffes ornant ses aisselles.

Il s'assit au bord du lit et récita mentalement le début de la liste infinie des nombres premiers :

2, 3, 5, 11, 13, 17, 19, 23, 29, 31, 37, 41, 43, 47, 53, 59, 61, 67, 71, 73, 79, 83, 89, 97, 101, 103, 107, 109, 113, 127, 131, 137...

Poppy promena ses seins menus et flasques dans la chambre minuscule tout en déplaçant les articles de toilette et le matériel de Brian Junior posés sur son bureau.

Brian Junior ne trouvait pas un seul mot à dire. Il avait envie de se remettre au lit et de dormir, pressentant qu'une chose terrible allait arriver.

Poppy vint s'asseoir en tailleur par terre devant lui. «Tu es vierge, hein, mon chou?»

Brian Junior entreprit alors de mettre de l'ordre sur son bureau, alignant les stylos, les crayons et les surligneurs. À côté de son ordinateur portable et de ses cahiers, sa main s'attarda sur une boîte pleine de trombones qu'il ne savait où placer. Il renversa les trombones et commença à les regrouper par paquets de dix.

Poppy s'agrippa à ses jambes et se mit à pleurer. «Je t'ai aimé dès que j'ai vu ton visage.»

Brian Junior se retrouva avec un unique trombone en main. Ça ne lui plaisait pas. Un trombone isolé n'avait pas le droit d'exister. Celui-là n'allait pas avec les autres et attirait toute l'attention — c'était un trombone égoïste qui ne pensait qu'à lui. Brian Junior se regarda dans le miroir accroché au-dessus de son bureau. Il savait qu'il était exceptionnellement beau. C'était très agaçant. Il savait aussi que Poppy avait tiré sa déclaration d'une chanson de Roberta Flack, l'une des préférées de sa mère, qu'elle chantait aux jumeaux quand ils étaient petits.

Il contempla Poppy prostrée à ses pieds et dit: «C'est Ewan MacColl qui a composé cette chanson en 1957. Roberta Flack l'a enregistrée en 1972. Coldcut a repris la version a capella de Joanna Law dans *70 Minutes of Madness*. Avec Luke Slater et Harold Budd.»

Poppy se demanda quand il arrêterait de la bassiner avec cette stupide chanson.

Sans cesser de la regarder, il ajouta: «C'est la meilleure compil' de tous les temps.»

Au bout d'un moment, Poppy releva la tête, lui prit la main et la plaqua sur son sein gauche. Plongeant ses yeux dans les siens, elle dit: «Mon amour, écoute le cœur palpitant de ce petit oiseau enfermé dans une cage.»

Dégoûté, Brian Junior retira vivement sa main. Des cheveux de Poppy s'étaient mélangés à la morve qui lui avait coulé du nez. Incapable de supporter cette vision, il les écarta et les coinça derrière l'oreille gauche de la jeune fille.

Elle déclama : « Notre joie emplira les cieux et durera jusqu'à la fin des temps. »

Brian Junior répliqua : « J'y crois pas. »

Poppy demanda : « À quoi ? »

Brian Junior dit : « À notre joie qui emplira les cieux et durera jusqu'à la fin des temps. Ce sont deux formules impossibles. La joie ne peut pas emplir les cieux. Ni durer jusqu'à la fin des temps. Puisque le temps est infini. »

Poppy mima un énorme bâillement.

Brian Junior voulait lui demander de partir, mais il ne savait pas comment s'y prendre sans la blesser ni l'offenser. Il avait désespérément envie de lui échapper et de dormir. Il se leva, s'arracha des bras de Poppy qui lui enserrait toujours les jambes et ramassa sa chemise de nuit. Le tissu était froid et humide.

Il lui tendit le vêtement et dit : « Je veux te montrer quelque chose. »

Poppy cessa de pleurer.

Il tendit la main, l'aida à se relever et désigna les paquets de trombones sur le bureau. Puis il saisit le trombone solitaire et demanda : « Tu le mettrais où, celui-là ? »

Après avoir contemplé un instant les trombones, Poppy regarda Brian Junior. Elle répondit d'une voix qu'il n'avait pas encore entendue : « Je te le foutrais au cul, ton trombone ! »

Et elle sortit dans le couloir, toujours nue.

Brian Junior l'entendit frapper du poing à la porte de la chambre voisine où vivait Ho, l'étudiant chinois. Il avait échangé un sourire tendu avec Ho l'après-midi même, tandis qu'ils rangeaient leurs provisions dans le grand réfrigérateur et sur l'étagère du placard allouée à chaque étudiant. Il entendit bientôt la porte s'ouvrir, puis Poppy qui sanglotait.

Brian se recoucha, mais ne réussit pas à s'endormir. Il tordit le trombone qu'il tenait toujours à la main jusqu'à former une minuscule lance et comprit qu'il ne fermerait pas l'œil avant l'aube s'il ne le posait pas quelque part.

Il souleva la fenêtre aussi haut que le permettait le système de sécurité et lança le trombone dans la nuit froide. Avant de refermer, il regarda le ciel clairsemé de centaines d'étoiles qui scintillaient au-dessus de sa tête, puis détourna aussitôt les yeux — sans chercher à les identifier ni à penser aux millions de galaxies invisibles.

Brian Junior s'éveilla au petit matin en proie à une grande agitation. Il se leva, sortit pour chercher le trombone et ne mit pas longtemps à le retrouver. De retour à la porte du bâtiment, il s'aperçut qu'il ne pouvait pas entrer. Il avait oublié sa clé, ce qui lui arrivait deux fois par semaine depuis l'âge de treize ans.

Il s'assit sur les marches froides en béton et attendit.

Ce fut Ho qui lui ouvrit la porte, expliquant sans être interrogé que Poppy l'envoyait acheter un petit déjeuner. « Double *latte* et formule Spécial Lève-tôt. Et je dois aussi aller kiosque à journaux, rapporter vingt paquets de clopes Silk Cut, *Hello !* et *The Sun*. Je fais blague avec Poppy. Je dis : "Impossible d'acheter Sun." Elle demande : "Pourquoi ?" Moi, je dis à elle — c'est blague —, je dis : "Personne ne peut acheter Sun. C'est trop loin, trop chaud !" »

Le visage rond de Ho était rayonnant.

Il riait encore de sa plaisanterie quand ils entendirent Poppy crier par la fenêtre à peine entrouverte de Ho : « Alors ! Tu ramènes tes fesses ou quoi ? »

Ho fit entrer Brian Junior, puis partit en courant pour effectuer sa mission.

11

Quand Eva eut passé une semaine au lit, Ruby fit venir le Dr Bridges.

Eva entendit sa mère parler avec le médecin dans l'escalier.

« Elle est très nerveuse, vous savez. Comme son père disait souvent, "tellement tendue qu'on pourrait jouer un concerto pour piano et cordes avec ses nerfs". Mes jambes me font bien du souci, docteur. Les veines à l'intérieur de mes cuisses ressemblent à des grappes de raisin noir. Vous pourriez peut-être y jeter un œil avant de partir ? »

Eva ne savait pas si elle devait s'allonger ou s'asseoir. Elle avait peur que le Dr Bridges l'accuse de lui faire perdre son temps.

« Et voilà notre bon docteur, claironna Ruby. Vous êtes venu à pied dans la neige quand elle a eu une méningite à dix ans, pas vrai, docteur Bridges ? »

Eva voyait que le Dr Bridges s'était lassé depuis longtemps de la relation intime que Ruby s'imaginait partager avec lui. Elle s'assit en serrant un oreiller contre sa poitrine.

Le Dr Bridges s'approcha, la dominant de sa haute stature. Avec sa casquette en tweed et sa veste Barbour, il ressemblait davantage à un gentleman-farmer qu'à un généraliste. Il lança de sa grosse voix: « Bonjour. Votre mère me dit que vous êtes au lit depuis semaine, c'est bien ça? »

Eva répondit: « Oui. »

Ruby s'assit sur le lit et tint Eva par la main. « Elle a toujours été en bonne santé, docteur. Je l'ai allaitée pendant deux ans et demi. Même que mes pauvres nénés en ont pris un coup. On dirait des ballons tout dégonflés maintenant. »

Le Dr Bridges toisa Ruby d'un œil professionnel. « Hyperactivité thyroïdienne, pensa-t-il. Teint rubicond... Elle boit. Et ces cheveux noirs! Qui s'imagine-t-elle tromper? » Il dit à Eva: « Je vais vous examiner. » Puis, se tournant vers Ruby: « Si vous voulez bien nous laisser, je vous prie. »

Ruby était blessée et déçue. Elle se réjouissait de fournir au médecin tous les détails de l'historique médical d'Eva. « Je vais faire une bonne tasse de thé, docteur, pour quand vous aurez terminé », dit-elle en sortant à contrecœur sur le palier.

Le Dr Bridges reporta son attention sur Eva. « Votre mère me dit que vous allez bien... » Il marqua une pause, avant d'ajouter: « Physiquement. » Puis il poursuivit: « J'ai ressorti votre dossier et je vois que vous n'avez pas consulté depuis quinze ans. Pouvez-vous m'expliquer pourquoi vous êtes au lit depuis une semaine? »

— Non, je ne peux pas expliquer, répondit Eva. Je suis fatiguée — mais tous les gens que je connais sont fatigués.

— Depuis combien de temps vous sentez-vous ainsi? demanda le médecin.

— Dix-sept ans. Depuis la naissance des jumeaux.

— Ah oui, fit-il. Les jumeaux. Ce sont des enfants surdoués, n'est-ce pas?

Depuis le palier, Ruby lança : « Si vous voyiez mon salon ! Les coupes et les médailles qu'ils ont gagnées, y en a plein partout. »

Voilà qui ne surprenait pas le médecin : il avait toujours rangé les jumeaux Beaver quelque part dans la catégorie des autistes. Mais le Dr Bridges était un ferme partisan du non-interventionnisme. Si ses patients ne se plaignaient pas, il les laissait tranquilles.

Ruby, qui faisait semblant d'épousseter la rambarde en se tenant près de la porte entrouverte, dit : « Ma tension, ça va pas du tout. La dernière fois, le docteur noir à l'hôpital a dit qu'il n'avait jamais rien vu de pareil — elle est plus basse qu'un cul de mille-pattes. Il a pris une photo du résultat avec son téléphone. » Poussant la porte, elle continua : « Excusez-moi, mais je vais m'asseoir un peu. » Elle s'approcha du lit en vacillant. « C'est un miracle que je sois encore là. Je suis déjà morte deux ou trois fois. »

Eva dit avec humeur : « Combien de fois *exactement* ? *Deux* ou *trois* ? Tu ne devrais pas être aussi vague concernant ta mort, maman. »

— C'est pas si terrible que ça, la mort, répliqua Ruby. Faut juste avancer dans un tunnel jusqu'à la lumière dorée, pas vrai, docteur ?

Elle se tourna vers le Dr Bridges qui se préparait à faire une prise de sang à Eva.

Tout en piquant le bras tendu d'Eva et en remplissant la seringue, il répondit : « Le tunnel est une illusion causée par l'anoxie cérébrale. Un mécanisme de compensation neuronale qui produit la lumière blanche et un sentiment de paix. » Voyant à l'expression de Ruby qu'elle ne comprenait pas, il poursuivit : « Le cerveau ne veut pas mourir. On pense que la lumière éclatante fait partie de son système d'alarme. »

Ruby s'étonna : « Alors comme ça, pendant que j'étais dans le tunnel, j'ai pas entendu James Blunt chanter *You're Beautiful* ? »

Le Dr Bridges marmonna : « Un souvenir résiduel, peut-être. » Avec le sang d'Eva contenu dans la seringue, il remplit trois petites éprouvettes qu'il étiqueta et rangea dans sa sacoche. « Vous avez eu mal quelque part cette semaine ? » lui demanda-t-il.

Eva secoua la tête. « Non. *Moi*, je ne souffre pas. Je sais que ça va vous sembler complètement fou, mais... J'ai l'impression de ressentir la douleur et la tristesse des autres. C'est épuisant. »

Le Dr Bridges laissa paraître une légère irritation. Son cabinet se trouvant tout près de l'université, il recevait largement son lot de patients New Age qui croyaient dur comme fer qu'une pierre ou des cristaux de lune pouvaient les guérir de verrues génitales, de fièvre glandulaire et autres maux.

Ruby dit : « Elle a rien qui cloche vraiment, docteur. C'est un syndrome... Le coup du nid vide. »

Eva jeta son oreiller par terre et s'écria : « Dès l'instant où ils sont nés, j'ai compté les jours qui restaient avant leur départ à l'université ! Je me sentais esclave de deux extraterrestres. Je ne souhaitais qu'une chose : me mettre au lit toute seule et y rester aussi longtemps que je le voudrais. »

Le Dr Bridges fit observer : « Ce n'est pas illégal. »

Eva demanda : « Docteur, est-il possible de faire une dépression post-partum pendant dix-sept ans ? »

Le Dr Bridges eut soudain envie de prendre la fuite. « Non, Mistress Beaver. Je vais vous prescrire quelque chose pour atténuer votre anxiété, et je vous conseille de porter des bas de contention le temps que durera votre... (après avoir envisagé plusieurs termes, il choisit :) congé. »

Ruby dit: « Y en a qui abusent, pas vrai, docteur ? J'aimerais bien être couchée dans ce lit, moi. »

Eva grommela : « Et moi, j'aimerais bien que tu sois couchée dans *ton* lit. »

Le Dr Bridges ferma sa sacoche. « Bonne journée, Mistress Beaver », dit-il. Puis, suivant Ruby, il sortit de la chambre et descendit l'escalier.

Eva entendit Ruby déclarer : « Son père aussi, fallait toujours qu'il fasse un drame de tout. Chaque soir après le travail, il déboulait dans la cuisine avec une histoire énorme à raconter. Je lui disais : « Pourquoi tu me parles de gens que je connais pas, Roger ? Ça m'intéresse pas. »

Une fois le médecin parti au volant de son 4x4, Ruby remonta l'escalier. Elle annonça : « Je vais aller t'acheter ton médicament à la pharmacie. »

— Pas la peine, je m'en occupe.

Eva déchira l'ordonnance et posa les morceaux sur sa table de chevet.

« Tu risques de te faire attraper », dit Ruby. Elle alluma la télévision, tira le fauteuil qui se trouvait devant la coiffeuse et s'assit. « Je peux venir tous les jours pour te tenir compagnie. » Elle actionna la télécommande et Noel Edmonds apparut à l'écran avec des participants hystériques qui essayaient d'ouvrir des cartons. Les hurlements des joueurs et du public assis dans le studio faisaient mal aux oreilles d'Eva.

Ruby avait l'œil fixe, la bouche ouverte.

Puis ce fut le journal de 18 heures. Deux sœurs âgées de huit et dix ans avaient été enlevées devant leur domicile à Slough par un homme conduisant une camionnette blanche. Une femme du Derbyshire avait sauté dans une rivière en crue pour sauver son chien et s'était noyée, le chien était rentré à la maison quatre heures plus tard, sain et sauf. Il y avait eu un tremblement de terre au Chili, des milliers de personnes étaient prisonnières sous les décombres, des orphelins erraient dans les rues, un enfant de deux ans criait : « Maman ! Maman ! » En Irak, une kamikaze (adolescente) avait fait exploser une bombe à clous, entraînant sa propre mort et celle de quinze policiers stagiaires. En Corée du Sud, quatre cents jeunes gens avaient été tués au cours d'une bousculade à la suite d'un incendie dans une boîte de nuit. Une femme de Cardiff attaquait en justice un tatoueur illégal chez qui son fils de quinze ans s'était fait graver « CHAPEAU » sur le front.

Eva dit : « Quel catalogue de la misère humaine. J'espère que cet imbécile de chien est reconnaissant, au moins. »

— Ces gens ont sûrement fait quelque chose de mal.

— Tu crois que Dieu les punit ?

Ruby répondit, sur la défensive : « Je sais que *toi*, tu ne crois pas en Dieu, Eva. Mais *moi*, si, et je pense qu'ils ont dû L'offenser d'une manière ou d'une autre. »

Eva demanda : « C'est le bon Dieu traditionnel auquel tu crois, maman ? Celui avec une longue barbe blanche qui habite au-dessus des nuages ? Qui sait tout, qui voit tout ? Il te regarde, en ce moment, maman ? »

Ruby répondit : « Écoute, j'ai pas envie qu'on se dispute encore à propos de Dieu. Tout ce que je sais, c'est qu'Il veille sur moi — et que si je fais une bêtise, Il me punira. »

Eva dit, gentiment : « Mais Il ne t'a pas empêchée de perdre ton sac, ton billet d'avion et ton passeport à l'aéroport d'East Midlands l'an dernier, n'est-ce pas ? »

Ruby déclara : « Il ne peut pas être partout à la fois. Sûrement qu'Il est débordé au moment des départs en vacances. »

— Et Il ne t'a pas empêchée d'avoir un mélanome ?

Ruby rétorqua avec fougue : « Non, mais j'en suis pas *morte*, hein ? En plus, on voit à peine la cicatrice. »

Eva demanda : « Tu peux imaginer un monde sans Dieu, maman ? »

Ruby réfléchit un moment. « On serait tous en train de s'égorger les uns les autres, non ? Alors que là, on a une vie plutôt peinarde. »

Eva fit remarquer : « En Angleterre, oui. Mais ailleurs dans le monde ? »

— Ben, c'est surtout des païens, pas vrai ? Ils ont qu'à se débrouiller.

— Alors, pourquoi ton Dieu a-t-il sauvé un chien et noyé une femme ? C'est un amoureux des bêtes ?

Pour se moquer, Eva demanda ensuite à sa mère quelle race de chiens Dieu choisirait de garder dans son royaume céleste.

Ruby répondit : « Je ne Le vois pas trop avec un de ces roquets hargneux comme ceux de la reine. Ni avec le genre boule de poils qu'on fourre dans son sac à main. Non, je crois que Dieu choisirait un chien comme il faut, un labrador, par exemple. »

Eva rit. « Oui, je vois bien Dieu avec un labrador assis à côté de son trône, en train de Le tirer par sa robe blanche pour qu'Il l'emmène en promenade. »

Ruby déclara d'un air mélancolique :

« Tu sais, Eva, des fois, j'ai hâte d'arriver au paradis. J'en ai assez de vivre ici-bas depuis que tout est devenu si compliqué. »

Eva dit : « Mais la femme qui s'est noyée, je parie qu'elle n'en avait pas assez, elle. Quand elle a eu la tête sous l'eau, je parie qu'elle s'est battue pour rester en vie. Alors pourquoi ton Dieu lui a-t-il préféré le chien ? »

— Je ne sais pas. Elle avait dû faire quelque chose pour provoquer Son courroux.

Eva répéta en riant : « Son courroux ? »

Ruby expliqua : « Ben oui, Il est souvent courroucé, et ça me plaît bien. Parce que, du coup, la racaille ne va pas au paradis. »

Eva dit : « La racaille, tu veux dire les lépreux, les prostituées, les pauvres ? »

— Non, ça, c'était Jésus, répondit Ruby. Lui, c'est encore une autre histoire.

Eva roula sur le côté, tournant le dos à sa mère. « Dieu a regardé son fils unique mourir sur la croix dans d'atroces souffrances et n'a rien fait pour l'aider quand il s'est écrié : "Père, père, pourquoi m'as-tu abandonné ?" » Eva ne voulait pas pleurer, mais elle ne put s'en empêcher.

À huit ans, elle s'était évanouie à l'école pendant que la directrice décrivait la crucifixion en détail devant tous les élèves rassemblés.

Ruby ramassa ses affaires, mit son manteau et son chapeau, enroula son écharpe rose vif autour de son cou et dit : « Jésus avait sûrement fait quelque chose de mal. Et si tu ne crois pas en Dieu, Eva, pourquoi tu te mets dans des états pareils ? »

Eva réussit à se calmer, suffisamment pour répondre : « C'est tellement cruel. Quand il a gémi : "J'ai soif !", ils lui ont donné du vinaigre. »

Ruby déclara : « Bon, moi, je rentre me coucher dans *mon* lit. »

Ruby habitait une maison étroite située dans une rue tranquille, à l'extrémité d'une rangée d'habitations mitoyennes. Ce n'était qu'à un kilomètre de chez Eva, mais pour elle le trajet tenait de l'épopée. Elle devait s'arrêter plusieurs fois à cause de sa hanche douloureuse et s'appuyer sur tout ce qui pouvait la soutenir.

Bobby, son chat noir efflanqué, l'attendait. Quand elle déverrouilla la porte, il vint se frotter contre ses jambes en ronronnant pour montrer qu'il était content de la voir, du moins c'est ce qu'elle pensa.

Une fois qu'ils furent tous deux passés dans le salon d'une propreté immaculée, Ruby dit à son chat: «J'aimerais bien être toi, mon Bobby d'amour. Je ne sais pas combien de temps je vais tenir, à m'occuper de notre fifille comme ça.»

Ruby posa trois comprimés de Tramadol sur sa langue et les avala avec une gorgée de sirop de figue. Elle alla ensuite dans la cuisine, attrapa deux mugs en porcelaine bleue sur l'étagère, puis se ravisa et n'en prit qu'une. Pendant que la bouilloire chauffait, elle regarda son calendrier accroché au mur montrant une image de l'Ange du Nord*. À côté se trouvait un planning sur lequel les fêtes chrétiennes étaient inscrites au feutre noir:

Avent, Noël, Épiphanie, Mardi gras, Carême, Semaine sainte, Jeudi saint, Vendredi saint, Pâques, Pentecôte, fête de la Moisson, Toussaint.

Ruby les lut à voix haute, comme on récite une litanie. Elles étaient l'échafaudage de sa vie. «Pauvre Eva», pensa-t-elle.

Sans ces fêtes, Ruby ne tiendrait pas debout.

---

* Célèbre sculpture contemporaine de taille imposante créée par Antony Gormley à Gateshead, dans le Nord-Est de l'Angleterre.

12

Plus tard ce soir-là, après avoir regardé deux comédies à la télé, sans rire une seule fois, Eva se leva à contrecœur et se rendit dans la salle de bains, posant craintivement les pieds par terre comme si la moquette était un lagon plein de piranhas menaçant de lui grignoter les orteils.

Lorsque Brian la surprit au moment où elle ressortait, enveloppée d'une serviette blanche, il dit : « Ah, Eva, tu es levée. Tant mieux. Je n'arrive pas à ouvrir la machine à laver. »

Elle s'assit sur le lit et répondit : « Il faut frapper fort sur le côté, deux fois avec le tranchant de la main, comme au karaté. »

Brian fut déçu de voir sa femme enfiler un pyjama en vichy rose et se remettre au lit.

Il dit : « La machine à laver. »

Elle répondit : « Vise la jugulaire. » Et elle mima le geste de sa main droite.

Il reprit : « Il n'y a plus rien à manger. »

— Va chez Sainsbury's, dit-elle. Et quand tu iras…

Il l'interrompit. « Quand j'irai ? »

— Oui, poursuivit-elle. Quand *tu* iras chez Sainsbury's, tu veux bien acheter un gros entonnoir, une bouteille en plastique de deux litres et des sacs de congélation grand modèle ? Et à partir de maintenant, garde tous les sacs en plastique, d'accord ? Tu y penseras ? Je vais avoir besoin de tout ça pour me débarrasser des déchets.

— Quels déchets ?

— Les déchets rejetés par mon corps.

Il dit, l'air incrédule : « Mais on a une salle de bains intégrée, putain ! »

Elle se tourna vers lui dans le lit.

— Je ne peux pas marcher jusqu'à la salle de bains intégrée, Bri. Je te demande de m'aider.

— Tu es répugnante, dit-il. Ne compte pas sur moi pour vider ta pisse et jeter ta merde !

— Mais je ne peux pas me lever, Brian. Je ne peux pas aller à la salle de bains. Alors, comment faire ?

Une fois Brian parti, elle l'écouta pendant un moment jurer et cogner sur la machine à laver. Elle pensa à tous les problèmes causés par les entrailles et par les vessies, et se demanda pourquoi le processus de l'évolution n'avait pas abouti à un meilleur système pour se débarrasser des déchets corporels.

Elle réfléchit longtemps et finit par imaginer la solution la plus efficace.

Il faudrait reconcevoir le corps, afin qu'il absorbe lui-même tous ses déchets. Ce serait possible, pensa Eva, s'il y avait un organe disponible quelque part dans l'appareil digestif. Apparemment, l'appendice était inutilisé. Il ne servait plus à rien depuis que les êtres humains avaient cessé de manger des brindilles et des racines. Brian avait expliqué qu'on l'enlevait généralement aux astronautes avant leur premier voyage dans l'espace. Peut-être pouvait-on le programmer afin qu'il absorbe jusqu'à la dernière goutte d'urine et la totalité des matières fécales du corps ?

Grâce à cette adaptation — bien qu'elle n'en visualisât pas la nature exacte —, le nouvel organe brûlerait les déchets par combustion interne jusqu'à destruction complète de tous les aliments solides et des liquides. Il y aurait probablement un peu de fumée, qui pourrait être envoyée vers l'anus et absorbée par un filtre à charbon maintenu dans la culotte au moyen d'une bande Velcro. Restaient un ou deux détails à fignoler, mais les savants britanniques n'étaient-ils pas à la pointe de la recherche en biotechnologie ? Comme ce serait merveilleux de soulager la race humaine du fardeau de l'excrétion.

D'ici là, se dit Eva, elle devrait se débarrasser de ses déjections d'une manière beaucoup moins élégante. Comment s'accroupir sur un entonnoir sans poser les pieds par terre ? D'inévitables accidents se produiraient dans le lit, et déféquer dans un sac de congélation exigerait une gymnastique encore plus compliquée. Elle-même s'habituerait à la vision de ce que son corps rejetait, mais elle aurait tout de même besoin de quelqu'un pour emporter les bouteilles et les sacs.

Qui l'aimait assez pour cela ?

Eva et Ruby se réconcilièrent le lendemain, quand Ruby apporta une assiette de fromage et de pickles recouverte d'un film plastique.

Une fois qu'Eva eut mangé jusqu'à la dernière miette, elle aborda le sujet qui lui tenait à cœur. « Maman, j'ai quelque chose à te demander… »

Lorsqu'elle expliqua ce qu'elle envisageait avec l'entonnoir, les bouteilles et les sacs de congélation, Ruby, horrifiée, fut prise d'un haut-le-cœur et se rua dans la salle de bains intégrée pour se pencher sur les toilettes en plaquant un mouchoir en papier contre sa bouche.

En revenant, pâle et tremblante, elle dit : « Tu peux m'expliquer pourquoi une personne saine d'esprit préférerait faire pipi dans une bouteille et caca dans un sac en plastique, alors qu'elle a une superbe salle de bains de chez Bathrooms Direct dans sa chambre ? »

Eva ne put répondre.

Ruby s'écria : « Hein ? Pourquoi ? C'est quelque chose que *j'ai fait* ? Je t'ai mise trop tôt sur le pot ? Je t'ai donné trop de fessées parce que tu mouillais ton lit ? Le bruit de la chasse d'eau t'a traumatisée et c'est pour ça que tu as un syndrome de je-sais-pas-quoi, comme tout le monde de nos jours ? »

Eva répondit : « Il faut que je reste au lit... sinon, je suis fichue. »

— Fichue ? » répéta Ruby.

Elle caressa son or — d'abord les boucles d'oreilles, puis la chaîne et le médaillon qu'elle portait autour du cou, enfin les bagues —, tripotant et redressant chaque bijou. C'était une forme de génuflexion : Ruby vouait un culte à son or. Elle cachait dix Krugerrands cousus dans un corset au fond de son tiroir à sous-vêtements. Si l'Angleterre était envahie par les Français, ou par des extraterrestres, elle aurait de quoi nourrir et armer toute sa famille pendant au moins un an.

Une invasion d'extraterrestres était un scénario que Ruby envisageait sérieusement. Elle avait vu une soucoupe volante un soir en décrochant son linge dans le jardin. Le mystérieux engin s'était arrêté au-dessus de la maison des voisins avant de filer vers la Co-op, l'entreprise funéraire. Elle en avait parlé à Brian, pensant que l'événement l'intéresserait, mais il avait répondu qu'elle tapait trop dans le brandy, celui qu'elle gardait en réserve au cas où elle serait prise d'un malaise.

Eva expliqua : « Maman, si je pose un pied par terre, on me demandera de faire un autre pas, puis encore un autre, et je me retrouverai à descendre l'escalier, à sortir dans le jardin, et à marcher, marcher, marcher, si loin que je ne reverrai plus jamais aucun membre de ma famille. »

Ruby protesta : « Mais pourquoi, *toi*, t'aurais le droit de faire ça ? Et pourquoi, alors que je vais avoir soixante-dix-neuf ans en janvier, je devrais encore m'occuper de toi comme d'un bébé ? Je vais te dire, Eva, je ne suis pas très maternelle. C'est pour ça que j'ai pas eu d'autre gosse. Alors, ne me demande pas de trimballer ton pipi et ton caca. » Elle attrapa l'assiette et la boule de cellophane froissée : « C'est à cause de Brian ? »

Eva fit non de la tête.

« Je t'avais dit de pas l'épouser. Le problème avec toi, c'est que tu veux être heureuse tout le temps. Tu as cinquante ans… T'as pas encore compris que la vie, pour la plupart d'entre nous, c'est pas une partie de plaisir ? Les moments de bonheur sont rares et y en a pas tous les jours. Si je dois essuyer le derrière d'une souillon de cinquante balais, pour le coup, je serai vraiment malheureuse, alors ne m'en parle plus ! »

Quand Eva fit un tour aux toilettes tard dans la nuit, elle eut l'impression de marcher sur des charbons ardents.

Elle dormit mal.

Était-elle en train de devenir folle ?

Et tout le monde le savait sauf elle ?

13

De l'autre côté de la fenêtre, le sycomore secouait ses branches dans le vent.

Yvonne était assise dans le fauteuil de la coiffeuse qu'elle avait approché du lit. Elle avait apporté à Eva un magazine de jeux de points à relier. « Pour passer le temps. »

Sous la contrainte, Eva termina le premier dessin. Il lui fallut quinze minutes fastidieuses pour réunir tous les points de l'image et faire apparaître une gare de village, comportant un chariot à bagages, un guichet et un chef de gare avec un sifflet et un drapeau.

« Vous n'êtes pas obligée de me tenir compagnie », dit-elle à sa belle-mère.

Yvonne répliqua en pinçant les lèvres :

« On ne laisse pas seul quelqu'un qui ne se sent pas dans son assiette. »

Eva fulminait intérieurement. Quand accepteraient-ils enfin d'entendre la vérité — à savoir qu'elle n'était pas malade, mais voulait simplement rester au lit ?

Yvonne reprit : « Rester couché, c'est le signe qu'on ne va pas bien dans sa tête. Vous le savez, n'est-ce pas ? »

— Oui, dit Eva. Et un adulte qui joue à relier des numéros pour trouver des images ne tourne pas rond non plus. La folie, c'est relatif.

Yvonne rétorqua : « En tout cas, il n'y a pas de fou dans ma famille. »

Eva ne jugea pas utile de répondre. Elle était fatiguée et avait envie de dormir. C'était épuisant de parler à Yvonne et de l'écouter — elle qui, de l'avis d'Eva, interprétait à tort la plupart des conversations et passait sa vie à se répandre en reproches ou en récriminations. Yvonne se targuait d'être quelqu'un de franc et de direct, alors que les autres utilisaient pour la décrire des qualificatifs tels que « odieuse », « d'une méchanceté gratuite » et « parfaite emmerdeuse ».

Eva dit : « Vous aimez qu'on parle “franchement”, n'est-ce pas ? »

Yvonne hocha la tête.

« J'ai quelque chose à vous demander… c'est difficile à dire… »

Yvonne l'encouragea : « Allez-y, crachez le morceau. »

— Je ne peux plus me servir de la salle de bains. Je ne peux pas poser les pieds par terre. Et je me demandais si vous m'aideriez à me débarrasser de mes matières corporelles.

Yvonne mit un moment à assimiler les informations, puis elle eut un sourire de requin : « Vous me demandez à *moi*, Eva, d'éliminer votre pipi et votre caca ? Moi qui suis maniaque avec ces choses-là ? Moi qui utilise une bouteille de gel antiseptique *par semaine* ? »

— C'est bon, fit Eva. J'ai posé la question. Vous ne voulez pas.

Yvonne continua : « J'ai déconseillé à Brian de vous épouser. Je me doutais qu'une chose pareille allait arriver. J'ai tout de suite vu que vous étiez névrosée. Je me rappelle quand Brian et vous m'avez emmenée en vacances en Crète et que vous vous asseyiez sur la plage enveloppée dans une grande serviette, parce que vous aviez un “souci” avec votre corps. »

Eva rougit. Elle fut tentée de dire à Yvonne que son fils couchait avec une autre femme depuis huit ans, mais elle était trop lasse pour affronter les retombées. « Vous avez été très cruelle avec moi après la naissance des jumeaux, Yvonne. Vous vous moquiez de mon ventre en disant qu'il ressemblait à de la gélatine. »

— Vous savez quel est votre problème, Eva ? rétorqua Yvonne. Vous n'avez aucun sens de l'humour.

Elle récupéra le magazine de jeux et le stylo. « Je descends nettoyer votre cuisine. On ne va pas être loin d'attraper la salmonellose là-dedans ! Mon fils mérite mieux que vous. »

Quand Yvonne fut partie, Eva eut le sentiment que la chambre se refermait sur elle comme un étau. Elle remonta la couette sur sa tête et l'angoisse s'apaisa.

Elle pensa : « Aucun sens de l'humour ? Pourquoi m'esclafferais-je avec Brian et sa mère quand quelqu'un a eu un accident ou un coup de malchance ? J'aurais dû rire le jour où Brian m'a présentée en disant : "La source de tous mes ennuis... Elle dépense mon argent, mais j'ai signé pour la vie." ? »

Finalement, Eva était contente que sa belle-mère ait refusé de lui rendre service. L'idée qu'Yvonne critiquerait la couleur et la texture de ses selles lui était intolérable. Elle l'avait échappé belle... Pour le coup, elle rit si fort que la couette glissa et tomba par terre.

Cette nuit-là, Eva rêva de Cendrillon courant sur un tapis rouge pour regagner en toute hâte la citrouille transformée en carrosse. Au moment où elle émergeait du sommeil, le tapis lui apparut, blanc, déroulé entre son lit et la salle de bains, et elle le remplaça aussitôt par la vision du drap sur lequel elle était couchée, plié dans le sens de la longueur et qui formait comme un chemin. Si elle gardait les pieds sur le tissu, pensa-t-elle, il suffirait d'un effort d'imagination pour qu'elle se croie toujours au lit.

Elle se mit à genoux, ôta le drap de dessous, le jeta sur la moquette, puis attrapa un coin qu'elle glissa sous le matelas. Elle put alors descendre et étaler petit à petit l'étoffe tout en la roulant sur les côtés pour former une sorte de barrière de sécurité.

Le chemin de coton ainsi façonné ne parvenait pas tout à fait jusqu'aux toilettes. Eva attrapa une serviette blanche sur le porte-serviettes, la plia et en fit le dernier tronçon.

En restant sur le drap et la serviette, elle se sentirait protégée — de quoi, elle n'en savait rien.

Lorsqu'elle se fut soulagée de ses besoins, elle remplit le lavabo et se passa de l'eau chaude sur tout le corps. Puis, après s'être brossé les dents, elle vida le lavabo, le remplit à nouveau et se lava les cheveux. Elle prit alors le chemin blanc en sens inverse et réintégra son lit, saine et sauve.

14

Eva se réveilla tard le samedi et la première chose qu'elle vit, ce fut Brian qui posait une tasse de thé sur la table de chevet.

La deuxième chose qu'elle vit fut l'énorme armoire, dressée comme une sinistre falaise au-dessus du lit et aspirant tout l'air et toute la lumière de la chambre. Parfois, quand un semi-remorque passait devant la maison, l'armoire tremblait. Eva eut l'impression que ce n'était plus qu'une question de temps avant que cette masse meurtrière s'abatte sur le lit.

Elle avait parlé de ses peurs à Brian et suggéré de remplacer l'armoire par deux meubles plus petits avec des portes blanches à claire-voie, mais il l'avait regardée d'un air incrédule.

— C'est un meuble de famille, avait-il dit. Ma mère nous l'a donné quand elle a fait le tri de sa garde-robe. Mon père l'a acheté en 1947 et il a toujours été très utile à mes parents.

— Alors pourquoi est-ce que ta mère nous l'a refilé ? avait marmonné Eva.

Le téléphone sonna. Brian décrocha et dit : « Alex. Ouais... Ça va, mec ? » Il posa une main sur le combiné et chuchota à Eva : « C'est Alexander, l'homme-à-la-camionnette. »

Eva fut surprise d'entendre Brian parler de cette manière. D'après la conversation qui suivit, elle ne put deviner quelle était la relation entre Brian et Alexander, mais comprit vaguement que ce dernier passerait plus tard dans la journée pour aider Brian à débarrasser quelque chose dans les remises. Elle se demanda si Alexander serait assez fort pour démonter et emporter une grosse armoire à lui tout seul.

Elle pria Brian de lui envoyer Alexander quand ils auraient terminé, en disant: « Il y a quelque chose que j'aimerais déplacer. »

La camionnette s'arrêta devant la maison en fin de matinée. Eva l'avait entendue approcher. On aurait dit le bruit d'une voiture de dessin animé — avec le pot d'échappement qui traîne par terre et, visiblement, un problème de moteur. Le conducteur dut claquer quatre fois sa portière avant qu'elle se ferme. Eva s'agenouilla sur le lit et regarda par la fenêtre.

Un homme grand et mince, avec des dreadlocks grisonnantes qui lui tombaient dans le dos et des vêtements sobres, aux couleurs neutres, était en train de sortir une caisse à outils de l'arrière de la camionnette. Quand il se retourna, elle vit qu'il était très beau. Un air de noblesse africaine, pensa-t-elle. Il aurait pu servir de modèle pour les sculptures exposées dans la vitrine du magasin ethnique du centre-ville.

Il sonna au portail.

Eva entendit la voix de Brian, forte et joviale, qui invitait Alexander à contourner la maison. Il ajouta: « Ne fais pas attention au bazar, la maîtresse est malade ! »

Quand Alexander eut disparu, Eva se peigna les cheveux avec les doigts et les ébouriffa pour leur donner du volume. Elle se leva, déroula le drap et fonça dans la salle de bains où elle se maquilla et s'aspergea de Chanel No 5.

Puis, ayant regagné son lit, elle retapa la couette et attendit.

Quand elle entendit la voix d'Alexander dans le vestibule, elle cria : « En haut, deuxième porte à droite ! »

Il sourit en entrant dans la chambre. « Je suis au bon endroit ? »

— Oui, répondit-elle, et elle indiqua l'armoire.

Il se mit à rire. « Je vois pourquoi vous voulez vous en débarrasser. On dirait un dolmen. En bois. » Il ouvrit les portes et regarda à l'intérieur.

L'armoire était encore remplie de vêtements et de chaussures appartenant à Brian et à Eva.

— Vous allez la vider ?

— Non, répondit-elle. Je dois rester au lit, ou sur le lit.

— Pardon, je n'avais pas compris que vous étiez malade.

Elle dit : « Je ne suis pas malade. Je me retire du monde… enfin, je crois. »

— Ah oui… Nous faisons tous plus ou moins ça, chacun à sa manière. Donc, vous ne bougez pas du lit ?

— Je ne peux pas, répondit Eva.

— Et où voulez-vous que je mette les vêtements et les chaussures ?

Il fallut des heures pour vider l'armoire.

Ils conçurent un système. Alexander alla prendre quatre gros sacs-poubelle dans la cuisine. L'un pour le recyclage, un autre pour les boutiques de charité, un troisième pour ce qui serait vendu sur eBay, et le dernier pour le magasin de vêtements vintage que la sœur d'Alexander avait ouvert à Deptford, le nouveau quartier à la mode proche de Londres. Il y avait un sac à part pour les chaussures.

Ce fut long, chaque vêtement rappelant à Eva un endroit et un moment de sa vie. Il y avait son dernier uniforme scolaire — jupe plissée grise, chemisier blanc et blazer vert bordé d'une ganse tressée violette —, celui qu'elle avait porté jusqu'à ce qu'elle arrête ses études. Elle eut un choc en le voyant, se retrouvant comme à seize ans, avec le poids de l'échec sur une épaule et un lourd sac chargé de livres et de cahiers sur l'autre.

L'uniforme partit dans le sac eBay.

Alexander attrapa une robe de soirée dans l'armoire — avec un haut bustier en mousseline de soie noire incrustée de strass.

— Ça, j'aime bien, dit-il en apportant la robe à Eva.

— Mon premier bal de fin d'année avec Brian à l'université.

Respirant l'étoffe, elle décela une odeur de patchouli, de transpiration et de cigarette. Mais elle ne savait quelle décision prendre.

Alexander choisit à sa place et glissa la robe dans le sac vintage. À partir de ce moment, il prit la tête des opérations.

Il y avait les robes dos nu qu'elle réservait pour le bord de mer. Et un grand nombre de jeans : coupe bootcut, straight, flare, en denim blanc, bleu, noir. Il refusa de jeter une tenue du soir en satin crème qu'Eva avait mise lors d'un dîner en l'honneur du célèbre astronome Sir Patrick Moore, même lorsqu'elle lui indiqua la grosse tache rouge sur le corsage, résultat de la maladresse de Brian qui avait mangé un sandwich au fromage et à la betterave en rentrant à la maison.

Alexander dit : « N'allez pas trop vite, Mistress Beaver. On voit que vous n'avez jamais vu ma sœur avec ses pots de teinture et sa machine à coudre. Une vraie magicienne. »

Eva haussa les épaules et répondit : « Faites comme vous voulez. »

Il y avait les chaussures Christian Dior offertes par Brian la première fois qu'ils allèrent à Paris, pour lesquelles il avait bénéficié d'une exonération de la TVA.

« Une qualité pareille, vous ne pouvez pas vous en séparer, protesta Alexander. Regarde-moi ces coutures ! Qui a fait ça ? Des doigts de fée ? »

Eva frissonna en se remémorant la chambre misérable, sale et glacée, de la rive gauche où elle avait dû défiler en léger déshabillé et bas de soie pour montrer ses belles chaussures neuves.

« Je me suis sans doute mal exprimée, dit-elle. Tout ce que je possède, *tout*, doit être débarrassé. Je recommence à zéro. »

Il décréta : « Bon, alors eBay », et poursuivit le tri.

— Non, donnez-les à votre sœur.

— C'est trop généreux, Mistress Beaver. Je ne suis pas là pour profiter de vous.

— Je préfère qu'elles aillent à quelqu'un qui les appréciera.

— Vous ne voulez pas en tirer un bénéfice ?

Eva répondit : « Je n'ai plus besoin d'argent. »

Quand Alexander eut emballé les vêtements couleur lavasse de Brian et sorti les derniers sacs sur le palier, l'armoire était vide. Il se servit d'un tournevis électrique pour démonter les portes et les panneaux intérieurs.

Eva et lui ne parlaient plus, à cause du bruit.

Quand le calme fut un peu revenu, Eva s'excusa : « Désolée, je ne peux pas vous offrir une tasse de thé. »

— Ne vous inquiétez pas. De toute façon, je ne bois que de la tisane. J'ai un thermos.

Elle dit : « Comment Brian vous a-t-il trouvé ? »

— Mes gosses et moi, on a mis des annonces dans les boîtes aux lettres. Vous êtes mes premiers clients. Je suis peintre, mais personne ne veut acheter mes toiles.

Eva demanda : « Quel genre de tableaux peignez-vous ? »

— Des paysages. Les marais des Fens. Le Leicestershire. J'adore la campagne anglaise.

Elle dit : « J'habitais à la campagne quand j'étais enfant. Vous mettez des personnages dans vos paysages ? »

— Je peins tôt le matin, expliqua-t-il, quand il n'y a personne.

— Pour saisir la lumière de l'aube ?

— Non. Parce que les gens sont inquiets quand ils voient un Noir dans un champ. Je connais bien la police du Leicestershire maintenant. Apparemment, les Juifs ne skient pas et les Noirs ne peignent pas.

Eva demanda : « Vous avez d'autres talents ? »

— La menuiserie. Et tout ce qui va avec « l'homme-à-la-camionnette » : peinture, déco, travaux de jardinage, déménagements. Je parle italien couramment et j'ai été un *bad boy* pendant dix ans, un banquier délinquant.

— Qu'est-ce qui s'est passé ?

Il rit. « Ça a bien marché les cinq premières années. On habitait une grosse baraque à Islington et j'ai acheté une petite maison à Leicester pour ma mère, avec un jardin. Elle aime bien trifouiller dans la terre. Mais ne me demandez pas de raconter les cinq années suivantes. Je me fourrais trop de poudre dans le nez, mon frigo était plein de bouteilles de champagne ridiculement cher. Je jetais l'argent par les fenêtres et je me défonçais du matin au soir. Je n'ai pas vu mes gosses grandir pendant ces années-là. En fait, j'étais en train de crever, mais personne ne s'en rendait compte parce qu'on faisait tous pareil. Je travaillais pour Goldman Sachs. Ma femme ne m'aimait plus, elle n'appréciait même pas ma compagnie.

« Un soir, on rentrait à la maison dans une voiture que je n'avais que depuis deux jours. Trop grosse pour moi, trop puissante. Ma femme s'est plainte parce que je n'avais pas vu les enfants depuis plus d'une semaine, elle a dit que personne ne travaillait seize heures par jour. » Il regarda Eva droit dans les yeux : « Moi, si. Je bossais seize heures par jour. C'était dingue. Je me suis mis à hurler, elle m'a reproché ma facture de coke, j'ai perdu le contrôle, la voiture est sortie de la route et a heurté un arbre — pas particulièrement gros, une espèce d'arbuste plutôt. Je n'ai pas vu tout de suite qu'elle était morte. »

Il y eut un long silence.

Puis Eva dit : « S'il vous plaît, ne me racontez plus d'histoires tristes. »

— Ce n'est pas mon habitude, répliqua Alexander. Si vous dressez une liste de tous les boulots que vous aimeriez me confier, je vous établirai un devis. La seule contrainte, c'est que je dois aller chercher mes gosses à l'école...

Il s'interrompit. « Mistress Beaver, je peux me permettre une remarque ? Il n'y a pas de cohérence dans votre manière de vous habiller. »

Eva s'indigna. « Comment y aurait-il une cohérence puisque je ne sais pas qui je suis ? Parfois, je regrette qu'on ne soit pas obligé de porter un uniforme, comme les Chinois pendant la Révolution culturelle. Ils n'avaient pas à s'inquiéter de ce qu'ils devaient mettre le matin. Un pantalon lâche, une tunique. Voilà ce que je veux. »

— Mistress Beaver, je sais qu'on se connaît à peine, dit encore Alexander, mais quand vous vous sentirez mieux, je serais ravi de vous accompagner pour faire du shopping. Je pourrais vous éviter de tomber dans le rayon jupes-culottes, sarouels, pantacourts bouffants, corsaires, cosaques...

Elle rit. « Merci. Mais je vais rester ici, dans ce lit, pendant un an. »

— Un an ?

— Oui.

— Pourquoi ?

— J'ai des choses à faire. Du tri.

Alexander s'assit sur le bord du lit. Eva recula pour lui faire de la place. Elle éprouvait un grand plaisir à le regarder. Son visage irradiait la santé et la joie de vivre. « Il rendrait le monde supportable pour une femme qui aurait de la chance, pensa-t-elle. Mais pas pour moi. » L'une de ses dreadlocks se détordait. Eva l'attrapa machinalement et se rappela comment elle tressait les cheveux de Brianne autrefois. Tous les matins, elle l'envoyait au collège avec ses nattes et ses rubans. Et tous les après-midi, Brianne revenait en traînant mollement des pieds, ayant perdu ses rubans, les nattes défaites.

Alexander posa gentiment une main sur le poignet d'Eva pour arrêter son geste. Il dit : « Mistress Beaver, mieux vaut ne pas commencer quelque chose que vous ne pouvez pas finir. »

Eva lâcha la dreadlock.

— Ça prend plus de temps que vous croyez, ajouta-t-il doucement. Je dois récupérer mes gosses à 16 heures. Ils sont à un anniversaire.

— J'ai encore ça gravé dans la tête, dit-elle. « L'heure d'aller chercher les enfants. »

Plus tard, quand l'armoire eut été emportée en pièces détachées, Eva demanda à Alexander combien elle lui devait.

Il répondit : « Oh, donnez-moi cinquante livres, ça ira. Votre mari m'a aussi payé pour débarrasser le lit double. »

— Un lit double ? s'étonna Eva. Où donc ?

— Dans la remise.

Eva ne dit rien, mais elle haussa les sourcils.

Il proposa : « Vous voulez que je garde le bois ? C'est de l'acajou massif. Je pourrais vous fabriquer quelque chose. »

— Faites-en ce que vous voulez. Brûlez-le, n'importe quoi.

Avant de partir, il s'enquit : « Vous avez autre chose à me demander qui vous ferait plaisir ? »

Pour une raison quelconque, ils rougirent tous les deux. Le temps se figea. À cinquante ans, elle était plus attirante qu'elle n'en avait conscience.

Elle dit : « Vous pourriez emporter le reste des meubles. »

— Tout ?

— Tout.

— Bon, alors... *arrivederci, Signora.*

Elle rit en entendant la camionnette démarrer. Elle était allée au cirque une fois et la voiture du clown faisait un bruit similaire. Elle se rallongea contre les oreillers et tendit l'oreille jusqu'à ce que le son se fût totalement évanoui.

La chambre était immense à présent que l'armoire avait disparu. Elle était impatiente de revoir Alexander. Elle lui demanderait d'apporter quelques-uns de ses tableaux.

Elle était curieuse de savoir ce qu'ils valaient.

15

Poppy prenait ses aises sur le lit de Brianne et appliquait du mascara sur ses cils rabougris. Brianne, assise à son bureau, essayait de terminer un devoir à rendre avant 14 heures. Il était 13 h 47.

Poppy fit tomber la brosse à mascara qui roula sur son t-shirt blanc. Elle grommela : « Putain de bordel de merde ! T'es pas foutue de t'acheter un mascara correct ? » Puis elle eut un petit rire — sachant qu'elle ne devait pas dépasser certaines limites. Elle s'était grillée auprès de la plupart des étudiants dans son couloir, après des vols de nourriture et de cigarettes.

Brianne regardait distraitement par la fenêtre, cherchant les dernières équations et le paragraphe qui lui permettraient de conclure une dissertation sur le sujet : « L'infini : une conversation sans fin ? » La vue qu'elle avait de sa chambre consistait en une succession de dortoirs identiques, d'arbres récemment plantés et de nuages vert-de-gris. Elle était à l'université depuis deux semaines et sa mère lui manquait toujours autant. Elle ne savait pas comment se rendre la vie facile sans toutes les petites choses qu'Eva avait toujours faites pour elle.

Brianne dit : « C'est ma mère qui m'a acheté mon maquillage, mais je ne m'en sers jamais. »

— Tu devrais, répliqua Poppy. T'es un vrai cageot. Ça doit te foutre les boules que ton frère soit si beau, *lui*. C'est *carrément* cruel, non ? On ne t'a jamais suggéré de faire de la chirurgie esthétique ?

Les mains de Brianne s'immobilisèrent sur le clavier de son portable. Elle savait qu'elle n'était pas jolie, mais de là à s'entendre traiter de cageot...

« Non, répondit-elle, personne ne m'a jamais parlé de chirurgie esthétique. » Ses yeux s'emplirent de larmes.

« Oh, ne fais pas ta chochotte. Moi, je dis "qui aime bien châtie bien". » Poppy prit Brianne par les épaules. « Je vais te conseiller, d'accord ? »

L'heure de remise de la dissertation fut dépassée, tandis que Poppy dressait la liste des défauts qui ruineraient l'avenir de Brianne si elle ne passait pas « sur le billard ».

Poppy déclara : « Les hommes s'en tapent que les femmes soient *intelligentes*. Enfin, les hommes qui valent le coup. Tout ce qui les intéresse, c'est notre apparence. Avec combien de types j'ai couché depuis que je suis arrivée à la fac ? »

— Des tonnes, répondit Brianne. Trop.

— De quel droit tu me juges ? s'écria Poppy. Tu sais que je ne peux pas dormir seule, depuis que mon corps a été violé par ce monstre.

Brianne ne posa aucune question sur le « monstre ». Elle savait qu'il n'existait pas.

Poppy se jeta sur le lit et pleura à chaudes larmes comme une grand-mère orientale au bord d'une tombe fraîchement creusée.

Brianne, qui se croyait peu attachée à sa mère, eut soudain désespérément envie de lui parler. Sortant dans le couloir, elle fit sonner le portable d'Eva mais n'obtint aucune réponse. Elle entra dans la chambre de Brian Junior.

Celui-ci était assis à son bureau, les mains sur les oreilles et les yeux fermés.

« Le portable de maman est coupé ! annonça Brianne. Il faut que je lui parle de Poppy. »

Brian Junior ouvrit les yeux. « Moi aussi, Bri, dit-il, j'ai besoin de l'aide de maman. Poppy est enceinte et elle prétend que je suis le père. »

Les jumeaux se regardèrent, puis s'enlacèrent.

Ils essayèrent d'appeler sur le téléphone fixe de la maison, laissèrent sonner longtemps. Rien.

— Maman répond toujours au téléphone ! dit Brianne. On va devoir appeler papa à son boulot. De toute façon, Poppy ne peut pas savoir si elle est enceinte, tu ne la connais que depuis deux semaines.

— En plus, je ne pense pas l'avoir fécondée, renchérit Brian Junior. Elle est venue dans mon lit. Elle était dans tous ses états.

Ils entendaient nettement les sanglots hystériques qui sortaient de la chambre de Brianne. Des voix inquiètes s'élevèrent dans le couloir.

Le portable de leur père sonna huit fois avant que la messagerie s'enclenche : « Le Dr Beaver n'est pas disponible pour l'instant. Veuillez laisser un message après le bip. Ou bien, envoyez-moi un courriel à docteurbrian point beaver arobase leic point ac point uk. Si votre communication me paraît suffisamment importante, je vous contacterai. »

Quand Brianne retourna dans sa chambre, elle y trouva un petit groupe d'étudiants. Ho était assis sur le lit et berçait Poppy dans ses bras.

— Tu n'es pas gentille, Brianne ! lâcha-t-il. Tu dis Poppy elle est salope et pute ! Et aujourd'hui, son père et mère ont accident dans leur petit avion et sont emmenés à l'hôpital soins intensifs !

Les étudiants poussèrent des exclamations compatissantes, puis tournèrent des yeux désapprobateurs vers Brianne.

— Elle n'a pas de parents, déclara Brianne. Elle est orpheline.

Les sanglots de Poppy redoublèrent. « Comment tu peux dire ça ? Ils m'ont mieux traitée que n'importe quels parents biologiques. Eux, ils m'ont *choisie.* »

Ho dit : « Toi, va-t'en, maintenant ! »

Brianne protesta faiblement : « C'est *ma* chambre, et elle porte mon bracelet et mon mascara. »

Un étudiant coréen à l'air sévère avec une frange et un accent américain fondit sur Brianne en la sermonnant : « Poppy a connu tellement de tragédies dans sa vie, ses parents adoptifs se battent contre la mort, et toi, tu l'insultes… »

Poppy se dégagea des bras de Ho et dit d'une voix de petite fille : « Je te pardonne, Brianne. Je sais que tu n'as aucune intelligence émotionnelle. Je peux t'aider par rapport à ça, si tu veux. »

16

Brian faisait visiter le Centre spatial à un groupe d'enfants handicapés. Il bouillait de colère, persuadé que certains d'entre eux le heurtaient délibérément derrière les jambes avec leur fauteuil roulant. Chaque enfant était accompagné d'un éducateur. Avant la visite, Brian s'était adressé aux enfants et au personnel assistant.

«Je suis le Dr Brian Beaver. Je suis astronome et mathématicien. Je recueille toutes les statistiques qui ont trait à l'espace, par exemple la distance d'une étoile à une autre, et je vous protège de la mort effroyable qui serait provoquée par l'impact d'objets géocroiseurs. Je pense qu'il y en a parmi vous qui sont intelligents et capables de traiter les informations. Les autres, essayez quand même de suivre du mieux possible. Vous m'aideriez beaucoup si vous pouviez éviter d'agiter les bras dans tous les sens. Et *s'il vous plaît*, ne bougez pas trop la tête. Par ailleurs, ceux qui émettent ces bruits bizarres, ayez la gentillesse d'arrêter — c'est très perturbant.»

Les éducateurs échangèrent des regards troublés. Devaient-ils reprendre cet homme, qui semblait ignorer avoir affaire à des enfants handicapés?

Ms[*] Payne, une éducatrice dont la tenue vestimentaire cumulait les sempiternelles Ugg dans leur version grise et une écharpe palestinienne, ne put se taire. « Les mouvements des enfants et les bruits qu'ils font sont involontaires, dit-elle. La plupart d'entre eux sont atteints de paralysie cérébrale. Votre langage est parfaitement inacceptable ! »

Brian répondit pour se défendre : « J'ai annoncé au début que je ne m'adresserais pas à ces pauvres enfants avec condescendance et je le maintiens. Vous ne leur rendez pas service, chère madame, en les berçant de paroles "acceptables". Poursuivons maintenant, voulez-vous ? J'ai un travail extrêmement important qui m'attend après vous. »

Ms Payne insista : « Vous devriez corriger votre brochure, docteur Brian. Il y est écrit que les écoles sont *les bienvenues.* »

L'un des ascenseurs était en panne. Il fallut plus d'une demi-heure pour hisser tout le monde à l'étage.

Quand Brian rentra chez lui après sa journée de travail, il trouva deux enfants noirs — un garçon et une fille — en uniforme d'écolier, assis à la table de la cuisine, en train de manger des tartines et de faire leurs devoirs.

Son premier instinct fut de s'enfuir en courant — il s'était visiblement trompé de maison. Puis il reconnut son parka et une des vestes d'Eva suspendus dans l'entrée. Mais qui étaient donc ces enfants ? Un jeune cambrioleur et sa complice ?

Il aperçut ensuite Alexander qui descendait l'escalier. « Thomas, Venus, dites bonjour. »

* Titre de civilité en anglais, ni « Mrs » (Mme) ni « Miss » (Mlle), afin de désigner une femme, indépendamment de son statut marital.

Les enfants levèrent la tête et lancèrent à l'unisson : « Bonjour. »

Brian se précipita à l'étage. La chambre d'Eva paraissait plus grande et plus claire. La coiffeuse, le fauteuil et la commode avaient disparu, de même que les rideaux.

— Ce sont des meubles de famille, fit observer Brian. Je voulais les transmettre aux jumeaux plus tard.

— Alexander m'en a débarrassée. Il va peindre les murs, le plancher et le plafond en blanc.

Brian ouvrit la bouche comme un poisson rouge. Puis la referma.

En bas, Ruby entra dans la maison et poussa un hurlement en voyant un grand Noir — Alexander — qui beurrait une tartine.

— Ne me faites pas de mal, supplia-t-elle. Je suis retraitée, je souffre d'une angine de poitrine et j'ai les jambes lourdes.

— J'en suis désolé pour vous, répondit Alexander. Vous voulez une tasse de thé ?

— Euh, oui.

Ruby ne pouvait détourner les yeux des enfants. Alexander les présenta et elle se laissa tomber pesamment sur une chaise.

— Je suis Mrs Brown-Bird. La mère d'Eva. Vous êtes un « ami » d'Eva ? demanda-t-elle.

— Un nouvel ami. Je suis l'homme-à-la-camionnette.

— Oh, c'est *vous*, dit Ruby. Eva m'a parlé de vous. Elle n'a pas dit que vous étiez de couleur.

Alexander coupa une tranche de pain en deux moitiés triangulaires et disposa les morceaux sur une assiette au motif géométrique. Il trouva une serviette blanche et un petit plateau, versa le thé dans une tasse en porcelaine avec sa soucoupe assortie.

Ruby fit remarquer : « Vous en faites pas un peu trop, juste pour une tasse de thé et un toast ? »

— Il faut soigner les petites choses de la vie, Mistress Brown-Bird. Pour les grandes, on ne peut rien faire.

— Ça, c'est bien vrai, dit Ruby. On est tous entre les mains du destin. Prenez Eva. La semaine dernière, elle était fraîche et pimpante, et regardez-la maintenant ! Elle se prélasse dans son lit comme la reine de Saba... et elle dit qu'elle ne sait pas quand elle se lèvera ! Moi, je ne l'ai pas élevée pour en faire une grosse paresseuse. Elle devait être debout et habillée à 7 h 30 les jours d'école et à 8 heures tapantes le week-end.

Alexander fit observer : « Le monde serait ennuyeux si nous étions tous pareils. »

— Moi, ça m'irait très bien, répliqua Ruby en faisant claquer sa langue pour montrer sa désapprobation, exactement comme la mère d'Alexander.

Quand Alexander monta le plateau à Eva, un silence tendu régnait dans la chambre, comme si Brian et Eva se battaient avec des épées invisibles.

Assis en équilibre sur le rebord de la fenêtre, Brian faisait mine de regarder dehors. Il n'y avait pas grand-chose à voir, hormis quelques écoliers retardataires et de rares voitures qui roulaient en respectant la limite à quarante-cinq kilomètres à l'heure. Des arbres, aussi, mais Brian n'était pas fan des arbres. Il avait signé une pétition réclamant d'abattre ceux de la rue afin de créer davantage de places de parking. « Ces arbres sont vieux de deux cents ans, avait-il dit à Eva. L'investissement a déjà largement rapporté. »

La météo annonçait de la pluie et des nuages bas, ce qui signifiait que Brian ne pourrait pas observer les étoiles ce soir. Le fait n'était pas inhabituel en Grande-Bretagne

— Brian avait souvent déploré qu'Eva refuse de déménager pour s'installer dans un désert d'Australie, où le ciel était immense et clair, et dépourvu de ces incessantes nuées anglaises.

Alexander demanda à Brian s'il désirait boire quelque chose : « Thé ? Café ? »

— Non, répondit sèchement Brian. Tout ce que je veux, c'est que vous débarrassiez le plancher avec votre progéniture.

Eva dit à Alexander : « Je suis vraiment désolée. La vie n'est pas facile pour lui depuis quelque temps. »

Alexander déclara tranquillement : « Je travaille pour Eva », et se remit à dégrafer la moquette.

On entendait seulement Eva qui mordait dans son pain grillé. Brian avait envie de lui arracher le toast de la main. Puis elle sirota son thé avec bruit d'une manière peu élégante. Brian n'y tint plus. Il tournait comme un fou dans la chambre, passant et repassant derrière Alexander, lequel se tenait à quatre pattes sur la moquette.

« Boire, boire, toujours boire ! C'est quoi cette obsession ? Vous savez quelle quantité d'énergie thermique est gaspillée pour faire une seule tasse de thé ? Non, évidemment, vous ne pouvez pas comprendre. Mais je vous le dis, c'est énorme ! Multipliez ça par soixante-quatre millions, le nombre d'habitants en Angleterre, et le chiffre est encore plus gigantesque ! Et je ne vous parle même pas du temps qu'on perd à attendre que l'eau bouille, que le breuvage refroidisse et qu'il soit bu à petites gorgées. Pendant ce temps, sur les lieux de travail, les machines sont éteintes, il n'y a personne pour regarnir les rayons des supermarchés, les camions sont garés dans des aires de repos. Et les syndicats, avec leur sacro-sainte pause-thé ! Qui sait combien d'objets ne sont pas vus au Centre spatial parce que le crétin qui surveille le télescope tourne le dos à l'écran pile au moment où passe un débris spatial extraordinaire ! Tout ça parce que quelqu'un boit une infusion de feuilles ou de graines sur son temps de travail ! C'est une honte nationale ! »

Alexander dit : « *Donc*, vous ne désirez rien boire, c'est ça ? »

Eva s'insurgea : « Une tasse de thé, ce n'est pas seulement de l'eau chaude et des feuilles. Tu as l'esprit tellement réducteur, Brian. Je me rappelle le soir où tu as dit : "Je ne comprends pas pourquoi les gens font tout un plat du sexe. Ce n'est que l'insertion d'un pénis dans un vagin." »

Alexander rassembla ses outils en riant. « Je suis content de voir que le romantisme n'est pas mort. Je viens quand même demain, Eva ? »

— Oui, s'il vous plaît.

Quand elle entendit le rire d'Alexander dans la cuisine, Eva dit : « Tu m'aimes encore, Brian ? »

— Oui, bien sûr.

— Tu ferais n'importe quoi pour moi ?

— J'irais pas me battre avec un crocodile…

— Non, je me demandais si tu voulais bien dormir dans ta remise pendant quelque temps.

— Ça veut dire quoi, « quelque temps » ? lança Brian avec agressivité.

— Je ne sais pas, dit Eva. Une semaine, un mois, peut-être un an ?

— Un an ? Tu rêves ? Je ne vais pas dormir dans ma remise pendant un an !

— Je n'arrive pas à réfléchir quand tu es à la maison.

Brian dit : « Écoute, on peut arrêter ces conneries ? *Toi*, tu dois réfléchir ? À quoi ? »

— À tout. Est-ce que les éléphants transpirent? Est-ce que la lune existe seulement dans les paroles des chansons? Est-ce qu'on a été heureux ensemble?

Brian dit d'une voix faible: « C'est moi qui suis membre de Mensa. Je peux réfléchir à ta place. »

— Brian, je t'entends respirer à travers le mur.

Il demanda, avec dureté: « Si tu ne te lèves pas, comment feras-tu pour manger? Parce que c'est pas la peine de compter sur moi. Tu espères qu'une grosse maman oiseau viendra t'apporter des vers de terre si tu piailles suffisamment fort? »

Comme elle ne savait pas qui lui donnerait à manger, Eva ne répondit rien.

Brian se peigna la barbe et sortit de la chambre en claquant la porte si fort que le chambranle trembla. Lorsqu'il atteignit le pied de l'escalier, incapable de contenir plus longtemps sa colère, il cria: « Tu es complètement dingue! Fais-toi soigner! J'appelle le toubib pour prendre rendez-vous! Il est grand temps qu'on entende ce que j'ai à dire, moi. »

Quelques minutes plus tard, l'odeur du bacon frit s'éleva dans l'escalier.

Eva en eut l'eau à la bouche. Brian connaissait son faible pour le bacon, raison pour laquelle elle se considérait comme une végétarienne ratée. Elle était même allée jusqu'à commander du bacon par Internet à une célèbre ferme d'élevage porcin en Écosse, et servait toujours le même petit discours quand on la surprenait à réceptionner son colis. « Je ne bois pas, disait-elle, et je ne fume pas [mensonge], je ne dépense rien pour moi-même [faux], alors j'ai bien droit à quelques tranches de bacon de temps en temps. »

Allongée dans son lit, tout en observant la lumière qui déclinait, elle remarqua une unique feuille morte encore accrochée à une branche du sycomore. Elle parvint à la conclusion qu'elle ne prononcerait plus sa tirade à propos du bacon. C'était lassant, ennuyeux — sans compter que ce n'était pas vrai.

En bas dans la cuisine, Brian s'en prit à Alexander. « Ne donnez plus à manger à ma femme, compris ? Vous l'encouragez à rester au lit. Et je vous le dis tout de suite, ça finira par des larmes. »

Venus et Thomas levèrent les yeux de leurs devoirs. Ruby, debout devant l'évier, se retourna, alarmée par le ton agressif de Brian.

Alexander ouvrit les bras et répondit tranquillement : « Je ne peux tout de même pas la laisser mourir de faim et de soif. »

— Si, si, vous pouvez ! s'écria Brian. Parce qu'alors, elle bougerait peut-être son cul et descendrait dans la cuisine !

Alexander dit : « Chut… Pas devant mes gosses. » Il poursuivit : « Eva est en repos sabbatique. Elle a besoin de réfléchir. »

— Et moi ? Elle y réfléchit un peu, à moi ? Je ne comprends pas ce qui lui a pris. Je crois qu'elle devient folle.

Alexander répondit en haussant les épaules : « Je ne suis pas psychiatre. Je ne fais que des déménagements avec ma camionnette et demain j'emporte la moquette de votre femme. »

— Sûrement pas ! dit Brian. Si vous rappliquez encore une fois ici, j'appelle la police !

Ruby intervint : « Du calme, Brian. On n'a jamais fait venir la police dans cette maison, et c'est pas aujourd'hui qu'on va commencer. » Elle se tourna vers les enfants : « À votre place, mes petits canards, je mettrais mon manteau, parce que je crois que votre papa est prêt à partir. »

Alexander hocha la tête et tendit leurs manteaux à ses enfants. Pendant qu'ils les enfilaient, il lança depuis le pied de l'escalier : « Au revoir, Eva ! À demain ! » Il attendit une réponse.

Mais aucune ne vint et il poussa gentiment ses enfants vers la porte.

Brian les suivit. Une fois qu'Alexander et les enfants eurent passé le seuil, il lui glissa : « "À demain" ? Sûrement pas. Moi, je vous dis : à la revoyure… Dans une autre vie ! »

17

Enfant déjà, à Leicester, Brian manifestait une intelligence hors du commun. Dès qu'il fut capable de manipuler les vingt-six cubes qui composaient son alphabet en bois, il les disposa par groupes de deux, de quatre, de six, de huit. Il se lança ensuite dans la construction — à commencer par une tour vacillante qu'il ne renversa pas une seule fois. Puis, un jour, juste avant son troisième anniversaire, à la plus grande stupeur de ceux qui en furent témoins, il énonça la phrase: «Je m'ennuie.»

Son père, Leonard, lui apprit à calculer de petites sommes. Il maîtrisa vite l'addition, la multiplication et la division, comptant toujours en silence. Son père travaillait tard le soir dans une usine de bonneterie et rentrait longtemps après le coucher de Brian. Malheureusement, Yvonne ne parlait pas à son petit garçon. Elle parcourait la maison avec une sinistre détermination, un plumeau dans une main, un chiffon humide dans l'autre, sans jamais cesser de tirer sur la cigarette Embassy fichée entre ses lèvres. Ce n'était pas une femme démonstrative, mais de temps en temps elle décochait à Brian un regard d'une telle malveillance qu'il tombait chaque fois dans une brève transe.

Le jour de son entrée à la maternelle, il s'accrocha aux jambes d'Yvonne. En se penchant pour l'obliger à lâcher prise, elle fit tomber la cendre rougeoyante de sa cigarette sur sa tête, et, quand elle tenta de la chasser, elle ne réussit qu'à lui noircir le visage et le cou. Un reste de braise continua à se consumer dans ses cheveux, de sorte que sa première matinée d'école consista pour Brian à recevoir des soins et à demeurer allongé sur un lit de camp dans un coin de la classe. Son institutrice était une jolie fille aux cheveux d'or que les petits devaient appeler Miss Nightingale*.

Ce fut seulement l'après-midi, quand les autres enfants coloriaient avec des craies de cire sur du papier à dessin tandis que Brian traçait des formes géométriques en utilisant un crayon finement taillé, que Miss Nightingale et le personnel de l'école découvrirent qu'ils avaient un prodige sur les bras.

Ayant contourné par de subtiles manœuvres le système de prise de rendez-vous automatique du Dr Lumbogo, et s'étant lui-même présenté comme « Dr Beaver », Brian fut reçu par le médecin. Ainsi avait-il souvent constaté que le recours à son statut professionnel, avant une consultation, jouait à son avantage. Ça remettait ces crétins de généralistes à leur place.

Attrapant un vieil exemplaire du *Lancet* sur la table de la salle d'attente, il s'absorba dans la lecture d'un article établissant la différence de taille entre les cerveaux masculin et féminin. Les études montraient que le cerveau des hommes était sensiblement plus gros. Une main féminine avait annoté en marge : « Alors, pourquoi ces

---

* En français : rossignol.

salauds d'hypercérébrés sont-ils incapables de se servir de la brosse à chiottes ? »

« Féministe à la noix », marmonna Brian.

Un sikh âgé lui tapota l'épaule et dit : « Docteur ? C'est à vous. Votre tour est venu. »

L'espace d'une seconde, Brian crut que ce sage vieil homme lui annonçait sa mort imminente. Puis il remarqua l'inscription « Dr Bee » qui clignotait en rouge sur le panneau d'affichage électronique au-dessus de l'accueil.

Il dit au sikh : « J'imagine que vous n'avez pas de machins lumineux comme ça au Pakistan. »

— Je ne sais pas, répondit l'homme en turban. Je n'y suis jamais allé.

Le Dr Lumbogo leva les yeux un bref instant quand Brian entra.

— Dr Bee*, asseyez-vous, je vous prie.

— Dr Beaver, corrigea Brian. Votre système n'a pas…

— Que puis-je pour vous ?

— C'est à propos de ma femme. Elle s'est mise au lit et compte y rester pendant un an.

— Oui, répondit le médecin. Mon confrère, le Dr Bridges, a déjà vu votre femme. Les examens indiquent qu'elle est en parfaite santé.

— Je ne suis pas au courant, dit Brian. Parlons-nous bien de la même personne ?

— Oh oui, confirma le médecin. Le Dr Bridges l'a trouvée de solide constitution et…

Brian interrompit : « Mais son *esprit* n'est pas sain, docteur ! Il y a quelque temps, elle a décidé de porter une serviette de bain autour de la taille pour préparer le dîner ! Je lui offre un tablier chaque Noël, alors pourquoi… ? »

---

* En français : abeille.

Le Dr Lumbogo dit : « Arrêtons-nous tout de suite, docteur Bee, et examinons de plus près cette histoire de serviette. Quand cela a-t-il commencé ? »

— Je m'en suis aperçu il y a un an, à peu près.

— Et vous rappelez-vous, docteur Bee, ce qu'elle préparait à dîner ?

Brian réfléchit.

— Je ne sais pas... c'était quelque chose de marron qui bouillait dans une marmite.

— Et par la suite, chaque fois qu'elle mettait la serviette ? Vous souvenez-vous de ce qu'elle préparait ?

— Un truc italien ou indien... j'en suis presque sûr.

Le Dr Lumbogo se pencha en avant sur son bureau, pointant l'index à la manière d'un pistolet, et s'exclama : « Ah ! Ce n'était jamais de la salade ! »

— Non, en effet, dit Brian.

Le Dr Lumbogo conclut en riant : « Votre femme a peur des éclaboussures, docteur Bee. Vos tabliers ne conviennent pas à ses besoins. » Il baissa la voix avec un air théâtral. « Je ne devrais pas enfreindre le secret médical, mais ma propre mère porte un vieux sac de farine pour faire nos galettes de pain plat. Les femmes sont des créatures mystérieuses, docteur Bee. »

— Ce n'est pas tout, dit Brian. Elle pleure quand elle regarde le journal télévisé : les tremblements de terre, les inondations, les enfants qui meurent de faim, les retraités qu'on brutalise pour leur voler leur bas de laine. Un soir en rentrant du travail, je l'ai trouvée en train de sangloter à cause de l'incendie d'une maison à Nottingham !

— Il y a eu des victimes ? demanda le Dr Lumbogo.

— Deux, dit Brian. Des petits enfants. Mais la mère — une mère célibataire, évidemment — avait trois autres gosses !

Brian lutta pour refouler ses larmes. « Ma femme a besoin d'une aide chimique. Ses émotions ressemblent à des montagnes russes. Toute la maison est sens dessus dessous. Il n'y a plus rien dans le frigo, le panier à linge est plein à ras bord, et elle me demande même d'éliminer ses déchets corporels. »

Le Dr Lumbogo dit : « Vous êtes très agité, docteur Bee. »

Brian se mit à pleurer. « Elle était toujours là, dans la cuisine. Ce qu'elle faisait à manger était délicieux. J'avais l'eau à la bouche dès que je descendais de voiture. L'odeur sortait sans doute par les interstices de la porte d'entrée. » Il prit un mouchoir en papier dans la boîte que le médecin lui tendait et s'essuya les yeux et le nez.

Le médecin attendit qu'il se ressaisisse.

Une fois calmé, Brian se répandit en excuses. « Pardon d'avoir chialé comme un môme… Je suis très stressé au boulot. Un de mes collègues a écrit un article remettant en question la validité de mes travaux sur le mont Olympe. »

Le Dr Lumbogo demanda : « Docteur Bee, avez-vous déjà pris du Cipralex ? », et il rédigea une ordonnance.

18

Jeanette Spears, infirmière libérale âgée de quarante-deux ans, n'avait pas caché sa désapprobation quand le Dr Lumbogo lui avait demandé de se rendre auprès d'une femme en bonne santé qui refusait de quitter son lit.

Tandis qu'elle approchait au volant de sa Fiat 500 du quartier respectable où habitait Mrs Eva Beaver, de petites larmes d'autoapitoiement embrumèrent ses lunettes, lesquelles semblaient lui avoir été fournies par un opticien sympathisant de l'esthétique nazie. Miss Spears ne s'autorisait aucune coquetterie féminine — rien ne pouvait adoucir la vie dure qu'elle avait choisi de mener. L'idée d'une femme en bonne santé vautrée dans son lit la rendait malade, littéralement.

À 7 heures tous les matins, Jeanette Spears était debout, douchée, en uniforme, prête à sortir de chez elle, ayant fait son lit et aspergé les toilettes de Harpic. Tout retard la plongeait dans un début de panique — fort judicieusement, elle disposait des sacs en papier brun dans divers endroits stratégiques et, après quelques inhalations et exhalations, repartait à nouveau du bon pied.

Mrs Beaver était sa dernière patiente à la fin d'une matinée difficile : Mr Kelly, qui souffrait de graves ulcères aux jambes, l'avait suppliée de lui donner un antalgique plus puissant mais, comme elle ne cessait de le répéter, elle ne pouvait pas recourir à la morphine. Le risque de dépendance, incontestablement, était bien trop élevé.

La fille de Mr Kelly avait crié : « Papa a quatre-vingt-douze ans, bordel ! Vous croyez qu'il va finir dans un putain de squat à se shooter de l'héroïne dans les yeux ? »

L'infirmière avait refermé sa sacoche d'un coup sec et était partie sans changer le pansement de Mr Kelly. Elle ne tolérerait pas qu'on use d'un langage ordurier en sa présence, ni que la famille de ses patients se mêle de son travail.

Elle distribuait moins de médicaments palliatifs que toutes les autres infirmières du district. C'était officiel. Écrit noir sur blanc. Et elle en était fière. Au point qu'elle estimait mériter une cérémonie au cours de laquelle un gros bonnet de la Direction régionale de la santé lui remettrait une médaille ou une coupe — après tout, elle avait fait économiser des dizaines de milliers de livres à l'État.

Elle s'arrêta près de chez les Beaver et resta un moment assise dans la voiture. On apprenait beaucoup sur ses patients en observant l'aspect extérieur de leur maison. Par exemple, il était toujours encourageant de voir un panier de fleurs suspendu sous le porche.

Il n'y avait pas de panier de fleurs devant la porte d'Eva Beaver. En revanche, on remarquait une mangeoire pour oiseaux qui répandait son trop-plein de fientes sur les dalles noires et blanches ; des bouteilles de lait non rincées sur les marches ; des prospectus de pizzas et de cuisine indienne ou chinoise à emporter que le vent avait soufflés dans les coins avec les feuilles mortes du sycomore. Le paillasson en fibre de coco n'avait pas été secoué depuis un moment. Quelqu'un se servait d'un sous-pot en terre cuite comme cendrier.

Miss Spears fit une grimace de dégoût en découvrant que la porte d'entrée était entrebâillée. Elle essuya la poignée en cuivre avec une des lingettes antibactériennes qu'elle transportait toujours dans sa poche. À l'étage, un homme et une femme riaient. Elle poussa la porte, pénétra dans le vestibule et grimpa l'escalier en direction du rire. Elle ne se rappelait pas la dernière fois qu'elle avait ri tout haut. La porte de la chambre était entrouverte, elle frappa et entra sans attendre la réponse.

Dans le lit, une femme glamour en caraco de soie grise, les lèvres maquillées de rose pâle, tenait à la main un sac de caramels Thorntons. Un homme plus jeune mâchonnait, assis sur le lit.

L'infirmière se présenta: «Jeanette Spears, infirmière à domicile. C'est le Dr Lumbogo qui m'envoie. Vous êtes bien Mistress Beaver?»

Eva hocha la tête. Elle essayait de décrocher avec sa langue un morceau de caramel qui restait collé à sa dent de sagesse.

L'homme se leva.

«Je suis le laveur de vitres», dit-il.

Jeanette Spears fronça les sourcils. «Je ne vois ni échelle, ni seau, ni peau de chamois.»

— Je ne travaille pas aujourd'hui, expliqua-t-il avec difficulté à cause du caramel. Je suis passé voir Eva.

— Et lui apporter des caramels, apparemment, fit remarquer Miss Spears.

Eva dit: «Merci d'être venue, mais je ne suis pas malade.»

— Vous avez suivi une formation médicale? demanda Miss Spears.

— Non, répondit Eva, qui devinait où cet échange allait mener. Mais je suis pleinement qualifiée pour avoir ma propre opinion sur mon corps. Je l'étudie depuis cinquante ans.

Miss Spears savait qu'elle ne s'entendrait avec personne dans cette maison. Celui ou celle qui déposait ces bouteilles de lait non rincées sur les marches était clairement un monstre.

« Votre dossier indique que vous avez l'intention de rester au lit pendant au moins un an. »

Eva ne pouvait détacher les yeux de l'infirmière, dans son manteau boutonné jusqu'au menton, ceinturée, récurée, tel un enfant ratatiné en uniforme d'écolier.

« Je vous laisse, dit Peter. Merci de m'avoir écouté, Eva. À demain. Je sais que je vous trouverai chez vous », ajouta-t-il en riant.

Lorsqu'il fut parti, Miss Spears déboutonna sa gabardine bleu marine. « J'aimerais examiner vos escarres. »

— Je n'en ai pas, répondit Eva. Je mets de la crème deux fois par jour.

— Qu'est-ce que vous utilisez ?

— Le lait Chanel pour le corps.

Miss Spears n'essaya pas de dissimuler son mépris. « Si vous voulez gaspiller votre argent avec de telles extravagances, allez-y. »

— J'y compte bien, dit Eva. Merci.

Eva se sentait mal à l'aise en présence de Miss Spears. Elle se redressa sur son séant et prit un air enjoué. « Je ne suis pas malade », répéta-t-elle.

— Pas malade physiquement, peut-être, mais il y a sûrement quelque chose qui ne va pas chez vous. Ce n'est pas *normal* de vouloir rester au lit pendant un an en mâchant des caramels.

Eva s'arrêta de mastiquer. « Pardon, dit-elle, je suis très mal élevée. Vous en voulez ? » Elle tendit le sac de Thorntons.

Miss Spears hésita, puis se décida : « Un petit, alors. »

Après un examen physique complet — durant lequel l'infirmière mangea deux autres gros caramels (ce qui n'était pas du tout professionnel de sa part, mais les sucreries exerçaient toujours un effet apaisant sur elle) —, Miss Spears procéda à une évaluation mentale.

— Quel jour sommes-nous aujourd'hui ? demanda-t-elle.

Eva réfléchit un moment, puis avoua qu'elle n'en savait rien.

— Quel mois ?

— Septembre, ou est-ce déjà octobre ?

Miss Spears dit : « Nous sommes la troisième semaine d'octobre. » Puis elle demanda à Eva si elle connaissait le nom du premier ministre.

À nouveau, Eva hésita. « Cameron… ? Ou Cameron et Clegg ? »

Miss Spears insista : « Donc vous ne savez pas qui est le premier ministre britannique ? »

Eva répondit : « Je dirais Cameron. »

— Vous avez hésité deux fois, Mistress Beaver. Est-ce que vous suivez un peu l'actualité ?

Eva raconta à Miss Spears qu'elle s'intéressait beaucoup à la politique autrefois et regardait souvent la chaîne parlementaire l'après-midi pendant qu'elle repassait. Elle enrageait en entendant des gens apathiques qui ne votaient pas soutenir que tous les politiciens essayaient de « tirer la couverture à eux ». En son for intérieur, elle leur faisait la leçon sur l'importance du processus démocratique, retraçant, par exemple, la longue et tragique histoire de la lutte pour le suffrage universel.

Mais depuis l'Irak, Eva condamnait à grands cris la classe politique sans mesurer son langage. Les politiciens étaient de « sales menteurs », des « tricheurs » et des « va-t-en-guerre ».

« Mistress Beaver, commença Miss Spears, je ne compte pas parmi ces apolitiques qui ne votent pas et que vous méprisez. À présent, j'aimerais vous faire une prise de sang, à la demande du Dr Lumbogo. »

Elle posa un garrot au bras d'Eva et ôta le capuchon d'une grosse seringue. Eva regarda l'aiguille. La dernière fois qu'elle en avait vu une de cette taille, c'était dans un documentaire sur le Botswana, où l'on injectait un sédatif à un hippopotame.

Miss Spears dit : « Ça va piquer un peu », puis le petit téléphone portable qu'elle portait à la ceinture de son uniforme vibra. Elle fut exaspérée en voyant le numéro de Mr Kelly. D'une main, sans cesser d'aspirer le sang d'Eva, elle mit le téléphone sur haut-parleur.

Eva entendit un homme qui hurlait comme s'il était brûlé vif. Une femme cria ensuite : « Spears ? Si vous n'êtes pas revenue dans cinq minutes avec assez de morphine pour que papa ne souffre plus, je lui écrase un oreiller sur le visage ! Et je le *tue* ! »

Miss Spears répondit, très calmement : « Votre père a reçu la posologie de Tramadol correspondant à son âge et à son état. L'administration d'opiacés à plus fortes doses pourrait provoquer une somnolence léthargique, un coma et la mort. »

— C'est ce qu'on veut ! cria la femme. On veut que ça s'arrête pour lui. On veut qu'il meure !

— Ce serait un parricide et vous iriez en prison. Et j'ai un témoin ici avec moi.

Eva se pencha vers le téléphone et cria : « Appelez une ambulance ! Emmenez-le aux urgences. Ils lui donneront des antidouleurs et demanderont à Miss Spears pourquoi elle l'a laissé souffrir autant. »

Les hurlements de Mr Kelly dans le téléphone étaient insupportables.

Le cœur d'Eva battait aussi vite qu'un joueur de tambour mécanique.

Miss Spears enfonça plus profondément l'aiguille dans le bras d'Eva, puis la retira d'un geste brusque en même temps qu'elle raccrochait le téléphone.

Eva poussa un cri de douleur.

— Vous pourriez avoir de sérieux ennuis. Pourquoi ne lui donnez-vous pas ce qu'il faut ?

— Depuis qu'Harold Shipman * a tué plus de deux cents patients avec de la morphine, la législation a changé pour les professionnels de la santé, répondit Miss Spears.

— Je trouve ça insupportable, dit Eva.

Miss Spears répliqua : « Je suis payée pour le supporter. »

---

* Harold Shipman (1946-2004) : médecin généraliste anglais connu comme le tueur en série le plus meurtrier de l'histoire anglaise.

19

Les jours suivants, Alexander passa chez Eva chaque fois qu'il trouvait un moment entre ses autres missions. Il emporta la radio, la télévision, les tables de chevet, le téléphone, les tableaux de paysages marins, la maquette du système solaire à laquelle manquait Jupiter et, pour terminer, l'étagère Billy qu'Eva avait achetée chez Ikea.

Il possédait la même, mais chargée de livres très différents.

Les livres d'Alexander étaient de lourds volumes en parfait état, traitant d'art, d'architecture, de design et de photographie. Leur poids combiné était tel qu'il avait fallu arrimer l'étagère au mur avec de longues vis à maçonnerie. Les livres d'Eva, eux, offraient une sélection de classiques de la littérature anglaise, irlandaise, américaine, russe et française, très abîmés pour certains, au format poche ou dans des premières éditions Folio. *Madame Bovary* avoisinait *Tom Jones*, et *Rabbit rattrapé* était rangé à côté de *L'Idiot*. La pauvre *Jane Eyre*, banale et toute simple, était encadrée par *David Copperfield* et *Jim-la-Chance*. *Le Petit Prince* côtoyait *Une fille de pasteur*.

— Je les ai depuis mon adolescence, raconta Eva. J'ai acheté la plupart des Penguin au marché de Leicester.

— Vous les gardez, n'est-ce pas ? dit Alexander.

— Non.

— Il ne faut pas vous en séparer, protesta-t-il.

— Vous voulez les prendre avec vous ? demanda Eva comme si les livres étaient des orphelins en quête d'un foyer.

— Les livres, avec plaisir, mais je ne peux pas caser une autre bibliothèque chez moi. J'habite dans un *dé à coudre*, dit-il. Mais... Brian et les enfants ne souhaiteraient pas les récupérer ?

— Eux, ce sont les chiffres qui les intéressent. Ils ne font pas confiance aux mots. Alors, vous les prenez chez vous ?

— D'accord.

Eva demanda encore : « Vous voulez bien me mentir et promettre que vous les lirez ? Les livres ont besoin d'être lus. Les pages, d'être tournées. »

— Ma parole, vous les aimez vraiment. Pourquoi les donnez-vous, alors ?

— Depuis que je sais lire, je m'en sers comme d'un anesthésiant. J'ai tout oublié de la naissance des jumeaux, je me rappelle seulement le livre que je lisais.

— Et c'était quoi ?

— *La Mer, la mer.* J'ai adoré avoir deux bébés dans mes bras, mais — et vous allez trouver ça affreux — au bout de vingt minutes à peu près, j'ai eu envie de retourner à mon livre.

L'expression de ce puissant instinct maternel les fit rire. Eva demanda à Alexander s'il voulait bien emporter la bibliothèque à Leeds pour Brianne. Elle tria ses bijoux et réserva les plus précieux — une bague en diamant offerte par Brian pour leur dixième anniversaire de mariage, plusieurs chaînes en or dix-huit carats, trois fins bracelets en argent, un collier en perles de Majorque, et des boucles d'oreilles en forme d'éventail qu'elle s'était achetées elle-même avec des gouttes d'onyx noir incrustées dans le platine. Puis elle écrivit un mot sur une feuille arrachée au carnet d'Alexander.

Ma fille chérie,

Comme tu le vois, je t'envoie les bijoux de famille. Je n'en ai plus l'usage. L'or est de dix-huit carats, et ce qui ressemble à de l'argent est du platine. Ils ne te plaisent peut-être pas, mais je te supplie de les garder. Je sais que tu as juré de ne jamais te marier ni d'avoir d'enfants, mais il est possible que tu changes d'avis. Tu auras peut-être une fille un jour qui aimera en porter quelques-uns. Dis à Brian Junior que je lui enverrai quelque chose d'une valeur égale. Je serais ravie d'avoir de tes nouvelles.

Avec tout mon amour,

Maman

P.-S. : Le diamant a été taillé à Anvers et les perles sont véritables (de catégorie D — la meilleure — et sans inclusions). Je t'en prie, même si tu es pauvre, ne les vends pas ou ne les mets pas en gage sans me consulter.

P.P.-S. : Je te suggère de les déposer dans un coffre-fort à la banque. Ci-joint un chèque pour couvrir tes frais.

Il lui restait encore une montagne de choses. Les quatre tiroirs sous le lit contenaient :

un sac à main Chanel avec bandoulière chaîne en or
une paire de jumelles
trois montres
un poudrier en plaqué or
trois pochettes de soirée
un étui à cigarettes en argent
un briquet Dunhill

un moulage en plâtre portant l'empreinte des mains et des pieds des jumeaux
une montre chronomètre
un diplôme de secourisme datant de sa jeunesse
une raquette de tennis
cinq lampes torches
une statuette de Lénine petite mais lourde
un cendrier provenant de Blackpool (avec une image de la tour)
des cartes de la Saint-Valentin offertes par Brian

L'une des cartes disait :

Je t'aimerai jusqu'à la fin du monde
Brian
P.-S. : La fin du monde est prévue dans cinq milliards d'années (évolution du Soleil vers le stade de Géante rouge à la fin de sa séquence principale).

Il y avait aussi :

un couteau suisse avec quarante-sept outils (pince à épiler utilisée uniquement)
un foulard en soie Hermès à motif cheval blanc sur fond bleu
cinq paires de lunettes design, chacune dans un étui
trois réveils de voyage
des carnets intimes
des scrapbooks
des albums de photos
deux livres pour bébé

Alexander annonça qu'il emporterait la moquette le lendemain. La chambre pourrait alors être peinte.

Avant de partir, il demanda : « Eva, vous avez mangé aujourd'hui ? »

Elle fit non de la tête.

— Comment peut-il partir travailler en vous laissant affamée ?

— Ce n'est pas la faute de Brian. Nous avons des horaires différents.

Si Eva jugeait sévèrement certains des comportements de Brian, elle n'aimait pas que d'autres le critiquent.

Alexander alla fouiller dans la cuisine et revint avec une banane, un paquet de craquelins et cinq petits triangles de Vache qui rit. Il trouva aussi une gourde, qu'il remplit de lait chocolaté.

Quand Brian rentra, Alexander était en train de laver les tasses qu'Eva et lui avaient utilisées tout au long de la journée. Brian se faufila entre les sacs en plastique noir et les cartons qui encombraient le rez-de-chaussée.

— Je crois que je vais bientôt vous faire payer un loyer, déclara Brian. Vous commencez à prendre vos aises, je vois. Si ça continue, il faudra même que je vous offre une carte d'anniversaire.

— Je travaille pour Eva, Brian.

— Oh pardon, c'est du travail ! Et comment elle vous paye ?

— Par chèque.

— Par chèque ! Personne n'utilise plus de chèques maintenant, se moqua Brian. J'espère que vous n'allez pas me laisser tout ce bordel ici.

— J'emporte le plus gros chez Oxfam.

Brian rit. « Si Eva s'imagine aider les pauvres en leur fourguant ses petites culottes, grand bien lui fasse. Nous autres, on sait bien que les patrons de ces soi-disant "organismes de bienfaisance" se promènent dans

Mogadiscio au volant de leur Lamborghini et jettent des poignées de riz aux miséreux qui crèvent de faim. »

Alexander fit remarquer : « Dites donc, j'aimerais vraiment pas être vous. Votre cœur doit ressembler à ces horribles noix fourrées qu'on vend à Noël. Bouh, quelle *horreur*! »

— Y a pas plus généreux que moi, répliqua Brian. Je donne dix livres tous les mois, par virement automatique, pour permettre à une famille africaine de nourrir deux buffles. Ils pourront bientôt exporter de la mozzarella issue du commerce équitable. Et si vous croyez que vous m'intimidez avec votre look de gentleman *rasta*, peace and love et tout le bataclan, vous vous trompez. Moi, j'ai un de mes meilleurs potes qui s'appelle Azizi. Il est africain, mais c'est un brave type.

Alexander s'esclaffa : « *Mais* c'est un brave type ? Vous vous entendez, là ? Et vot'ami afwicain, il vous intimide quand y pa'le com'ça, présentement, là di don ? » Il rit encore, puis reprit : « Moi, j'ai eu la chance d'être adopté à dix ans et on m'a appris à m'exprimer comme il se doit entre insulaires civilisés. »

Avisant le torse musclé et les triceps d'Alexander, Brian regretta de n'avoir pour sa part rien à exhiber dans un t-shirt moulant blanc. Le ton montait et il sentit qu'il ne ferait pas le poids dans une confrontation. Il chercha à calmer le jeu par une parole inoffensive. « Azizi est *vraiment* un brave type, c'est tout ce que je voulais dire. »

Alexander changea de sujet. « À propos de mozzarella, qui s'occupe de donner à manger à Eva ? »

— Eva compte sur une société prodigue. Autant dire qu'elle croit au miracle… Pour l'instant, c'est sa mère et bibi qui s'y collent.

Brian jeta un morceau de beurre dans une poêle, le regarda fondre, puis ajouta des tranches de pain blanc.

Alexander s'écria : « Non, mec ! Il faut attendre que le beurre soit chaud. »

Brian retourna rapidement le pain et cassa un œuf entre les tranches. Avant que le blanc de l'œuf n'ait pris, il fit glisser le tout sur une assiette froide. Il mangea debout devant le plan de travail.

Alexander le contempla d'un air dégoûté. Pour lui, chaque repas était un événement. On mangeait assis, autour d'une table dressée avec une nappe et des couverts, les enfants de moins de dix ans n'étaient pas autorisés à se servir et les mains devaient être lavées. Les enfants ne sortaient pas de table avant d'avoir demandé la permission. Alexander soutenait qu'un plat préparé sans amour perdait toute sa saveur.

Brian s'était précipité sur sa pâtée baveuse comme un chien affamé. Lorsqu'il eut terminé, il s'essuya la bouche et mit l'assiette et la fourchette dans le lave-vaisselle.

Alexander soupira. « Asseyez-vous, je vous refais ça. Et regardez-moi, au moins vous apprendrez quelque chose. »

Comme Brian avait encore faim, il obéit.

20

Le lendemain, Ruby rapporta le linge d'Eva et de Brian. Tout était repassé et impeccablement plié dans un panier en raphia, avec un soin tel qu'Alexander, qui venait d'arriver pour enlever la moquette de la chambre d'Eva, fut ému aux larmes.

Quand Ruby demanda : « Les gosses sont à l'école ? », il put à peine répondre.

Il avait passé les dix premières années de sa vie dans la saleté et le chaos, se levant plus tôt le matin pour chercher, parmi les monceaux de vêtements épars sur le plancher de la chambre, ce qu'il pouvait trouver de moins sale à mettre pour l'école.

Dès que Ruby monta à l'étage de son pas claudicant, Alexander enfouit son visage dans le panier et respira l'odeur du linge.

Après avoir déplacé en tous sens le lit sur lequel reposait Eva, Alexander faillit perdre patience, mais il fit simplement remarquer : « Ce serait beaucoup plus facile si vous sortiez du lit. »

— Vous préférez que je demande à Brian de vous aider quand il rentrera ? dit Eva.

— Non, répondit Alexander. Je vais me débrouiller.

Enfin, encouragé dans ses efforts par Eva, il réussit à rouler la moquette, la ficela étroitement et la jeta par la fenêtre. Puis il descendit, la tira sur le trottoir et y colla un Post-it sur lequel on pouvait lire : « SERVEZ-VOUS. »

Le temps qu'il prépare du thé et des toasts, puis ressorte pour déposer une bouteille de lait vide sur les marches, la moquette avait disparu. Au verso du Post-it était écrit au stylo-bille : « MERCI BEAUCOUP. J'EN AVAIS TELLEMENT BESOIN ! »

Pendant qu'Alexander ponçait les lattes du vieux parquet, Eva, à genoux sur le lit, regardait par la fenêtre ouverte. Comme elle portait un masque pour se protéger de la poussière, la rumeur se répandit bientôt dans le quartier — sous l'impulsion de Mrs Barthi, l'épouse du marchand de journaux — que Brian avait contaminé sa femme avec une bactérie lunaire et qu'elle était confinée dans sa chambre par décision des autorités.

Plus tard dans l'après-midi, Brian s'étonna en voyant la file d'attente se disperser à son arrivée chez le marchand de journaux.

Mr Barthi se couvrit le nez d'un mouchoir et dit : « Vous ne devriez pas vous promener comme ça dans la rue, monsieur, avec tous vos microbes de lune. »

Brian mit si longtemps à expliquer ce qu'il se passait chez lui que le marchand de journaux, lassé, souhaita ardemment être débarrassé de ce barbu ennuyeux à mourir. Mais, à sa grande consternation, le Dr Beaver se lança dans un long développement sur la Lune et son absence de microbes, prolongé par un monologue expliquant le comment et le pourquoi de cette absence d'atmosphère.

Enfin, après avoir émis de nombreux signaux, parmi lesquels une série de bâillements non réprimés sous le nez de Brian, Mr Barthi se résolut à fermer sa boutique avant l'heure. « C'était le seul moyen de le faire partir », expliqua-t-il à sa femme.

Celle-ci rebascula la pancarte indiquant OUVERT et dit : « Alors pourquoi il y a des larmes sur tes joues, gros nigaud ? »

Mr Barthi répondit : « Je sais que tu vas te moquer de moi, Sita, mais je m'ennuyais vraiment à *pleurer.* La prochaine fois, c'est *toi* qui le serviras. »

Plus tard, en sortant de chez le boucher où il avait acheté un rumsteak pour lui et huit chipolatas pour Eva, Brian vit que la lumière était revenue chez le marchand de journaux. Il traversa la rue et s'approcha de la boutique. Mr Barthi eut tout juste le temps de tourner la pancarte et de pousser le verrou.

Brian cogna à la porte et lança : « Mister Barthi ! Vous êtes là ? J'ai oublié mon *New Scientist.* »

Mr Barthi était accroupi derrière le comptoir.

Brian cria par la fente de la boîte aux lettres. « Barthi, ouvrez la porte. Je sais que vous êtes là ! »

N'obtenant aucune réponse, Brian envoya un coup de pied bien ajusté dans la porte puis se détourna, et, renonçant à son magazine, partit affronter la débâcle de son foyer.

Mr Barthi laissa passer cinq bonnes minutes avant de se relever.

Le soir, Brian déclara à Eva qu'il se ferait désormais envoyer ses magazines scientifiques par la poste. « Barthi perd la boule. Il m'a bâillé sous le nez et ensuite il s'est mis à pleurer. Il ne mérite pas qu'on continue à fréquenter sa boutique. »

Eva hocha la tête, bien qu'elle n'écoutât pas. Elle pensait à Brian Junior et à Brianne.

Ils savaient qu'elle ne répondait plus au téléphone, mais ce n'était pas la seule manière de communiquer.

***

Dans sa chambre, Ho écrivait une lettre à ses parents. Il ne pouvait pas leur apprendre une telle nouvelle par courriel, il fallait d'abord les préparer un peu — quand ils verraient la lettre, avec son écriture, ils sauraient qu'il avait quelque chose d'important à leur dire. Il écrivit, dans un chinois appliqué :

Chère Mère et cher Père,

Vous avez été d'excellents parents. Je vous respecte et je vous aime. Cela me fait souffrir de vous avouer que je n'ai pas été un bon fils.

Je suis tombé amoureux d'une fille anglaise nommée Poppy. Je lui ai donné mon amour, mon corps et tout ce que je possède, y compris l'argent que vous avez gagné en travaillant si dur à l'usine Crocs pour m'envoyer étudier dans une université en Angleterre.

Les parents de Poppy sont tous les deux aux soins intensifs dans un endroit qui s'appelle Dundee. Elle a dépensé tout son argent, alors je lui ai donné le mien et maintenant il ne m'en reste plus. Hier, je lui ai demandé quand elle pourrait me rembourser, et elle a pleuré et a dit : « Jamais. »

Mère et Père, je ne sais pas quoi faire. Je ne peux pas vivre sans elle. S'il vous plaît, ne la jugez pas trop durement. Les parents de Poppy sont des gens riches et importants, leur petit avion s'est écrasé contre les falaises blanches de Douvres. Ils sont tous les deux dans le coma. Poppy dit que les médecins en Angleterre sont corrompus, comme chez nous. Et qu'ils garderont ses parents en vie seulement s'ils sont suffisamment payés. Sinon, ils débrancheront les machines.

S'il vous plaît, envoyez-moi encore de l'argent. Est-ce que vous envisagez toujours de vendre l'appartement ? Ou de toucher votre capital retraite ?

Poppy dit que le mieux serait un mandat international au nom de Poppy Roberts. S'il vous plaît, mes chers parents, aidez-moi — si je perds l'amour de Poppy, je me tuerai.

J'espère que vous allez bien et que vous êtes heureux.

Votre fils qui vous salue,

Ho

Ho descendit et posta la lettre dans une de ces constructions cylindriques que les Anglais appellent « boîte ». Il revenait vers le dortoir quand il tomba sur Brian Junior, qui, comme d'habitude, marchait en lisant un livre d'équations, un casque de MP3 sur la tête. On entendait vaguement la musique — Ho pensa que c'était du Bach.

Brian Junior montra qu'il avait remarqué la présence de Ho en clignant rapidement des yeux et en grognant quelque chose qui ressemblait à « Salut ».

Ho aurait bien aimé être aussi grand que Brian Junior et avoir un aussi beau visage. Il enviait aussi ces épais cheveux blonds, et ces dents ! Et puis, comment se faisait-il que Brian Junior ait tant d'allure dans ses vilains habits tout froissés ?

Si Ho avait été anglais, il se serait habillé en gentleman. Avec des vestes Burberry et des chemises Savile Row. Des chaussures Church. Ses parents lui avaient acheté des vêtements en prévision de l'université, mais ils avaient choisi comme des prolétaires. C'était difficile de se promener à Leeds en portant un maillot de foot Manchester United. Les gens l'abordaient dans la rue et lui lançaient toutes sortes d'épithètes injurieuses. Heureusement que Poppy était là et l'aimait.

Il dit : « Brian Junior. Je peux te parler argent ? »

— Argent ? répéta Brian Junior comme si c'était la première fois qu'il entendait ce mot.

L'argent n'avait jamais été une cause d'inquiétude dans sa vie, et il présumait — il était absolument certain — qu'il serait un jour riche et indépendant.

— Je crois tu as argent, expliqua Ho. Moi, j'ai pas. Alors si tu me donnes un peu, tous les deux, on est contents, oui ?

Brian Junior marmonna : « Cool. » Puis, rouge de honte, il fit demi-tour et repartit dans la direction d'où il venait. Il ne supportait pas de voir Ho dans cette position humiliante.

Plus tard ce soir-là, on frappa à la porte de Ho.

C'était Brian Junior, serrant dans la main une poignée de billets. Il tendit l'argent à Ho avec brusquerie et regagna précipitamment sa chambre.

Ho compta les billets sur son lit. Il y avait soixante-dix livres. Ce n'était rien, rien !

Cela lui permettrait de s'acheter du riz et des légumes, mais Poppy ?

Comment pouvait-il lui dire qu'il n'avait pas d'argent pour les médecins anglais corrompus ?

21

Eva était ravie de sa chambre blanche. En travaillant toute la journée et une partie de la soirée, Alexander avait peint le plafond, les murs, le tour de la fenêtre et le parquet couleur coquille d'œuf. Eva lui avait demandé de laisser son lit contre la fenêtre. De là, elle pouvait voir la rue et, au-delà, l'ombre lointaine des collines, la tache sombre des arbres à feuillage persistant et les branches nues de ceux qui s'étaient dégarnis.

L'odeur de peinture fraîche était suffocante quand Brian rentra du travail. Il ouvrit toutes les fenêtres de la maison, puis la porte de la pièce qu'il s'efforçait maintenant d'appeler « la chambre d'Eva », et fut temporairement aveuglé par l'éblouissante blancheur.

Eva s'écria : « N'entre pas ! Le sol n'est pas sec ! »

Brian vacilla, le pied droit en l'air, mais réussit à retrouver son équilibre.

— Pardon ! dit Eva.

— Pardon pour quoi ? demanda Brian.

— Pour t'avoir parlé brusquement.

— Tu crois que tu peux me faire de la peine en me parlant brusquement, alors que tu as déjà bousillé ma vie et notre mariage ?

Brian s'étranglait.

Il eut la vision de Bambi devenu orphelin et faillit perdre le contrôle de ses émotions.

Eva répondit: «Je ne te dirai qu'un mot...» Ses lèvres formèrent le «T» de Titania, mais elle en resta là.

Elle connaissait Brian intimement depuis presque trente ans. Il faisait partie de son ADN.

Au bout d'un moment, Brian dit: «Je meurs d'envie de pisser.»

Il coula un regard pressant vers la salle de bains intégrée, mais la peinture fraîche s'étendait devant lui comme une eau à demi prise par les glaces entre deux icebergs. Eva tira sur le cordon pour éteindre le plafonnier et il partit utiliser les toilettes familiales.

Eva se tourna vers la fenêtre.

La lune presque pleine de l'automne finissant brillait entre les branches squelettiques du sycomore.

En bas, Brian s'assit au salon. Qu'était-il arrivé à son joli foyer, autrefois si paisible? Il parcourut la pièce du regard. Les plantes étaient mortes, de même que les fleurs demeurées dans leur vase rempli d'une eau trouble et malodorante. Les lampes ne répandaient plus leur belle lueur dorée, il avait la flemme de les allumer. Il n'y avait pas de feu dans l'âtre et les coussins aux couleurs vives, sertis de bijoux de fantaisie, contre lesquels il se calait confortablement pour regarder *Newsnight* le soir étaient entassés de chaque côté de la cheminée.

Il contempla la photo de famille posée sur le manteau de la cheminée, prise à Disney World. En arrivant à Orlando, après un séjour de deux semaines à Houston, il avait acheté des laissez-passer pour une journée. Il se rappelait le manque d'enthousiasme d'Eva et des jumeaux au moment où il avait fièrement exhibé les billets. Pour cacher sa déception, il avait fait semblant de jouer de la trompette comme un musicien de fanfare.

Une fois dans le parc, quand un Mickey géant demanda d'une voix de fausset s'ils aimeraient être photographiés afin de garder un souvenir de leur visite, Brian accepta et lui tendit vingt dollars.

« Faites de grands sourires ! » dit Brian en posant avec Eva et les jumeaux.

Les jumeaux montrèrent les dents comme des chimpanzés, mais Eva regarda droit devant, impassible, se demandant seulement comment Mickey pouvait tenir un appareil photo entre ses grosses mains gantées.

À la fin de la séance, Dingo s'approcha en traînant les pieds sur l'asphalte brûlant, tourna ses longues dents vers Mickey et lui dit : « Putain, j'en ai ma claque. J'arrête ! »

Mickey répondit : « Merde, c'est pas vrai ! Qu'est-ce qui s'est passé, putain ? »

— Cette salope de Cendrillon m'a encore foutu un coup de pied dans les couilles, bordel.

Brian s'interposa : « Excusez-moi. Il y a des enfants ici ! »

— Des enfants ! ricana Dingo. Tu te fous de ma gueule ? On dirait des vieillards, tes mômes. Avec leurs dents qui courent après le bifteck !

Brian répondit à Dingo : « Et toi, connard, tu les as vues tes dents ? Je vais te les faire bouffer si t'insultes encore mes enfants ! »

Mickey, qui s'était placé entre Brian et Dingo, lança : « Hé ho ! Ça va pas, non ? On est à Disney World, quand même ! »

Dans le salon, Brian se leva et prit la photo pour examiner de plus près le visage d'Eva. Pourquoi n'avait-il pas remarqué avant qu'elle semblait si malheureuse ? Il sortit son mouchoir de sa poche, essuya le cadre et le verre, puis reposa la photo à la place qu'elle occupait depuis six ans.

La maison était morte à présent, sans Eva.

22

Assise sur son lit étroit, Brianne regardait fixement le mur. Alexander était reparti depuis une demi-heure, laissant l'étagère Billy et les bijoux, mais emportant sans le savoir le cœur de Brianne qui jusque-là n'avait pas été sollicité. Et se trouvait à présent empli d'une joie extraordinaire.

Elle dit tout haut: «Je l'aime.»

Elle regrettait maintenant de ne s'être jamais fait d'amis. Elle avait envie de téléphoner à quelqu'un pour annoncer la bonne nouvelle. Brian Junior ne serait pas intéressé, Poppy en profiterait pour se mettre en avant, et sa mère était devenue folle. Il n'y avait qu'à *lui* qu'elle pouvait se confier.

Elle prit la carte de visite qu'il lui avait donnée et composa le numéro sur son portable. Il répondit immédiatement — et illégalement —, tandis qu'il roulait à cent quarante kilomètres à l'heure sur la file du milieu de la M1 en direction du sud.

— L'homme-à-la-camionnette, j'écoute.

— Alexander?

— Brianne?

— Oui. J'ai oublié de vous remercier d'avoir apporté les affaires de maman. C'était très gentil de votre part.

— Il n'y a aucune gentillesse là-dedans. C'est du boulot, Brianne. Je suis payé pour ça.

— Vous êtes où ?

— Sur l'autoroute, coincé entre deux camions. Si celui qui est devant freine, je serai réduit en chair à pâté.

Brianne s'exclama : « Alexander, éteignez votre téléphone ! Tout de suite ! »

Elle imagina son corps déchiqueté sur l'autoroute, entouré de véhicules de secours. Elle vit distinctement un hélicoptère survoler la scène et se poser pour l'emmener quelque part dans une unité de soins spécialisés.

— Faites bien attention à vous, d'accord ? reprit Brianne. Votre vie est précieuse.

Il fit ce qu'elle lui demandait et éteignit son téléphone. Il n'aurait pas cru que cette fille était capable de tels sentiments — elle avait montré très peu d'émotions en découvrant les bijoux de sa mère.

Brianne sortit faire quelques pas devant le dortoir. Elle ne portait pas les vêtements adéquats pour marcher dans la nuit froide, mais elle s'en moquait. La possibilité de l'amour avait adouci son visage et redressé son dos.

Comment pouvait-elle avoir vécu si longtemps en ignorant l'existence de cet homme ?

Toutes ces niaiseries liées à l'amour : les cœurs, les chansons, la lune par un soir de juin, les fleurs. Maintenant, elle *voulait* qu'il lui offre un nounours en peluche blanc tenant dans les mains une rose en plastique. Jusqu'à présent, les hommes — des petits garçons gâtés pour la plupart — ne représentaient à ses yeux qu'une occasion à prendre ou surtout à laisser. Mais lui… il était digne d'adoration.

Un Prince noir.

Elle n'avait jamais laissé aucun homme lui toucher les seins, ni ce qu'elle appelait ses parties intimes. Mais tout en marchant dans le froid, elle se sentait fondre à l'intérieur, se dissoudre. Elle se languissait de lui. Elle était incomplète sans lui.

En regardant par la fenêtre, Poppy fut stupéfaite de voir Brianne arpenter la rue en pyjama, rejetant une haleine blanche comme un ectoplasme. Lorsqu'elle frappa plusieurs coups contre la vitre, Brianne leva les yeux, fit un signe de la main et sourit. Poppy se demanda quelle drogue elle avait prise. Elle enfila précipitamment le kimono de soie rouge qu'elle avait piqué chez Debenhams et courut la rejoindre.

23

C'était la veille de Guy Fawkes Night*, mais déjà des feux d'artifice pétaradaient çà et là tandis que Brian et Titania se rendaient à une réunion décidée à la dernière minute au Centre national de l'espace.

Le mari de Titania, Guy Noble, surnommé « le Gorille » par ses amis, avait adressé une lettre de plainte au professeur Brady parce que, disait-il, sa femme entretenait « une liaison torride sur son lieu de travail avec ce bouffon de Dr Brian Beaver ». Titania avait reconnu s'être livrée à des ébats sexuels dans la Salle blanche qui abritait les futures sondes lunaires *Walkers on the Moon*, du nom de leur sponsor principal, un fabricant de chips installé dans la région.

L'ensemble du personnel était présent, y compris les employés de ménage, le service de maintenance et le jardinier. L'approche philosophique du management telle que l'appliquait le professeur Brady (*alias* Pantalon-de-Cuir) exigeait en effet de constituer une équipe « *all inclusive* ». La réunion se tenait dans le planétarium, ce qui ajoutait une dimension épique à la discussion.

* Fête commémorant l'échec de la conspiration des poudres, menée par Guy Fawkes, le 5 novembre 1605, au Parlement de Westminster.

Pantalon-de-Cuir dit: «Je me moque de savoir avec qui vous baisez, docteur Beaver. Ce qui importe, c'est que vous avez choisi la Salle blanche pour ça. Vous auriez pu polluer l'atmosphère, corrompre les données de l'instrumentation et mettre le projet en danger. Sans parler de souiller la surface de la lune.»

Brian demanda avec un air de défi: «C'est arrivé, *oui ou non*?»

— Non, les données sont intactes, dut admettre Pantalon-de-Cuir. Mais il a fallu trente-six heures de travail, hommes et femmes confondus, pour vérifier. Un temps dont nous ne disposons pas… Nous sommes déjà en retard sur le planning.

Titania, qui se cachait derrière une longue frange de cheveux roux, leva la main et dit: «Puis-je simplement confirmer, pour ma défense, que notre rapport sexuel a été "torride" en effet? Mais le danger était minimisé — on portait tous les deux des masques stériles, et ça a été terminé en quatre-vingt-dix secondes.»

Les autres rirent en se tournant vers Brian.

Les veines de son cou et de sa tête palpitaient.

Il ne fut pas long à riposter. «Absolument. C'était juste un petit coup rapide.» Il jeta un regard autour de lui en espérant que les autres trouveraient sa repartie amusante.

Chacun retint son souffle, et une des femmes de ménage prit la main de Titania.

Brian poursuivit, sans s'apercevoir qu'il creusait sa propre tombe: «"Turgescente" me paraît un terme plus exact pour décrire notre liaison en ce moment.»

L'une des secrétaires se rua vers la porte en pressant un mouchoir sur son nez.

«Restons calmes! dit Pantalon-de-Cuir. Nous sommes tous des professionnels. Même les techniciennes de service, pas vrai ? » Il sourit aux femmes de ménage pour montrer qu'il leur accordait de l'importance et valorisait leur travail.

Titania sanglotait. « Avec le Gorille, ça traînait en longueur. Sauf quand il tombait sur mon clitoris. Par hasard, je veux dire. »

Il y eut un silence consterné, et la femme de ménage lâcha la main de Titania.

Un technicien chuchota à son voisin. « Personnellement, je ne suis pas contre l'expérimentation, mais je refuse la bestialité. Et là, c'est carrément dangereux. »

Titania était déroutée par le mépris évident que lui témoignait Brian en public. Elle ajusta sa frange pour cacher les rides de son front et farfouilla dans son sac, cherchant le rouge à lèvres qui la faisait paraître dix ans de moins, pensait-elle.

Elle dit, d'une voix qui menaçait de se briser : « Tout de même, Brian, nos rapports sexuels sont assez souvent torrides. » Se tournant vers l'ensemble du personnel, elle avoua : « La semaine dernière encore, il me titillait les pointes des seins avec la brosse à cheveux de sa femme. Il criait que j'étais une petite garce et qu'il allait me punir en m'attachant au gros télescope pendant que le professeur Brady me prendrait par-derrière. »

Brian se leva et protesta furieusement : « Pas par-derrière ! Je n'ai pas dit par-derrière ! »

Wayne Tonkin, le jardinier, rit tout haut.

Le professeur Brady lâcha avec colère : « Beaver, je vous interdis de m'inclure dans vos fantasmes de malade ! »

Titania parcourut l'assemblée du regard et déclara : « Il vous a tous inclus à un moment ou un autre. »

Certains des collègues de Brian furent dégoûtés par cette révélation, mais la plupart en éprouvèrent un secret plaisir.

Le professeur Brady se trouvait devant un dilemme. Pouvait-il relever le Dr Beaver de ses fonctions ou le punir d'une quelconque manière parce qu'il se servait de ses collègues comme de stimulants sexuels ? Les fantasmes entraient-ils dans la catégorie du « harcèlement sexuel au travail » ? Un élément contractuel permettait-il de prouver que les pensées de Beaver constituaient une maltraitance ?

Mrs Hordern tira sur les manches de sa blouse et dit : « C'est sa pauvre femme que je plains. Je parie qu'elle l'a cherchée partout, sa brosse à cheveux. »

Titania répliqua : « Ne vous fatiguez pas à plaindre Eva Beaver, Mistress Hordern. Cette feignasse ne bouge jamais de son lit ! Brian doit se préparer son dîner lui-même tous les soirs. »

Pantalon-de-Cuir intervint : « Bon, tout ça ne nous fait pas beaucoup avancer. Nous devrions plutôt focaliser nos esprits sur le lancement des *Walkers on the Moon.* »

Wayne Tonkin, qui ne s'était pas encore exprimé, lâcha tout d'un coup : « Et combien de milliards de livres que ça va vous coûter pour la manquer encore une fois c'te foutue Lune, hein ? Vous savez pas que les Ricains y sont déjà allés en 69 ? Pendant ce temps-là, moi, je me cogne la saloperie de pelouse avec une tondeuse qui tond pas ! »

Pantalon-de-Cuir regrettait parfois sa politique de management « *all inclusive* ». Dans des moments comme celui-là, par exemple.

Les ingénieurs en aérospatiale — un assortiment d'individus rebelles et fauteurs de troubles — en profitèrent pour reprendre une discussion interrompue sur la vélocité. Des termes comme « orbite elliptique régressive » et « budget delta-V » fusèrent d'un bout à l'autre de la salle.

Pantalon-de-Cuir essaya de couvrir leurs voix en hurlant : « OK, les gars, c'est bon ! »

Mais nul ne vociférait plus fort que Wayne Tonkin — avec un groupe de musiciens, il chantait des reprises de Barry White dans le pub de son quartier, le *Chien Boussole*. Son timbre de baryton faisait trembler la voûte étoilée du planétarium.

« Ceux qui votent pour un tracteur tondeuse, qu'y lèvent les mains ! » La décision fut emportée à l'unanimité ou presque.

Titania fut la première à partir, escortée par un groupe de sympathisantes. Brian resta seul dans l'arène.

Il craignait de perdre son boulot. Une vague de licenciements menaçait et il avait cinquante-cinq ans, âge critique alors qu'affluaient sans cesse de jeunes cerveaux. Des failles apparaissaient dans le savoir de Brian. Il sentait que le train s'éloignait à grande vitesse et qu'il aurait beau courir de toutes ses forces, il ne réussirait jamais à le rattraper.

24

Allongée sur son lit, Eva regardait le ciel nocturne dans lequel explosaient toutes sortes de couleurs et de formes. Elle entendait les sirènes des pompiers au loin et sentait l'odeur des innombrables feux de joie. Elle plaignait toutes les femmes qui, en ce moment même, servaient les membres de leur famille et les invités durant ces traditionnelles réjouissances. Elle repensa à la fête de 2010, connue aussi sous le nom de Grand Désastre. Brian avait mis une affiche au travail :

APPEL AUX LUMIÈRES !
Venez fêter la mort de Guy Fawkes avec Brian et Eva !
Gare aux catholiques !

Eva avait fait les courses le matin du 5 novembre. Brian ayant annoncé qu'elle devait préparer à manger pour trente personnes, elle s'était rendue chez Morrisons et avait acheté :

60 saucisses de porc
2 kilos d'oignons
60 petits pains
35 pommes de terre

1 énorme morceau de cheddar
10 boîtes de haricots blancs à la tomate
30 biscuits spécial Guy Fawkes
1 grosse bouteille de sauce tomate Heinz
3 paquets de beurre
ingrédients pour 30 pommes d'amour
1 masque et 1 chapeau Guy Fawkes
10 lanternes chinoises écologiques
6 bouteilles de vin rosé
6 bouteilles de vin blanc
6 bouteilles de vin rouge
1 tonneau de Kronenbourg
2 caisses de John Smith's

Elle s'était brisé le dos en soulevant le tonneau de Kronenbourg du chariot pour le mettre dans le coffre de la voiture.

Avant de rentrer à la maison, elle avait encore dépensé près de deux cents livres pour acheter deux boîtes de feux d'artifice variés et des cierges magiques pour les enfants.

L'après-midi fut occupé à sortir un matelas humide du garage et à le traîner dans le jardin pour le hisser au sommet du futur feu de joie, à construire une effigie de Guy Fawkes, à confectionner des pommes d'amour (en taillant des bâtonnets dans du bois d'allumage), à récurer les toilettes du rez-de-chaussée, à passer l'aspirateur dans le salon, à nettoyer la cuisine à fond, à choisir des CD de musique conviviale et à laver le patio au jet.

Brian ayant demandé à ses invités de venir à 18 heures, Eva lança la première fournée de pommes de terre à 17 h 30, disposa les assiettes d'entrées froides et les boissons, rinça et essuya la belle vaisselle, plaça des bougies dans des lanternes tempête et attendit.

À 19 h 10, la sonnette retentit finalement à la porte d'entrée et Eva entendit la voix de Brian qui disait : « Mistress Hordern, quel plaisir de vous voir. Mister Hordern, j'imagine ? » Pendant qu'il les débarrassait de leur manteau, il demanda : « Vous êtes venus tous ensemble ? Les autres sont en train de se garer ? »

Mrs Hordern répondit : « Ben non, on n'est que nous deux. »

Quand ils furent enfin partis, Eva déclara : « C'était la soirée la plus atroce de toute ma vie — pire encore que la nuit où j'ai accouché des jumeaux. Que s'est-il passé, Brian ? Tes collègues te détestent donc tant que ça ? »

— Je ne comprends pas, répondit-il. Mon affiche est peut-être tombée de la porte. Je n'avais mis qu'une seule punaise pour l'accrocher.

— Oui, dit Eva. Ce doit être ça. La punaise.

Plus tard, tandis qu'ils partageaient une deuxième bouteille de bourgogne, Brian demanda : « Tu as remarqué, quand j'ai allumé mes fusées Spécial Beaver ? Ils n'ont même pas fait “ooh” ni “aah”. Ils étaient trop occupés à s'empiffrer de glucides et de graisse ! J'ai passé sept jours à préparer ce feu d'artifice. Et j'ai pris un gros risque. C'est vrai, quoi, je travaillais avec des matériaux instables. Ça pouvait sauter à tout moment et j'aurais été déchiqueté par l'explosion. »

Prise d'une pitié sincère pour lui, Eva dit : « Ton feu d'artifice était magnifique, Brian. »

Elle avait observé son visage chaque fois qu'il allumait une fusée. Il était excité comme un gamin et suivait des yeux la trajectoire de ses projectiles avec la fierté d'un père qui regarde son enfant marcher pour la première fois.

Eva contempla sa chambre toute blanche en pensant : « Mais c'était hier, et aujourd'hui est un autre jour. Je n'ai rien à faire, absolument rien, à part regarder la lumière dans le ciel. »

25

Depuis sept semaines qu'elle était au lit, Eva avait beaucoup maigri. Sa peau se desquamait et il lui semblait qu'elle perdait trop de cheveux.

Brian lui apportait parfois du thé et des toasts qu'il lui tendait avec un soupir en s'apitoyant sur son propre sort. Le thé était souvent froid et le pain pas assez grillé, mais elle le remerciait avec effusion.

Elle avait besoin de lui.

Les matins où il l'oubliait, ou lorsqu'il était trop pressé pour penser au petit déjeuner, elle restait seule avec sa faim. Elle avait décidé de ne plus conserver aucun aliment dans la chambre. Et ne s'autorisait à boire que de l'eau.

Un jour, Ruby essaya de convaincre Eva de boire un verre de Lucozade, en disant : « Ça va te requinquer. Quand j'ai eu ma pneumonie et que j'étais suspendue entre la vie et la mort — j'étais juste à l'entrée du tunnel, je voyais la lumière au bout —, ton père est venu me rendre visite et il m'a apporté une bouteille de Lucozade. J'ai bu une gorgée, et hop !, d'un coup, on aurait dit le monstre de Frankenstein quand il est frappé par la foudre. Je me suis levée et j'ai marché ! »

Eva dit : « Ça n'avait rien à voir avec les antibiotiques qu'on t'injectait par intraveineuse ? »

— Non ! s'indigna Ruby. Mon médecin spécialiste, le Dr Briars, ne savait plus quoi faire. Il avait tout essayé, même la prière, pour m'empêcher d'aller dans ce tunnel.

— Le Dr Briars, qui a fait dix ans d'études, donné des conférences et écrit des articles sur la pneumonie, ne pouvait pas te sauver... Et une gorgée de boisson énergisante t'a ramenée à la vie ?

Ruby avait les yeux brillants. « Oui. C'est le Lucozade qui a marché ! »

Au début de la retraite volontaire d'Eva, sa belle-mère, Yvonne, préparait à manger tous les deux jours. C'était une cuisinière sans talent, servant le plus souvent une viande accompagnée de ses deux légumes réglementaires, et convaincue qu'un apport généreux de sauce Oxo au jus de viande transformait n'importe quel plat en un festin gastronomique. Lorsqu'elle emportait l'assiette qu'Eva lui rendait immaculée, elle pensait seulement que sa belle-fille abandonnait enfin son goût pour ces ridicules mets étrangers et retrouvait avec bonheur la cuisine anglaise traditionnelle.

Yvonne ne saurait jamais que ce qu'elle concoctait (avec mauvaise grâce et en soupirant comme une martyre, dans un fracas de vaisselle cassée et de casseroles maniées sans douceur) atterrissait chez une famille de renards qui avait élu domicile sous un énorme laurier du jardin délaissé par Eva. Ces créatures d'une audace scandaleuse, lassées des restes de risotto, de tarama et autres délices bourgeois largement consommés dans la rue d'Eva, se battaient pour les côtes de porc et les steaks hachés d'Yvonne. Eux aussi, apparemment, préféraient la cuisine anglaise traditionnelle.

Vers 19 heures, les jours où Yvonne venait, Eva s'agenouillait au bout du lit et vidait son assiette par la fenêtre ouverte. Elle adorait voir les renards manger et se lécher le museau ensuite. Parfois elle imaginait même que la renarde levait la tête vers la maison et la saluait dans un geste de solidarité féminine. Mais ce n'était que pur fantasme.

Une fois, Yvonne découvrit avec stupeur un morceau de foie au bacon sur le perron, et une de ses boulettes de viande maison sur le trottoir au bas des marches.

Un jour, vers la mi-novembre, Alexander rendit visite à Eva avant d'aller travailler.

Il dit : « Vous savez que vous commencez à ressembler à un squelette ? »

— Je ne suis pas au régime pourtant, répondit Eva.

— Il faut que vous mangiez quelque chose de sain, quelque chose que vous aimez. Faites une liste et je verrai ça avec votre mari.

Eva fut contente de penser à ce qu'elle aimait vraiment manger. Bien qu'elle eût tout le temps de réfléchir, elle présenta une liste étonnamment réduite et modeste.

— Si y avait le feu, elle sortirait de ce lit en quatrième vitesse, dit Ruby à Brian. Vous êtes trop gentil avec elle.

— Elle me fait peur, reconnut Brian. Déjà avant, quand je lisais ou que je coupais ma viande, je levais parfois les yeux et je la surprenais en train de me regarder *bizarrement.*

Ils étaient en train de pousser un chariot entre les rayons de Morrisons. La liste d'Eva dans sa poche, Brian rassembla d'abord ce qu'il lui fallait pour ses propres repas.

« Elle a toujours eu ce regard-là, dit Ruby en s'arrêtant devant le rayon des sautés. Ça me prend souvent de vouloir faire un sauté de quelque chose, mais j'ai pas de *wak.* »

Brian ne prit pas la peine de corriger sa belle-mère. Il avait envie de se concentrer sur Eva et de comprendre pourquoi elle refusait de quitter ce qui était autrefois « leur » lit.

Il n'était pas un mauvais mari, pensait-il. Il ne l'avait jamais frappée — pas trop fort en tout cas. Bon, il la bousculait un peu de temps en temps, et une fois — après avoir trouvé une carte de la Saint-Valentin qu'elle avait cachée derrière la chaudière et qui disait : « Eva, quitte-le, viens avec moi » —, il l'avait suspendue la tête en bas au-dessus de la rambarde du palier. C'était pour rire, bien sûr. Il est vrai qu'il avait eu un peu de mal à la remonter, et qu'à un moment il avait semblé qu'il pourrait bien la laisser tomber sur le carrelage en dessous. Mais ça ne justifiait pas les hurlements stridents qu'elle avait poussés. Il fallait toujours qu'elle exagère.

Elle n'avait pas le sens de l'humour, se dit-il. Pourtant, il l'entendait souvent rire avec d'autres dans la pièce voisine.

Titania et lui riaient tout le temps. Ils adoraient Benny Hill et les Goons. Titania imitant Benny qui chantait « Ernie (Le laitier le plus rapide de l'Ouest) », c'était à se tordre. Et quand elle s'était fait jeter dans le lac de Rutland Water, là non plus, elle ne l'avait pas mal pris. Elle s'était marrée.

Ruby demanda combien coûtait un « wak ».

Il donna une réponse au hasard : « Quarante livres. »

Elle frissonna et dit : « Non, je ne l'amortirai pas. Déjà que j'étais pas censée vivre aussi longtemps. »

Brian sortit la liste d'Eva de sa poche. Il la montra à Ruby et ils rirent tous les deux. Eva avait écrit :

2 croissants
basilic en pot
gros sac mélange de noix
4-5 bananes
grappes de raisin (sans pépins, si possible)
6 œufs de poule élevée en plein air
2 tubes de Smarties pour les enfants d'Alex
fromage Leicester rouge
1 boule de mozzarella
2 tomates cœur-de-bœuf fermes
petit sel marin
poivre noir et rouge
4 grosses bouteilles de San Pellegrino (H2O)
2 jus de pamplemousse
couteau à dents
huile d'olive extra-vierge
vinaigre balsamique
1 grosse bouteille de vodka (sauf Smirnoff)
2 grosses bouteilles de tonic (Schweppes uniquement)
Vogue
Private Eye
The Spectator
Cigarettes Dunhill mentholées

Après avoir pleuré de rire, Ruby dut essuyer ses larmes. Ni l'un ni l'autre n'avaient de mouchoir, mais comme ils passaient dans le rayon du papier de toilette, Ruby ouvrit un paquet d'Andrex et sortit un rouleau. Voyant qu'elle ne parvenait pas à détacher le premier pli, Brian lui prit le rouleau des mains, beugla de rage parce qu'il n'obtenait pas davantage de succès, puis arracha plusieurs épaisseurs de papier et remit le rouleau entamé sur l'étagère.

Ruby rit longtemps quand ils trouvèrent la San Pellegrino, et plus longtemps encore en voyant l'huile d'olive extra-vierge. «J'y mettais de l'huile d'olive dans les oreilles, à Eva, quand elle avait mal, raconta-t-elle. Et maintenant elle en fourre sur sa salade.» Au rayon des journaux et magazines, elle fut scandalisée par le prix de *Vogue.* «Quatre livres dix? Je peux m'acheter deux sacs de frites au four avec ça! Elle se fiche de vous, Brian. À votre place, j'y filerais rien à manger. Elle finira bien par sortir de ce lit.» Les croissants provoquèrent un autre éclat. «C'est rien qu'un morceau de pâte avec plein d'air dedans!»

— Elle a toujours été snob pour la nourriture, dit Brian.

— C'est depuis qu'elle est allée à Paris avec l'école, dit Ruby. En rentrant, elle avait la grosse tête. Et que j'te dis *merci* et *bonjour*... Et «Oh, le *pain*, maman!» Elle écoutait les chansons de cette bonne femme avec la voix qui vous met les nerfs en pelote toute la sainte journée.

— Édith Piaf, dit Brian. Oui, je connais.

— Elle y est retournée après avoir quitté l'école. Elle a travaillé dans un fish and chips pour se payer son billet pour Paris.

Brian était ahuri. «Elle ne m'a pas raconté ça. Combien de temps elle y est restée?»

— Pile un an. Elle est revenue avec une valise Louis Vuitton pleine d'habits et de chaussures très chics. Cousus main, s'il vous plaît! Et du parfum! De grosses bouteilles. Elle n'en parlait jamais. Je crois qu'un maquereau français lui a brisé le cœur.

Ils bloquaient le passage dans l'allée. Une jeune femme avec un petit enfant assis dans le chariot les heurta de plein fouet. L'enfant cria: «Encore!»

— Qu'est-ce qu'elle a fait en France? demanda Brian. Et pourquoi elle ne m'a pas parlé de cette vadrouille à Paris?

— C'était une fille très secrète, répondit Ruby, et c'est devenu une femme secrète. Bon, où qu'il est ce fichu sel marin ? Quand je pense qu'y en a plein la cuisine !

Eva donna ses instructions à Brian pour qu'il lui prépare des tomates-mozzarella.

« S'il te plaît, dit-elle, n'ajoute rien à la recette et ne supprime rien non plus. Et respecte les quantités, je t'en supplie. »

Elle précisa le choix de l'assiette, de la serviette. Tant de détails finirent par embrouiller Brian encore plus que d'habitude.

Est-ce qu'il avait mis trop d'huile d'olive extra-vierge ? Fallait-il couper le basilic avec les doigts, ou au couteau ? Devait-il ajouter du citron et des glaçons à la vodka tonic ? Comme Eva n'avait pas spécifié, il s'abstint.

Elle sentit l'odeur du basilic et des tomates avant même qu'il pousse du pied la porte de la chambre.

Il lui posa le plateau sur les genoux et resta debout à côté du lit, attendant son approbation.

Elle remarqua immédiatement que les tomates avaient été coupées en tranches épaisses avec un couteau émoussé, que le basilic n'avait manifestement pas été rincé ni les tiges ôtées. Malgré la stricte recommandation de ne rien ajouter, Brian avait improvisé un motif autour de l'assiette avec de l'origan en poudre.

Elle réussit à se contenir, et lorsqu'il demanda : « Ça va ? », elle répondit : « J'en ai l'eau à la bouche. »

Elle lui était sincèrement reconnaissante. Elle savait combien c'était difficile de tenir une maison en travaillant à temps plein.

Et elle soupçonnait que Titania lui manquait.

26

Il était 6 h 30. Le givre avait décoré les arbres et les buissons pendant la nuit, répandant une lueur éthérée dans le parking du Centre spatial. À la vue des voitures garées en tous sens, Mrs Hordern se douta qu'il s'était passé quelque chose. Normalement, les membres du personnel veillaient à se ranger à la place qui leur était spécifiquement attribuée. Des rixes avaient plusieurs fois éclaté à cause d'infractions mineures aux Conditions d'usage (lesquelles étaient affichées derrière la vitre d'un panneau planté sur un poteau en bois au coin du parking).

Mrs Hordern croisa Wayne Tonkin au moment où il sortait du bâtiment de la Recherche. « Quoi de neuf ? » demanda-t-elle en indiquant le parking d'un geste du menton.

Wayne dit : « J'espère que vous avez pas encore réservé pour vos vacances, Mistress Hordern, parc'qu'on sera tous grillés comme des côtelettes d'ici la semaine prochaine. »

— À quelle heure ?

— Midi tapant, répondit-il, tout fier de la précision.

— Alors, c'est pas la peine que je m'embête à acheter un sapin de Noël ?

Elle partit d'un petit rire engageant.

— Non, dit Wayne.

En pénétrant dans le bâtiment, Mrs Hordern comprit que les membres du personnel avaient accouru tout juste sortis de leur lit.

Pantalon-de-Cuir portait un pyjama de soie bleu pâle. Pour une fois, il ne lui fit pas son sourire façon Hollywood.

— Qu'est-ce qui se passe ? demanda-t-elle.

— Rien, rien du tout, répondit-il. La Terre tourne encore.

Mrs Hordern accrocha son manteau dans le vestiaire, ôta ses bottes et enfila les Crocs qu'elle mettait toujours au travail. Elle entendit des sanglots dans les toilettes. Elle savait que c'était Titania parce que Mme Je-sais-tout allait souvent pleurer aux WC. Mrs Hordern frappa à la porte de la cabine et demanda à Titania si elle pouvait faire quelque chose pour l'aider.

Elle essuya une rebuffade quand la porte s'ouvrit et que Titania sortit en tempêtant : « Ça m'étonnerait ! Vous comprenez le modèle standard de la physique des particules et sa place dans le continuum espace-temps, Mistress Hordern ? »

La femme de ménage dut reconnaître que non.

« Alors, du large ! Mon problème est entièrement lié à ma recherche, et maintenant je ne pourrai jamais la terminer. J'ai donné ma vie à ces particules ! »

Tout en poussant sa machine à laver les sols dans le couloir, Mrs Hordern pensa : « Il y a quelque chose qui ne va pas. »

Quand elle passa devant la porte indiquant « Objets géocroiseurs », Brian Beaver sortit brusquement en vociférant :

« Éteignez-moi cette putain de machine ! Il y a des gens qui essayent de réfléchir ici ! »

Mrs Hordern répliqua : « Peut-être, mais l'parterre, y va pas se nettoyer tout seul, hein ? Et c'est pas la peine de jurer. Je veux pas de grossièretés chez moi, alors ici non plus ! »

Brian regagna son bureau, devant une rangée d'écrans sur lesquels des nombres défilaient à toute vitesse tandis qu'un objet sphérique de taille importante croisait une trajectoire rouge. La masse silencieuse de ses collègues fixait les écrans en silence. Plusieurs s'approchèrent pour observer avec anxiété les doigts de Brian qui volaient sur le clavier.

Pantalon-de-Cuir dit : « Il serait peut-être bon de revérifier vos données australiennes, docteur Beaver, avant que les yeux du monde entier se tournent vers nous. Vaudrait mieux ne pas se tromper… »

Brian dit : « Je suis presque sûr. Mais les simulations informatiques ne donnent pas toutes les mêmes résultats. »

— *Presque sûr !* beugla Pantalon-de-Cuir. Est-ce qu'on réveille le premier ministre, le secrétaire général des Nations unies et le président des États-Unis pour leur dire qu'on est *presque* sûr que la Terre est foutue ?

Brian expliqua sur un ton prétentieux : « On ne réveille pas le président. L'appel est orienté sur l'officier de liaison avec la NASA à Washington. » Puis il poursuivit plus humblement : « Il est possible que les métadonnées provenant de la carte spatiale soit corrompues. On a toujours su que notre intégration de données n'était pas fiable à cent pour cent. Je me suis fié aux techniques d'interpolation technique du Dr Abbot… »

Pantalon-de-Cuir hurla : « Qu'est-ce qu'elle fout, bordel ? Encore en congé de maternité sur une montagne au fin fond du pays de Galles, en train d'allaiter son têtard à face de lune dans ce taudis aux relents de moisissure qu'elle appelle un *cottage*, sans téléphone fixe ni réseau ni technologie à part un putain de toaster Dualit ! Trouvez-moi cette bouffeuse de poireaux* ! »

Quelques heures plus tard, repassant devant le bureau avec la machine à lustrer, Mrs Hordern jeta un coup d'œil inquiet par la porte entrouverte et vit un petit groupe de personnes qui riaient et échangeaient des poignées de main. La scène lui rappela *Skippy*, la série télé, quand le kangourou et ses amis humains se réjouissent d'avoir surmonté leurs difficultés à la fin de chaque épisode.

Assis à l'écart, les mains nouées, Brian regardait fixement le sol.

Après le travail, Mrs Hordern croisa Wayne Tonkin qui astiquait son nouveau tracteur tondeuse.

Il s'interrompit et dit : « Tout compte fait, le monde y sera pas fini la semaine prochaine. Tête-de-Nœud Beaver s'était gouré dans ses additions. L'astéroïde y va nous rater de quarante-trois millions de kilomètres. »

— Ça m'aurait bien plu de pas faire Noël, dit Mrs Hordern. Quel boulot… Y a personne pour bouger son cul à la maison, à part moi.

Wayne leva les yeux au ciel et mit le tracteur en marche. Il mourait d'envie de s'en servir, mais avec cette saloperie de mauvais temps, il faudrait encore attendre des mois.

* Le poireau est l'emblème du pays de Galles.

27

Brian junior et Brianne n'auraient su expliquer la présence de Poppy dans la voiture de leur père qui les ramenait à Leicester pour les vacances de Noël. Ils ne voulaient pas d'elle, ni pendant le trajet ni à la maison, et étaient consternés autant qu'horrifiés à l'idée de devoir passer quatre semaines en sa compagnie.

Ayant appris que Brian arrivait, Poppy s'était postée dans le hall du rez-de-chaussée pour faire sa connaissance. Elle avait entendu les jumeaux se moquer du goût épouvantable de leur père en matière vestimentaire — et avait vu une photo du Dr Beaver, le visage mangé par une épaisse barbe noire. Plusieurs candidats possibles entrèrent dans le hall avant qu'il apparaisse.

Quand Brian appuya sur le bouton pour appeler l'ascenseur qu'on entendait trembler dans la cage, Poppy se glissa près de lui et dit: « Cet ascenseur est affreusement lent. Parfois, j'ai l'impression d'être dans une pièce de Samuel Beckett. »

Brian rit. Il avait joué Lucky dans *En attendant Godot* à la fac et s'était attiré les louanges du public pour son interprétation « énergique ».

Pendant qu'ils s'élevaient lentement vers le sixième étage, Poppy raconta à Brian que ses parents étaient dans le coma à l'hôpital Ninewells de Dundee. C'était le premier Noël qu'elle passerait toute seule, dit-elle.

Brian crut qu'elle allait se mettre à pleurer. Il en eut le cœur serré.

Dans un bref éclair de mémoire, Poppy revit la page Wikipédia de l'hôpital Ninewells. Elle sourit courageusement à Brian et ajouta : « Mais papa et maman ont de la chance, en un sens. Ils sont installés dans le premier bâtiment construit par Frank Gehry en Grande-Bretagne. C'est Bob Geldof qui l'a inauguré. Je suis tellement impatiente de les voir… quand ils se réveilleront. »

— Frank Gehry, oui, j'aime bien son travail, enchaîna Brian. C'est très futuriste. Ça ressemble beaucoup au module qu'on a l'intention d'envoyer… sur la Lune, je veux dire.

Quand elle lui demanda ce qu'il faisait dans la vie, il se présenta : « Dr Brian Beaver. Je suis astronome. »

Poppy poussa un petit cri en battant des mains.

— Ouaouh ! s'exclama-t-elle. C'est exactement ce que je veux faire ! Ça alors, quelle coïncidence !

— Incroyable, convint Brian.

Puis elle plaqua une main sur sa bouche et dit :

— OMG* ! Vous devez être le père de Brianne, il est astronome !

— Me voilà démasqué, fit Brian.

Il trouvait Poppy adorable, délicieuse, avec sa masse de cheveux en désordre et son teint pâle. Charmé par la sensualité exotique de son corps de liane, il ne la questionna pas davantage sur son improbable vocation d'astronome.

— Alors, qu'est-ce que tu comptes faire pour Noël ? demanda-t-il. Tu as des projets ?

---

* Abréviation de « *Oh my God !* », en vogue parmi les Poppy de ce monde.

— Oh, je vais rester ici, j'irai me promener… Je n'ai pas d'argent. J'ai tout dépensé pour aller voir papa et maman, expliqua-t-elle avec un air mélancolique.

Il y eut un silence, simple pause dans la conversation.

— Alors comme ça, tu connais Brianne ?

— Si je la connais ? C'est ma meilleure amie. Quand je pense qu'on va être séparées pendant quatre semaines…

Poppy sourit bravement, mais Brian voyait bien que cette pauvre petite pleurait à l'intérieur. Il ne mit pas longtemps à se décider. En sortant de l'ascenseur, il lui dit de préparer une valise et lui donna les clés de sa voiture.

— Quand tu seras prête, va t'asseoir dans la Peugeot Estate gris métallisé. Ce sera une surprise formidable pour les jumeaux.

Poppy lui sauta au cou pour le remercier en produisant des sons qui n'étaient pas tout à fait des mots.

Brian la serra contre lui, riant au début, mais tandis qu'elle le maintenait fermement par le cou, il sentit le contact de sa chair jeune et ferme, respira son parfum musqué. Il s'exhorta à penser à la viande fibreuse qu'il était forcé d'avaler à la cantine de l'école — en général, ça marchait.

Les jumeaux prirent l'ascenseur pendant que leur père passait aux toilettes dans la chambre de Brian Junior en prévision du retour à Leicester.

Brianne s'exclama avec soulagement : « Quatre semaines sans cette folle dingue ! »

Brian Junior esquissa un de ses rares sourires. Avant que la porte de l'ascenseur s'ouvre, ils se tapèrent maladroitement dans la main.

Brianne dit : « Brian Junior, tu ne tapes *jamais* au bon moment. Combien de fois on s'est entraînés ? Tu dois être pitoyable au lit. Tu n'as aucun sens du rythme. »

— J'ai quand même réussi à féconder Poppy.

— Une femme ne peut pas tomber enceinte si on garde son slip et qu'on n'a pas d'érection.

— *Évidemment!* Je sais aussi que si on ne lâche pas son sperme, on a les couilles qui explosent.

Quittant l'atmosphère douillette du bâtiment, ils sortirent dans le vent froid qui soufflait de la neige. La voiture de leur père était garée un peu plus loin. En approchant, ils découvrirent que quelqu'un était assis à la place du passager avant.

La portière s'ouvrit et Poppy cria: « Surprise ! »

Le voyage fut horrible.

Le coffre était rempli par les valises de Poppy et les sacs-poubelle noirs d'où débordaient ses habits délirants, ses bottes et ses chaussures customisées. Brianne et Brian Junior durent se serrer à l'arrière avec leurs bagages.

Poppy parla sans arrêt de Leeds jusqu'à Leicester. S'il n'avait pas été au volant, Brian se serait assis à ses pieds — comme devant Homère et sa sagesse millénaire.

Il pensait: « C'est la fille que j'aurais dû avoir. Elle a des pieds plus petits que les miens. Elle passe un temps fou à se pomponner dans la salle de bains — pas comme Brianne, qui reste à peine deux minutes et souffle comme une vache quand elle se lave le visage. »

Brian Junior pensait à la crevette qui grandissait dans le ventre de Poppy. Il ne se rappelait pas ce qui s'était passé la nuit où elle l'avait rejoint dans son lit, revoyant vaguement un enchevêtrement de bras et de jambes, avec une chaleur et une odeur de poisson sur les doigts, des dents qui se cognent, une respiration accélérée, et la sensation incroyablement merveilleuse de quitter son corps mortel en tombant dans un univers inattendu.

Brianne, qui voulait que le monde soit débarrassé de Poppy, passa tout le voyage à élaborer un plan détaillé pour atteindre cet objectif.

Lorsqu'ils quittèrent l'autoroute à la sortie 21, Brian essaya de préparer les jumeaux au « petit changement » qui les attendait à la maison.

— Maman n'est pas trop en forme depuis quelque temps, dit-il.

— C'est pour ça qu'elle ne nous a pas téléphoné une seule fois en trois mois ? répliqua Brianne avec amertume.

Poppy tourna la tête et déclara : « C'est choquant — une mère qui n'appelle pas ses enfants. »

— Tu as raison, Poppy, dit Brian.

Brian Junior fit remarquer à Brianne : « On n'a pas tellement essayé non plus. »

28

Eva brûlait d'envie de prendre les jumeaux dans ses bras, d'autant plus qu'elle n'aurait pas à nettoyer leurs chambres ni à mettre des draps propres dans leurs lits, et que quelqu'un d'autre se chargerait de préparer leurs repas et d'acheter leurs cadeaux de Noël. Peut-être était-ce au tour de Brian de se trouver agacé par leur paresse et leur désordre.

« Oui, pensa-t-elle. Que quelqu'un d'autre se couche à plat ventre pour attraper sous leurs lits les tasses, les assiettes et les bols de céréales dans lesquels le lait et le sucre ont séché. Et les vieux trognons de pomme, les peaux de banane noircies et les chaussettes sales. » Elle rit tout haut dans sa chambre blanche et immaculée.

Brianne et Brian Junior eurent un choc en voyant leur mère, assise dans le lit, et la boîte blanche qui était autrefois la chambre de leurs parents. Eva ouvrit grand les bras et les jumeaux vinrent maladroitement s'y loger.

Elle ne pouvait pas parler, submergée par le plaisir de les tenir contre elle, de sentir leurs corps — qui avaient sensiblement changé en trois mois.

Brianne avait besoin d'une coupe de cheveux. Eva pensa : « Je lui donnerai soixante livres pour qu'elle aille chez un bon coiffeur. »

Brian Junior était agité — Eva sentait ses muscles se raidir — et avec sa barbe de quelques jours, inhabituelle chez lui, elle trouva qu'il ressemblait à Orlando Bloom, en blond. Les poils sur le visage de Brianne, en revanche, réclamaient furieusement un rendez-vous pour une épilation à la cire.

Les jumeaux s'assirent gauchement sur le bord du lit.

— Racontez-moi tout, dit Eva. Vous êtes heureux à Leeds ?

Ils échangèrent un regard, et Brianne répondit : « Oui, sauf que… »

Eva entendit une voix s'exclamer en bas : « Ouaouh, je me sens déjà comme chez moi ! »

Après s'être encore regardés, les jumeaux se levèrent et sortirent précipitamment.

En bas, Brian cria : « Les jumeaux, venez m'aider avec les bagages ! »

Il y eut un martèlement de pas dans l'escalier et sur le palier, puis une drôle de fille, vêtue d'une robe de cocktail défraîchie et d'une robe de chambre d'homme dont elle avait noué la ceinture autour de sa tête à la manière de Kadhafi, se jeta dans les bras d'Eva. Eva lui tapota l'épaule et remarqua que les bretelles de son soutien-gorge blanc étaient grises de saleté.

— Bob Geldof a demandé qu'un vigile soit posté au chevet de mes parents vingt-quatre heures sur vingt-quatre, annonça cette étrange créature en s'asseyant sur le lit.

— Pourquoi ? demanda Eva.

— Vous êtes pas au courant ? dit la fille. Je suis Poppy. La meilleure amie de Brianne et de Brian Junior.

Eva entendit Brian Junior et Brianne souffler dans l'escalier en hissant les bagages de Poppy et sursauta quand la jeune fille cria : « C'est pas mes valises que vous maltraitez comme ça, j'espère ! Elles contiennent des objets d'art de grande valeur. »

Elle se leva et disparut dans la salle de bains, laissant la porte entrebâillée.

Quelques secondes plus tard, Eva entendit la conversation de Poppy avec un interlocuteur muet.

« Allô ? Le service Peaches, s'il vous plaît. »

Silence.

« Bonjour. C'est Sœur Cooke ? »

Silence.

« Bien, merci. Je suis chez des amis à la campagne. »

Silence.

« Comment vont papa et maman ? »

Silence.

« Oh non ! Est-ce qu'il faut que je vienne ? »

Silence.

« Vous êtes sûre ? Je peux facilement… »

Silence.

« Vous pensez qu'il leur reste combien de temps ? Dites-moi, j'ai besoin de savoir ! »

Silence.

« Non ! Non ! Pas six semaines ! Je voulais *tellement* qu'ils soient là à la remise des diplômes. »

Silence.

« Ça me brise le cœur de me dire que c'est leur dernier Noël ! [Un temps.] Merci, ma Sœur, mais je fais seulement ce que ferait toute fille pour ses parents qu'elle aime et qui sont en train de mourir. »

Silence.

« Oui, j'aurais bien aimé venir les voir pendant les vacances de Noël, mais je n'ai plus un sou, ma Sœur. J'ai dépensé tout mon argent en billets de train et, euh… pour m'acheter du raisin. »

Silence.

« Non, je suis enfant unique et je n'ai personne d'autre. Ma famille a été décimée pendant la dernière épidémie de grippe aviaire. Mais bon, haut les cœurs. »

Silence.

« Non, je ne suis pas courageuse. Si je l'étais [sanglot], je ne pleurerais pas [sanglot]. »

Eva s'enfonça sous la couette et fit semblant de dormir. Elle entendit Poppy revenir, lâcher un « tst » agacé et sortir de la chambre en martelant le sol de ses brodequins qu'elle portait sans lacets. Les lourdes chaussures descendirent bruyamment l'escalier, franchirent la porte d'entrée et sortirent dans la rue.

Sur le palier, Brian, Brianne et Brian Junior débattaient de la chambre dans laquelle il fallait déposer les bagages de Poppy.

Brian Junior protesta avec une véhémence qui ne lui était pas coutumière. « Non ! Pas la mienne, *s'il vous plaît.* »

Brianne argumenta : « C'est toi qui l'as invitée, papa. Elle n'a qu'à dormir dans *ta* chambre. »

Brian répondit : « Ça ne va pas fort entre maman et moi. Je dors dans la remise, à sa demande. »

Brianne dit : « Oh mon Dieu ! Vous allez divorcer ? »

Et Brian Junior, exactement en même temps : « Alors, vous allez acheter deux sapins de Noël, cette année ? Un pour nous dans la maison, et un pour toi dans la remise ? »

Brian s'énerva. « Qu'est-ce que tu me prends la tête avec tes sapins ? J'ai le cœur en miettes, moi... Mais bien sûr, ce vieux schnock de papa, on s'en fout ! Pourquoi il profiterait de la chaleur et de la lumière, hein ? Dans la maison qu'il n'a même pas fini de payer ! »

Il aurait aimé que ses enfants le réconfortent. Il se souvint que, petit, il regardait *La Famille des collines* à la télé pendant que sa mère se maquillait avant de sortir avec un énième « oncle ». Brian se rappelait le parfum de sa poudre et la dextérité avec laquelle elle maniait les petits pinceaux. Il avait toujours une boule dans la gorge au moment de la scène finale de l'épisode, quand tous les membres de la famille se souhaitaient bonne nuit.

Au lieu de quoi, Brianne lâcha avec colère : « Bon alors ! On les met où, les bagages de la folle dingue ? »

Brian répondit : « C'est ta meilleure copine, Brianne. J'ai pensé que, naturellement, elle dormirait dans ta chambre. »

— Ma meilleure copine ! Je préférerais avoir une clocharde incontinente et malade mentale comme « meilleure copine » plutôt que cette…

Brianne était à court de mots. Comment exprimer sa haine quand, de retour à la maison, elle trouvait sa mère qui ne bougeait plus de son lit, dans une boîte d'un blanc immaculé, l'esprit visiblement dérangé, et son père qui lui demandait de partager sa chambre avec ce vampire de Poppy qui lui avait gâché son premier trimestre à l'université ?

Les bagages s'entassaient toujours sur le palier lorsque Poppy appela Brian sur son portable pour dire qu'un « vieux bonhomme avec des cicatrices horribles sur le visage » la suivait depuis qu'elle avait acheté son papier à rouler Rizla au magasin de journaux. Elle avait prévenu la police et se cachait dans un parc tout près.

— C'est sûrement Stanley Crossley, répondit Brian. Un homme adorable… Il habite au bout de la rue.

Brianne arracha le téléphone des mains de son père. « Il a des cicatrices parce qu'il a failli brûler vif dans un Spitfire. T'as jamais entendu parler de la Seconde Guerre mondiale, peut-être ? Appelle tout de suite la police et dis-leur que tu t'es trompée ! »

Mais il était trop tard. Ils entendaient déjà les sirènes. Poppy raccrocha.

De rage, Eva donna des coups de poing dans ses oreillers. Sa tranquillité était mise en pièces. Elle ne voulait pas entendre des éclats de voix de l'autre côté de la porte de sa chambre, ni des sirènes dans la rue. Et elle ne voulait pas que cette fille complètement hystérique reste cinq minutes de plus dans sa maison. Le Stanley Crossley qu'elle connaissait était un vieil homme réservé et poli qui ne manquait jamais de soulever son chapeau quand il la croisait dans la rue.

Il n'y avait pas si longtemps, au printemps dernier, il s'était assis à côté d'elle sur le banc qu'il avait offert à la municipalité en mémoire de sa femme, Peggy. Ils avaient échangé des remarques banales sur le temps. Puis, brusquement, il s'était mis à parler de Sir Archie McIndoe, le chirurgien qui avait reconstruit son visage, lui rendant des paupières, un nez et des oreilles.

« J'étais un gamin, raconta-t-il. Dix-huit ans. J'avais été beau. Il y avait deux miroirs dans le baraquement où je vivais avec les autres. »

Eva avait attendu qu'il poursuive, mais il s'était levé du banc, avait incliné son chapeau pour la saluer et était parti vers les boutiques un peu plus loin dans la rue.

Eva se rallongea contre les oreillers. Elle entendait Brian Junior et Brianne se disputer dans la chambre voisine. Elle s'était promis de rendre visite à Stanley, il n'habitait qu'à une centaine de mètres. De l'inviter à prendre le thé. Elle avait imaginé une nappe blanche, un plat à gâteau sur pied et des sandwichs au concombre coupés en triangles et disposés sur une assiette en porcelaine. Mais, pour sa plus grande honte, elle n'en avait rien fait, alors qu'elle passait devant chez lui au moins deux fois par jour.

Eva était furieuse contre Brian. Amener Poppy dans une maison où l'ambiance était déjà tendue revenait à introduire de la nitroglycérine dans un château gonflable. Elle dit : « Brian, va chercher cette petite garce. C'est toi le responsable. »

Deux minutes plus tard, par la fenêtre, elle vit Brian se hâter en chaussons vers le bout de la rue où des voitures de police, des motos et un fourgon à chiens essayaient de se garer.

Brian s'approcha d'une femme policier à la silhouette robuste. Il se demanda à qui, ou à quoi, elle devait son nez affreusement mal cassé.

— Je crois que je peux éclaircir ce stupide malentendu, dit-il.

— Vous êtes l'homme que nous cherchons, monsieur ? demanda le sergent Judith Cox.

— Sûrement pas ! Je suis le Dr Brian Beaver.

— Vous êtes ici en tant que médecin, monsieur ?

— Non, je suis astronome.

— Donc, vous n'êtes pas docteur en médecine, monsieur ?

— Il me semble qu'un docteur en médecine ne fait que sept ans d'études, alors que nous, astronomes professionnels, nous les poursuivons jusqu'à notre mort. De nouvelles étoiles et de nouvelles théories naissent chaque jour, sergent…

— Beaver, monsieur ? Comme le petit animal agile qui construit des barrages ?

Avant que Brian ait le temps de répondre, elle ajouta : « J'ai une question à vous poser, docteur Beaver. »

Brian plaqua une expression attentive, professorale, sur son visage.

« Je suis Bélier. Un des agents que je connais par le boulot m'a invitée à sortir avec lui. Alors, voilà ma question : il est Sagittaire, est-ce qu'on est compatibles ? »

Brian répondit avec colère : « J'ai dit *astronome*. Vous essayez de me provoquer, sergent ? »

Elle rit. « Je plaisantais, monsieur ! Moi, c'est pareil, j'aime pas qu'on me prenne pour un poulet. »

Brian ne voyait pas le rapport, mais il reprit : « Je me porte personnellement garant pour Mr Stanley Crossley. C'est un homme cultivé et raffiné. Je regrette seulement qu'on ne compte pas plus de gens comme lui en Angleterre. »

Le sergent Cox répliqua : « C'est peut-être vrai, monsieur, mais je crois que les manières raffinées de Peter Sutcliffe * sont légendaires aussi à Broadmoor. » Elle écouta les grésillements de l'émetteur radio logé dans le revers de sa veste. « Non, moi j'ai commandé le *chow mein* au bœuf avec la sauce aux huîtres », dit-elle dans le micro, puis elle leva une main à l'intention de Brian et gagna le parc pour interroger Poppy, la victime du harceleur.

Eva était à la fenêtre, à genoux sur son lit, quand elle vit passer Stanley Crossley assis dans une voiture de police. Elle agita la main, pensant qu'il lèverait peut-être les yeux, mais il regardait droit devant lui. Elle ne pouvait rien faire, ni pour lui ni pour elle-même. Bouillant d'une rage meurtrière, elle comprit pour la première fois que l'on puisse avoir envie d'assassiner quelqu'un.

Une autre voiture de police passa devant la maison avec Poppy à l'arrière, visiblement en larmes.

Brian revenait lentement vers la maison, tête baissée, sa barbe soufflée par le vent et la neige. Elle redoutait de l'entendre monter l'escalier pour raconter ce qu'il s'était passé.

« En ce moment précis, pensa-t-elle, c'est *lui* que je pourrais tuer. »

---

* Célèbre tueur en série, surnommé « l'éventreur du Yorkshire », interné à l'hôpital psychiatrique de Broadmoor.

Brian fit irruption dans la chambre d'Eva envahie par l'obscurité, tel un Hermès barbu, consciencieux, impatient de délivrer son message. Il alluma le plafonnier et dit : « Poppy est dans tous ses états, suicidaire… et en bas dans le salon. Je ne sais pas quoi faire d'elle. »

— Comment va Stanley ? demanda Eva.

— Oh, tu sais, ces soldats de la vieille garde, jamais un muscle de leur visage ne trahit leurs émotions. Oh bon sang ! s'exclama Brian, je n'aurais pas dû dire ça ! Il ne peut pas faire autrement, lui, il a *vraiment* le visage atteint… C'est quoi l'expression politiquement correcte pour parler de quelqu'un comme Stanley ?

Eva répliqua : « Tu n'as qu'à dire Stanley, tout simplement. »

— J'ai un message de sa part. Il voudrait venir te voir, avant Noël.

— Tu pourrais monter mon fauteuil ? demanda Eva.

— Celui avec la soupe ?

Elle hocha la tête et dit : « Il faut que je parle aux gens face à face, et maintenant que Noël approche… »

29

Le lendemain matin, quand Brian et Brian Junior apportèrent le beau fauteuil près du lit, Eva demanda: « Alors? Que devient Miss Mélodrame? »

— Elle se plaint d'avoir mal au ventre, dit Brianne, qui était apparue sur le seuil.

— Apparemment, les policiers n'ont pas été gentils avec elle, dit Brian.

— L'un d'entre eux a dû élever un peu la voix, c'est tout. Elle ne ressemble pas franchement à quelqu'un qu'on a maltraité dans une cellule.

Brianne se tourna vers Brian d'un air accusateur.

— Vire-la, papa! Tout de suite!

— Je ne peux quand même pas mettre une pauvre fille qui n'a pas un sou dehors quand il neige, et deux semaines avant Noël.

— C'est pas la Petite Fille aux Allumettes! Elle retombera toujours sur ses pattes!

Brian Junior était de cet avis. « Poppy gagnera toujours, déclara-t-il. Elle se croit supérieure à tout le monde. Pour elle, on est des sous-humains, uniquement là pour la servir. »

Poppy surgit à la porte en se tenant le ventre et dit d'une voix faible: « J'ai appelé une ambulance. Je crois que je fais une fausse couche. »

Brian s'avança pour la soutenir jusqu'au fauteuil taché de soupe.

— Je ne peux pas perdre ce bébé, Brian Junior, gémit Poppy. Il est tout ce qui me reste... maintenant que je t'ai perdu.

— Nous voilà devant un terrible dilemme, Brian, fit remarquer Eva. Parce que ça pourrait être vrai.

De son lit, Eva regarda Poppy qu'on emmenait en ambulance, enveloppée dans une couverture rouge.

La neige tombait dru à présent.

Poppy leva faiblement la main et fit un signe à Eva.

Eva ne répondit pas. Son cœur était aussi froid que le trottoir dehors. Elle voulait être débarrassée de cette créature interlope.

* * *

À 23 heures, le téléphone sonna. Une infirmière de l'hôpital annonçait que Poppy pouvait sortir. Y avait-il quelqu'un pour venir la chercher ?

Quand Brian arriva dans la salle d'attente des urgences, il trouva Poppy étendue sur trois chaises en plastique, un gobelet dans la main, pressant un paquet de mouchoirs contre sa bouche.

— Ouf, vous êtes là, docteur Beaver ! dit-elle. J'espérais que ce serait vous.

Brian fut touché par sa pâleur et la délicatesse de ses doigts qui tenaient le gobelet. Il glissa une main sous ses épaules pour l'aider à se redresser. Elle frissonnait. Brian enleva sa veste en laine polaire et l'obligea à l'enfiler. Il alla chercher un fauteuil roulant, puis la fit asseoir malgré ses protestations : « Je suis capable de marcher. »

La neige finement saupoudrée sur les trottoirs et sur les toits adoucissait la brutalité de l'environnement hospitalier. Quand ils arrivèrent à la voiture, Brian déverrouilla les portes, prit Poppy dans ses bras et la déposa doucement sur la banquette arrière où il la couvrit avec un plaid. Il abandonna le fauteuil roulant sur le parking. En temps normal, il l'aurait rapporté là où il l'avait trouvé, mais il ne voulait pas laisser la jeune fille seule trop longtemps.

Il conduisit prudemment sur le trajet du retour. Les routes principales avaient été sablées, mais la neige tombait si fort que l'asphalte disparaissait déjà sous le blanc manteau.

De temps à autre, Poppy gémissait.

Brian se dévissa le cou pour lui parler : « On est bientôt arrivés, petite. Tu pourras te coucher dans un lit bien chaud. » Il voulait lui demander si elle avait perdu le bébé, mais il devait bien reconnaître qu'il ne connaissait pas grand-chose aux femmes et à leurs émotions. Quant à la mécanique gynécologique, il avait peur d'aborder le sujet.

Bientôt ce fut un vrai blizzard. Il baissa sa vitre, mais il ne voyait plus le bord du trottoir. Il continua quelques minutes, puis, à une centaine de mètres seulement de sa maison, il s'arrêta en laissant le moteur tourner.

Poppy s'assit et dit d'une voix faible : « J'adore la neige, pas vous, docteur Beaver ? »

— Je t'en prie, appelle-moi Brian, répondit-il. En effet, c'est une substance tout à fait fascinante. Sais-tu, Poppy, qu'il n'y a pas deux flocons pareils ?

Poppy retint son souffle, bien qu'on lui ait rabâché cette histoire de flocons depuis la maternelle. « Alors, chacun est unique ? » dit-elle d'une petite voix faussement émerveillée.

Brian raconta : « Dans la première pièce de Noël qu'ils ont jouée à l'école, les jumeaux étaient déguisés en flocons. Cette imbécile d'institutrice leur avait fabriqué des costumes *identiques.* Les autres spectateurs n'ont rien remarqué, mais moi si. Ça m'a gâché tout le spectacle. »

— Moi, je faisais toujours Marie, dit Poppy.

Brian la fixa d'un regard intense.

— Oui, je comprends pourquoi on te donnait le rôle.

— Pourquoi ? Vous trouvez que j'ai l'air vierge ?

— Hum, oui, dit Brian.

Poppy se pencha en avant, prit la main de Brian qui reposait sur le volant et l'embrassa. Puis elle se faufila entre les sièges, enjamba le levier de vitesse, s'assit sur ses genoux et demanda avec sa voix de petite fille : « Vous êtes mon nouveau papa ? »

Brian se rappela la dernière fois que Titania s'était assise sur ses genoux. Une expérience douloureuse, vu qu'elle avait un peu grossi. À présent, il voulait repousser Poppy sur le siège passager avant que son guignol se réveille, mais elle lui avait passé les bras autour du cou et lui caressait la barbe en l'appelant « mon petit papa ».

Tout cela lui sembla proprement irrésistible. Même s'il se comportait d'une manière que la société bien-pensante jugeait déplacée — pour le moins —, il était flatté de penser qu'une fille aussi jeune, mignonne, innocente pouvait être attirée par un vieux bonhomme de cinquante-cinq ans comme lui.

Il se demanda si Titania l'attendrait comme d'habitude dans la remise. La neige l'avait peut-être empêchée de venir — il espérait que non, parce que ce soir, il aurait besoin d'une femme.

Quand le blizzard se calma et ne fut plus qu'une simple tempête de neige, Brian et Poppy sortirent de la voiture. Ils rentrèrent à pied à la maison.

Eva les vit arriver au portail.

Brian était rayonnant. Poppy lui murmurait quelque chose à l'oreille.

Eva frappa si violemment à la fenêtre que l'un des carreaux se brisa. La neige entra comme de l'eau lâchée par une digue, puis fondit lentement à la chaleur.

30

Le lendemain matin, Eva était assise en tailleur sur le lit pendant qu'Alexander remplaçait le carreau cassé, pressant un tube pour appliquer du mastic autour de la vitre, comme elle, autrefois, quand elle décorait les gâteaux.

— Existe-t-il quelque chose que vous ne sachiez pas faire ? demanda-t-elle.

— Je ne sais pas jouer du saxophone, je ne connais pas les règles du croquet, je n'arrive pas à me rappeler le visage de ma femme. Je suis très mauvais navigateur. Je ne sais pas sauter à la perche et je suis nul dans les bagarres à coups de poing.

Eva reconnut à son tour : « Je ne sais pas régler une radio numérique. J'ai renoncé au bout d'un jour avec mon smartphone. Sur mon ordinateur, Microsoft ne se connectait pas à Internet, et moi non plus. Je ne sais pas regarder un film sur un iPad — et pourquoi l'aurais-je fait, puisqu'il y a un cinéma à cinq cents mètres ? J'aurais dû naître il y a cent ans. Je ne sais pas télécharger de la musique sur mon MP3. Pourquoi est-ce qu'on m'offre toujours ces gadgets ? Je serais plus heureuse avec une radio toute simple, une télévision où on appuie sur des boutons, un tourne-disque Dansette et un téléphone comme ceux qu'on avait quand j'étais enfant. Un objet énorme posé sur la table dans l'entrée. Il sonnait si fort qu'on l'entendait dans toute la maison et dans le jardin. Et il sonnait seulement quand on avait quelque chose d'important à dire. Quelqu'un était malade. Un rendez-vous devait être déplacé. Ou alors, la personne malade était morte. Maintenant, les gens téléphonent pour dire qu'ils sont arrivés au McDo et qu'ils vont commander un cheeseburger avec des frites. »

Alexander rit. « Vous êtes technophobe, comme moi. Nous préférons avoir une vie plus simple. Je devrais retourner à Tobago. »

— Non ! Vous ne pouvez pas faire ça ! lâcha Eva avec véhémence.

Alexander rit encore. « Pas de panique, Eva. Je ne vais nulle part. Il faut beaucoup d'argent pour se payer une vie plus tranquille, et j'ai déjà eu ma chance. »

Eva demanda : « Vous parlez parfois de votre femme ? »

— Non. Jamais. Si les enfants m'interrogent, je réponds qu'elle est allée au ciel. Mes enfants croient qu'elle est là-haut dans les bras de Jésus, ça les rassure, et je ne leur casserai pas la baraque.

— Elle était belle ? interrogea Eva, doucement.

— Non, pas belle. Très jolie. Et elle soignait sa personne. Elle était toujours élégante, avec son style bien à elle. Les autres femmes en avaient un peu peur. Elle ne portait jamais de jogging, elle ne possédait même pas une paire de tennis. En gros, elle n'aimait pas le genre relâché.

Eva jeta un coup d'œil à ses ongles mal entretenus et glissa ses mains sous la couette.

La porte s'ouvrit brusquement et Brianne s'exclama : « Oh, Alex, vous êtes là ! Je ne savais pas… Vous voulez une tasse de thé, ou boire un verre ? Ben oui quoi, c'est presque Noël ! »

— Merci, mais je dois travailler et conduire.

Eva dit : « J'aimerais bien un thé. »

L'expression de Brianne changea lorsqu'elle regarda sa mère. « Là, je suis occupée, mais j'essaierai de t'en apporter un tout à l'heure. »

Il y eut un moment de gêne.

Brianne s'adressa à Alexander. « Bon, à plus. On se voit en bas ? »

Il répondit : « Peut-être », et se replongea dans la réparation de la fenêtre. « Je vous ferai du thé, Eva, dès que j'aurai fini ça », ajouta-t-il.

Pendant la semaine qui suivit, l'atmosphère fut tendue dans la maison.

Il y avait des silences, des chuchotements, des portes claquées. Les filles s'évitaient. Eva suggéra qu'il serait bon de décorer la maison et d'accrocher les guirlandes lumineuses. Chacun en convenait — mais personne ne passait à l'acte.

Poppy avait installé son campement dans le salon. Comme elle réquisitionnait tout le mobilier pour étaler ses vêtements et ses diverses possessions, les Beaver se replièrent dans la cuisine. Chaque fois que Brian et Poppy se croisaient par hasard, ils se livraient à de furtifs attouchements avec un sentiment de complicité qui les enchantait. Brian était particulièrement demandeur — surtout les soirs où Titania l'attendait dans la remise.

31

Le soir du 19 décembre, Brian demanda à Eva : « Qu'est-ce qu'on fait pour Noël ? »

— Moi, rien du tout, répondit Eva.

Brian s'offusqua. « Quoi ? Tu t'imagines que *moi*, je vais prendre en charge *Noël* ? » Il se leva du fauteuil taché de soupe et arpenta la chambre de long en large, tel un prisonnier attendant l'aube dans le couloir de la mort.

Eva s'obligea à garder le silence, laissant Brian affronter l'idée qu'il devrait peut-être assurer Noël, l'obstacle le plus difficile dans le chassé-croisé des fêtes de famille. Combien de femmes valeureuses et d'hommes, plus rares, avaient chuté sous le poids de la responsabilité qui repose alors sur leurs épaules ?

« Je ne sais même pas où tu *ranges* Noël », dit-il, comme si Eva, chaque année, déposait « Noël » dans le conteneur d'un garde-meubles à l'extérieur de la ville et qu'il lui suffisait d'aller le chercher et de le rapporter à la maison avant le 25 décembre.

— Tu veux que je t'explique comment on fait Noël, Brian ?

— Ben oui, peut-être.

Eva conseilla : « Tu ferais mieux de prendre des notes. »

Brian tira de sa poche le petit carnet de moleskine noire qu'Eva lui avait offert pour le consoler d'avoir raté son permis de moto. (Il s'était disputé avec l'examinateur à propos du sens exact de l'expression « à pleins gaz ».) Il dévissa le capuchon de son stylo plume (un prix qu'il avait remporté à l'école) et attendit.

— OK, dit Eva. Je te le découpe étape par étape. Tu m'arrêtes quand tu veux.

Brian s'assit dans le fauteuil taché de soupe, stylo en attente au-dessus du carnet.

Eva prit une grande inspiration et commença.

« Tu trouveras la liste des personnes à qui envoyer une carte de Noël dans le bureau du salon, avec les timbres et le reste des cartes de l'an dernier. Écris-les ce soir, avant de te coucher. Demain en sortant du boulot, fais le tour des jardineries et des fleuristes pour chercher un sapin. Dans ton esprit, tu vois un sapin parfait, d'un beau vert profond, odorant, bien rond à la base et qui se rétrécit progressivement vers le haut jusqu'à une branche unique. Mais des sapins comme ça n'existent pas. Tu cherches toute la semaine et tu n'en trouves pas. À 21 heures la veille de Noël, juste avant la fermeture, tu paniques et tu fonces chez Homebase où tu attrapes le premier sapin qui te tombe sous la main. Ne sois pas trop déçu, même si une assistante sociale dirait qu'il a un "retard de croissance staturo-pondérale". »

— Bon sang, Eva, tu me donnes *la liste* ou quoi ? dit Brian.

Eva ferma les yeux et, rassemblant ses souvenirs de la préparation de Noël 2010, elle essaya de s'en tenir aux simples faits.

« Décorations pour sapin, dans carton marqué "DS". Guirlandes lumineuses pour sapin, carton "GLS".

Guirlandes lumineuses pour salon, cuisine, salle à manger, escalier, porche, carton “GL, général”. Ne jette *surtout pas* les horribles cloches en papier mâché ni les anges cabossés. Brianne et Brian Junior les ont fabriqués à la maternelle avant de tomber dans les maths. *Nota Bene* — rallonges et prises multiples dans carton “Électricité Noël”. Note — y compris ampoules de rechange pour GL. Tous les cartons au grenier à côté de la girafe en bois. Échelle à la cave. Acheter allume-feu, bois d’allumage et bûches chez Farm Shop à Charnwood Forest. Trois sacs de charbon au garage BP. Bougies pour bougeoirs — mesurer diamètre supports.

« Aller dans la campagne pour chercher gui, lierre, pommes de pin, branches et chardons. Faire sécher sur radiateur. Acheter peintures spray argent et or. Asperger feuilles, *et cetera*. Vider frigo — se débarrasser des restes en les accommodant avec piment chili et ail. Aller chez le boucher, commander une dinde. Le regarder te rire au nez. Aller au supermarché, essayer de commander une dinde. Partir en ignorant les éclats de rire du type au rayon volaille. Acheter dix boîtes de bonbons Quality Street pour cinquante livres. Faire la queue une heure et dix minutes pour les payer. Décider des sommes à dépenser pour connaissances éloignées ou proches, écumer magasins, ne pas respecter liste de cadeaux et acheter objets ridicules en cédant à impulsion. Arriver à la maison, déballer les cadeaux, être immédiatement saisi de remords. Tout rapporter le lendemain et acheter vingt-sept paires de chaussettes en laine rouges à motif renne. Commander en ligne le dernier gadget-à-la-mode-qu’il-faut-impérativement-avoir pour Brian et les jumeaux, découvrir qu’il n’en reste plus un seul dans tout le pays, aller chez Currys et apprendre par le jeune vendeur que cargo de conteneurs vient d’accoster à Harwich et que camion de livraison arrive le 23 décembre. Demander s'il est possible d'en réserver trois. Jeune vendeur de Currys te conseille d'arriver à 5 h 30 pour faire la queue, c'est ta dernière chance. »

Brian protesta : « Eva, ça, c'était Noël dernier ! Moi, je m'occupe de cette année ! Je me fiche de savoir ce que tu as *déjà* fait ! »

Mais Eva revivait le cauchemar de Noël 2010.

« Faire les magasins pour trouver une tenue de Noël, pour éviter une dispute comme l'an dernier quand Brian a dit : "Eva, tu ne peux pas mettre un jean le jour de Noël." Acheter sur un coup de tête cardigan rouge à sequins et jupe en dentelle noire. Chez Marks & Spencer, acheter pyjamas et robes de chambre pour jumeaux, *idem* pour Brian. Au rayon alimentation, acheter ingrédients pour déjeuner de Noël pour six personnes, et aussi gâteaux, biscuits, flans, *mince pies*, pain de mie pour sandwichs, saumon, *et cetera, et cetera, et cetera.* »

Gagné par la panique, Brian s'écria : « Comment une seule personne peut-elle gérer toutes ces différentes composantes ? »

Mais Eva ne s'arrêtait plus.

« Chef du rayon volaille annonce qu'il faut faire queue à partir de 4 heures du matin pour être sûr d'avoir une dinde. Ressortir du magasin en croulant sous les sacs, impossible de trouver voiture, appeler la police pour signaler vol de voiture, puis se rappeler juste avant arrivée de police être venue en taxi, appeler société taxis pour trajet du retour, un homme surmené répond : "Impossible, toutes nos voitures sont réservées pour des pots au bureau." Appeler amis, ils ont tous déjà trop bu. Appeler membres de la famille, Ruby répond : "Il est 23 heures. Qu'est-ce que tu veux que je fasse ? J'ai pas de voiture." Téléphone tombe en panne, de rage le lancer dans buisson plein d'épines du stationnement. Retrouver téléphone, mais bras et jambes griffés jusqu'au sang. Mari finit quand même par signaler disparition à la police, police promet d'ouvrir l'œil, voiture de patrouille te ramène à la maison à 1 h 30 du matin. Dormir à peine deux heures et retourner en voiture chez Marks & Spencer pour faire queue. Dix-neuvième dans la file d'attente à quatre heures du matin. Plus de dinde déjà préparée, pas d'autre choix que d'acheter dinde avec tête, cou et pattes. Ses yeux regardent avec une infinie tristesse, s'excuser — mentalement, du moins le croire. En fait, parler tout haut et se faire prendre pour une folle par les gens autour pour avoir dit : "Pardon, petite dinde, je suis désolée qu'on t'ait assassinée pour honorer une tradition." »

Brian lâcha un profond soupir et dit : « Eva, Eva, Eva. »

« Au moment de rentrer à la maison, se rappeler qu'il faut faire queue pour gadget indispensable. Aller en voiture chez Currys où la file d'attente tourne déjà le coin du parking. Faire la queue ou pas, telle est la question. Pendant dilemme, s'endormir au volant et légèrement endommager une Renault. Conducteur de Renault réagit très mal, comme si on avait blessé ses enfants ou tué son chien. Remplir un constat et s'apercevoir que l'assurance n'est plus valide. Décider de prendre place dans la queue et redouter avec angoisse que Currys ait vendu tous les gadgets avant qu'on atteigne la porte. Arriver dans le rayon, il reste encore des gadgets indispensables. Essayer de payer, carte refusée par machine, subir le sermon d'une caissière de douze ans qui dit : "C'est normal qu'elle s'abîme si vous la transportez comme ça dans votre sac. Il faut la ranger dans une pochette." Répondre à gamine qu'on a le droit d'être désorganisé si on veut.

Elle demande : "Vous avez une autre carte ?" Répondre : "Oui", et fouiller dans bonnets de soutien-gorge pour chercher autre carte. La donner à caissière qui dit que carte est chaude, ne marchera pas tant qu'elle n'aura pas refroidi. Attente, attente interminable. Protestations derrière dans la queue. Crier aux gens dans la queue, gens dans la queue crient en retour, responsable apporte plateau de mini *mince pies* pour calmer clients épuisés. Homme s'étouffe avec raisin de *mince pie*. Enfin, carte assez froide pour insérer dans machine et encore refusée, transaction impossible pour acheter gadgets indispensables. »

Eva se mit à pleurer.

Brian lui prit la main et dit : « Eva, chérie, je ne savais pas. Pourquoi tu n'as rien dit ? Je n'en voulais pas de ce fichu iPhone 4, il est toujours dans le tiroir où je l'ai rangé le lendemain de Noël. »

Mais Eva était inconsolable. « Supplier caissière de réessayer encore une fois. Elle accepte — mais marmonne dans sa barbe —, impression que c'est une grossièreté, interdit par le règlement de Currys. Le lui faire remarquer, envisager de déposer plainte, mais cerveau et bouche ne marchent plus, alors laisser couler. Machine accepte carte, pleurer de soulagement. Retrouver voiture et poser dinde et gadgets indispensables sur siège du passager, attachés avec ceinture de sécurité. Rentrer à la maison, malade de fatigue et d'anxiété, déballer dinde, la laisser sur table de cuisine. Porter échelle dans escalier de cave, démêler guirlandes lumineuses, commencer avec idée artistique autour des tableaux aux murs, finir en accrochant guirlandes n'importe où. Remplacer ampoules grillées. Demander un coup de main pour décorer sapin. Jumeaux et Brian, traumatisés par tristesse dans les yeux de dinde, se déclarent paralysés, jurent qu'ils ne mangeront plus jamais de viande. Rayer rôti de porc et jambon à l'os sur la liste de Noël. Aller dans cuisine, trouver chat des voisins en train de s'attaquer à tête de la dinde, toute la tristesse du monde dans les yeux de la dinde. Pour une fois, ne pas frapper chat avec cuillère en bois, mais le chasser dehors avec tête de dinde. Ranger dix-sept sacs de courses dans cuisine. Croquer dans carotte, verser doigt de whisky dans verre, avaler bouchée de *mince pie*, présenter sur plat décoré, apporter devant cheminée du salon. Est-ce que je ferai encore ça quand les jumeaux auront trente-cinq ans ? »

— Eva, tu es fatiguée. Je peux chercher la suite sur Google… Il y a sûrement une recette d'amuse-gueules pour Noël sur Delia point…

Eva dit : « Non, laisse-moi finir le jour de Noël. Préparer petit déjeuner traditionnel anglais. Porter toast en buvant Mimosa. Ouvrir cadeaux. Ramasser papiers d'emballage, plier et entasser dans poubelle recyclage. Téléphoner amis et connaissances, remercier pour cadeaux. Enlever robe de chambre et enfiler cardigan à sequins et jupe dentelle. Brian dit, sapée comme tenancière de bordel, se changer et mettre un jean. »

Brian se défendit : « Eva, cette jupe t'arrivait au ras des fesses ! »

— Préparer déjeuner de Noël, manquer de s'effondrer en déposant repas sur table. Boire trop, demander à Brian d'aider à ranger, il répond : « Tout à l'heure. » Jumeaux disparus quelque part, servir thé de Noël, sandwichs à la dinde, gâteau de Noël. Jumeaux reviennent, refusent de jouer à des jeux, s'amusent à faire des problèmes de maths avec Brian. Refusent de regarder les programmes de Noël à la télé, tous les trois mettent un DVD de conférences données à l'Institut de technologie du Massachusetts sur les espaces topologiques.

Manger moitié d'une boîte de Quality Street. Préparer dîner. Boire jusqu'à s'assommer. Être malade à cause du mélange bonbons Quality Street-vodka, aller se coucher.

« Voilà. C'était mon Noël l'an dernier. Cette expérience te sera peut-être utile, conclut Eva. Et Brian… Je. Ne. Ferai. Plus. Jamais. Noël. »

32

C'était l'heure du thé, la veille de Noël, et la neige tombait toujours. Eva aimait la neige — sa beauté, l'arrêt momentané de la vie quotidienne. Elle se réjouissait aussi de voir le chaos dans les rues. Stanley Crossley avait demandé à lui parler et elle le guettait par la fenêtre. Pour penser à autre chose, elle concentra son attention sur le rebord extérieur de la fenêtre où les flocons se posaient un à un, se mélangeaient aux autres et finissaient par former une couche uniforme de blanc.

Cela lui rappelait le jour où elle avait mis les jumeaux dehors dans la neige — ils avaient dix ans à l'époque —, parce qu'ils ne cessaient de se disputer bien qu'elle leur ait demandé d'arrêter et qu'elle n'en pouvait plus de les entendre. Elle avait fait semblant de lire *Vogue* pendant qu'ils frappaient à la fenêtre du salon et la suppliaient de les laisser rentrer. Quelques minutes plus tard, de retour du travail, Brian avait découvert son fils et sa fille grelottant dans leur uniforme d'école, sans manteau, tandis que leur mère lisait un magazine au coin du feu sans paraître le moins du monde se soucier de ses enfants.

Brian avait beuglé : « Nos enfants pourraient se retrouver placés dans un foyer ! Avec le nombre de travailleurs sociaux qui habitent ce quartier ! »

Ce qui était vrai — on ne comptait plus les nouvelles Coccinelle Volkswagen garées dans les rues alentour.

Eva rit tout haut à ce souvenir.

Les jumeaux s'étaient serrés l'un contre l'autre pour se réchauffer jusqu'à l'arrivée de Brian. Elle expliqua que c'était un exercice de renforcement des liens de l'attachement — et comme il rentrait juste d'un stage de consolidation de l'esprit d'équipe dans les Brecon Beacons, où il avait dû attraper, dépecer et manger un lapin, il l'avait crue.

Elle vit Stanley qui approchait de la maison puis hésitait au portail. Il était entièrement couvert de neige, de son chapeau trilby à ses gros souliers. Elle s'écarta de la fenêtre et l'entendit taper du pied sous le porche. La sonnette retentit tandis qu'elle se glissait sous la couette et se préparait pour cette entrevue. Elle avait demandé à Brian de veiller à ce que Poppy ne se trouve pas dans la maison.

Brian avait répondu : « Le seul moyen, c'est que je l'emmène moi-même quelque part. Ça me fait vraiment suer, mais j'imagine que je suis obligé. »

Même si Stanley avait été relâché sans inculpation, Eva ne voulait pas risquer qu'il croise Poppy. Rien ne garantissait que la jeune fille ne l'accuse pas à nouveau. Eva devrait alors expliquer que le faux harcèlement n'était qu'un drame parmi tous les autres que Poppy faisait subir à son entourage. L'hypocondrie, les mensonges flagrants, l'hystérie si on touchait à ses « trucs perso », les objets qui disparaissaient dans la maison…

Stanley venait-il se soulager de son fardeau en racontant comment il avait frôlé la mort dans le cockpit d'un Spitfire en feu ? Sangloterait-il à l'évocation de l'enfer dans lequel il avait perdu son visage ? Essaierait-il de décrire son atroce souffrance ?

C'était surtout les détails qu'Eva redoutait.

Brianne entraîna Stanley dans l'escalier. Elle était muette, horrifiée et affreusement gênée. « Il a un visage répugnant, pensa-t-elle. Pauvre Mr Crossley. Si j'étais lui, je porterais un masque. » Elle avait envie de lui dire qu'elle n'était pas l'amie de Poppy, qu'elle détestait Poppy, qu'elle ne voulait pas de sa présence dans la maison et qu'elle ne comprenait pas pourquoi ses parents ne la mettaient pas dehors. Mais, comme d'habitude, les mots ne venaient pas. En arrivant sur le palier, elle lança : « Maman ! Mr Crossley est là ! »

Stanley pénétra dans un espace blanc où la seule couleur était un fauteuil en tapisserie jaune avec une tache rouge orangé qui lui rappelait le ciel quand l'aube se lève. Il s'inclina poliment, puis tendit la main. Eva la prit et la retint dans la sienne une seconde de plus qu'on ne le fait d'ordinaire.

Brianne demanda : « Je peux vous débarrasser ? »

Tandis que Stanley ôtait son manteau et son chapeau pour les confier à Brianne, Eva vit que son crâne exposé à la lumière n'était qu'un fouillis de cicatrices dessinant une carte en relief. « Asseyez-vous, Mister Crossley, je vous en prie. »

— Si j'avais su que vous étiez indisposée, Mistress Beaver, dit-il, j'aurais attendu que vous soyez rétablie.

— Je ne suis pas indisposée, répondit Eva. Je fais une pause pour briser la routine.

— Oui, c'est toujours bénéfique. En bousculant les habitudes, on permet à l'esprit et au corps de se revigorer.

Eva dit que Brianne pouvait apporter du thé, du café ou une tasse du vin chaud que Brian avait préparé la veille.

Mr Crossley accompagna son refus d'un geste de la main. « Non merci, vous êtes trop aimable. »

— Je suis heureuse que vous soyez venu, dit Eva. Je voudrais m'excuser pour ce qui s'est passé l'autre jour.

— Vous n'avez pas à vous excuser, Mistress Beaver.

— Cette fille est une invitée chez moi. Je me sens responsable.

— Elle semble perturbée, dit Stanley.

Eva confirma : « Perturbée et dangereuse. »

— Vous avez été bien bonne de l'accueillir.

— Je ne l'ai pas accueillie... Je ne pouvais pas l'empêcher. Mais je n'éprouve que du mépris à son égard.

— Nous sommes tous fragiles, dit Stanley, et c'est la raison de ma visite. Il est important pour moi que vous compreniez... Je n'ai absolument pas cherché à effrayer cette fille. J'ai en effet posé les yeux sur ses vêtements peu ordinaires, mais rien de plus.

Eva répondit : « Ne vous donnez pas la peine d'expliquer. Je sais que vous êtes un homme d'honneur, et j'imagine que vous ne dérogez pas à vos principes. »

— Je n'ai parlé à personne depuis mon retour du commissariat. Ceci est une simple remarque, je ne vous demande pas de me plaindre. Je ne manque pas d'amis sur qui m'appuyer, et je suis membre de plusieurs clubs et institutions diverses, mais, comme vous pouvez le voir, mon visage n'est pas mon meilleur atout. (Il rit.) J'avoue que je me suis vautré dans l'autoapitoiement les premiers temps, après mon petit accident d'avion — comme la plupart de mes camarades. Certains parmi nous essayaient de nier leur douleur — en chantant, en sifflant — pour ceux qui avaient encore des lèvres. C'étaient en fait les plus vulnérables et ils ont craqué par la suite. L'odeur de la chair putréfiée était indescriptible. On avait beau la masquer avec du désinfectant Izal — fabriqué à partir du charbon, je crois —, elle était toujours là, dans nos bouches, sur nos uniformes.

On riait beaucoup. On se surnommait nous-mêmes les cochons d'Inde. Parce que Sir Archie McIndoe nous prenait comme cobayes, il se présentait comme un pionnier de la chirurgie plastique — ce qui était vrai, bien sûr. Pendant six semaines, je me suis promené avec un morceau de peau prélevé sur mon bras à la place du nez.

« Archie était très attaché à nous. Je crois même qu'il nous aimait comme un père. Il disait souvent, pour plaisanter : "Épousez une fille qui a la vue basse." Beaucoup d'entre nous ont épousé des infirmières, mais j'ai suivi son conseil et je me suis marié avec une fille toute mignonne et malvoyante, Peggy. Nous nous aidions mutuellement. L'un comme l'autre, nous étions normaux dans le noir. »

— Je sais que vous n'avez pas envie de l'entendre, déclara Eva, mais je vais le dire quand même. Je vous trouve incroyablement courageux, et j'espère que nous deviendrons amis.

Stanley se tourna vers la fenêtre et secoua la tête. « La vérité, Mistress Beaver, et j'en suis honteux, c'est que j'ai profité de la mauvaise vue de ma femme et... » Il s'interrompit, cherchant dans la pièce un endroit où poser les yeux. Il lui était impossible de regarder Eva en face. « À partir du jour où nous sommes revenus de notre voyage de noces, j'ai rendu visite à une dame respectable une fois par semaine et je lui ai versé d'importantes sommes d'argent pour qu'elle couche avec moi. »

Eva écarquilla les yeux. Au bout d'un moment, elle dit : « J'ai appris récemment que mon mari avait une liaison avec une de ses collègues, le Dr Titania Noble-Forester. »

Enhardi par sa confidence, Stanley poursuivit : « Je n'ai pas décoléré depuis 1941. J'étais suprêmement agacé quand ma femme laissait tomber quelque chose ou renversait son thé ou un verre d'eau. Elle se cognait contre les meubles, trébuchait sur les tapis, et elle refusait tous les gadgets conçus pour l'aider. Elle connaissait le braille. Dieu sait pourquoi elle l'avait appris — je lui commandais des livres qu'elle ne touchait pas. Mais je l'aimais tendrement et quand elle est morte, je me suis dit: “À quoi bon continuer?” Avec elle à mes côtés dans le lit, les horribles rêves étaient presque supportables. Je me réveillais en criant, et ma chère épouse me tenait la main et me parlait de toutes les choses que nous avions faites ensemble, des pays où nous étions allés. » Il eut un sourire crispé, comme pour ponctuer ses paroles.

Eva demanda: « Et la dame, votre amie ? Elle est toujours en vie ? »

— Oh oui, je la vois une fois par mois. Nous ne couchons plus ensemble maintenant. Elle est très affaiblie. Je la paye vingt livres pour parler et pour qu'elle me prenne dans ses bras.

— Comment s'appelle-t-elle ?

— Celia. Cela fait longtemps que j'ai envie de dire son nom à quelqu'un qui comprendrait. Vous comprenez, n'est-ce pas, Mistress Beaver ?

Eva tapota la couette. Stanley s'assit sur le bord du lit et lui prit la main. Ils entendirent les voix de Brian et de Poppy qui franchissaient la porte d'entrée.

Brian disait: « Te suicider ne servirait à rien. On ne te demande pas de commettre le sacrifice ultime, Poppy. »

— Mais il me regardait d'une manière tellement horrible, répondit Poppy.

Brian était déjà dans l'escalier. « C'est son visage qui est horrible, il ne peut pas faire autrement. »

Brian ne s'attendait pas à découvrir Crossley et sa femme main dans la main, mais plus rien ne pouvait l'étonner maintenant. Il lui semblait que le monde était devenu fou.

« Poppy demande de l'argent, déclara-t-il. Elle veut aller voir ses parents pour Noël. »

Eva répondit : « Donne-lui ce qu'elle réclame. Je ne veux plus la voir dans cette maison. Et Brian… Mr Crossley va passer le jour de Noël et le lendemain avec nous. »

Brian pensa : « Moi, je ne m'assois pas en face de ce monstre, non merci. »

Mr Crossley dit : « Je suis hélas quelqu'un d'assez ennuyeux, Mister Beaver. Je regrette de ne pas être plus sociable. Je ne connais pas de blagues, et mes histoires sont en général plutôt tristes. Vous êtes sûr que vous voulez bien de ma compagnie ? »

Brian hésita.

Eva le *regarda*.

Brian dit aussitôt : « Mais oui, absolument. Venez. Et ne vous inquiétez pas pour les blagues — on lira celles des pétards, des chapeaux en papier et des autres gadgets, ça nous donnera un sujet de conversation. Au diable cette raideur guindée typiquement anglaise, on s'amusera comme des fous. Il y aura deux ados autistes qui feront la gueule, ma mère — qui est capable d'ergoter pendant des heures — et ma belle-mère, Ruby, qui croit que Barack Obama est le chef d'Al-Qaïda. Et moi, bien sûr, je serai d'une humeur exécrable vu que je n'ai jamais fait cuire une dinde de ma vie. Sans oublier ma femme, à qui vous devez cette invitation. Elle n'a pas levé le petit doigt pour Noël cette année et elle reniflera ses aisselles qui puent au-dessus de nos têtes pendant qu'on mangera. »

Un silence total succéda au discours de Brian. Ayant oublié pourquoi il était venu, il ressortit en fermant la porte derrière lui avec une discrétion exagérée.

Eva pivota dans son lit et retomba allongée sur le matelas. « Il m'épuise, dit-elle. Pauvre Titania. »

Ils rirent tous les deux.

Au moment où Mr Crossley, riant toujours, se leva et tourna le dos à la lumière, Eva entrevit l'ombre d'un bel homme.

« Je dois partir maintenant, Mistress Beaver », dit-il.

Elle supplia : « S'il vous plaît, venez demain. J'ai l'intention de passer l'après-midi à boire et à fumer des cigarettes. »

— Voilà qui est tout à fait réjouissant. Oui, bien sûr, je viendrai.

Quand Stanley sortit de la chambre, Brian l'attendait sur le palier, l'oreille aux aguets. Stanley annonça poliment qu'il viendrait fêter Noël le lendemain. Brian lui emboîta le pas dans l'escalier en le menaçant à voix basse : « Si vous prenez encore la main de ma femme, je lui coupe le bras. »

Stanley répondit tranquillement : « Des gars comme vous, j'en ai connu. Il y en avait quelques-uns dans notre escadrille. Des grandes gueules, des vantards. Toujours les derniers à décoller pendant les alertes, et les premiers à rentrer. Sans jamais croiser l'ennemi, mais jouant de malchance à répétition, avec une brusque et mystérieuse absence de visibilité, la radio qui ne fonctionnait plus et les mitrailleuses qui s'enrayaient. Tricheurs aux cartes, violents avec les femmes. En bref, des petites merdes. Bonsoir, Mister Beaver. »

Avant que Brian trouve une repartie, Stanley avait coiffé son chapeau et était sorti dans la rue.

Le trottoir glacé luisait à la lueur des lampadaires. Rasant les murs et les clôtures, il regagna lentement sa maison pour se mettre à l'abri.

33

Eva s'éveilla tôt le matin de Noël et, par la fenêtre, regarda la neige qui tombait d'un ciel bleu marine. La maison était silencieuse. Pourtant, en tendant l'oreille, elle perçut le bruit de l'eau chaude qui circulait dans les tuyaux et les radiateurs, l'infime craquement émis par les planchers qui se contractaient et se dilataient en une imperceptible respiration. Sous le rebord du toit, par intermittence, un oiseau faisait entendre non pas un chant, mais un cri rauque et agacé : « Clack-ack-ack. »

Eva souleva la fenêtre à guillotine, passa la tête à l'extérieur et se tordit le cou pour chercher l'oiseau. La neige se posait sur son visage tourné vers le ciel, puis fondait aussitôt. Elle aperçut un merle avec un bec jaune et un œil perçant. L'autre œil avait disparu, ne laissant plus qu'une orbite sanglante.

Le merle battit des ailes pour essayer de s'envoler. « Clack-ack-ack. » Une de ses ailes était tordue et ne se déployait pas.

« Qu'est-ce qui t'est arrivé ? » dit Eva.

Brian Junior entra dans la chambre en se passant les doigts dans les cheveux. « Ce piaf est énervant, on dirait qu'il appelle au secours. »

— Il a perdu un œil et l'une de ses ailes est abîmée, expliqua Eva. Qu'est-ce qu'on peut faire ?

Brian Junior répondit : « *Rien du tout.* Ni toi ni moi. S'il est blessé, il va mourir. »

Eva objecta : « Il y a sûrement quelque chose… »

— Ferme la fenêtre, la neige mouille ton lit.

Eva ferma la fenêtre et dit : « Et si je le faisais entrer ? »

Brian Junior s'écria : « Non ! La vie est dure ! La nature est cruelle ! Le fort l'emporte sur le faible ! Tout meurt ! Même toi, maman, avec ton ego énorme, même toi tu n'échapperas pas à la mort ! »

Eva était trop choquée pour parler.

Brian Junior dit : « Joyeux Noël ! »

Elle répondit : « Joyeux Noël. »

Quand Brian Junior fut parti, elle remonta la couette autour d'elle tandis que le merle lançait toujours son cri de deuil.

« Clack-ack-ack. »

Afin de préparer son premier déjeuner de Noël, Brian s'était penché sur les livres de cuisine qu'il avait offerts à Eva pendant des années, étudiant les temps de réalisation et les conseils prodigués par divers chefs cuisiniers. Eva s'y référait toujours en invoquant Delia, Jamie, Rick, Nigel, Keith, Nigella ou Marguerite.

Après une lecture approfondie, il avait conçu un programme informatique « à sécurité intégrée » qu'il prévoyait de suivre avec un chrono dans une main et l'ustensile approprié dans l'autre — pour battre, badigeonner, parer, découper, filtrer, remuer, éplucher, écraser, fendre et mélanger. Il avait demandé à ses invités d'arriver à 12 h 45 pour l'apéritif et les échanges de plaisanteries. Tout le monde serait assis à table pas plus tard que 13 h 10 et il servirait le soufflé d'avocat à la lavande.

Dommage que Poppy soit allée voir ses parents mourants à Dundee. Il avait espéré l'impressionner encore davantage en lui révélant ses talents culinaires. Elle était partie la veille dans le manteau de Brian cinquante pour cent cachemire, n'emportant qu'un petit sac et laissant le reste de son bazar éparpillé dans le salon. Brian avait passé une heure à ranger afin que la pièce soit présentable pour Noël.

Au milieu de la matinée, Brianne entra dans la chambre d'Eva vêtue du pyjama en soie orné d'une rose thé qu'Alexander avait commandé en ligne sur son portable. L'opération avait pris moins de cinq minutes.

Brianne s'était arrangé les cheveux et son visage paraissait moins sévère.

— J'adore ce pyjama ! lança-t-elle. Je vais le porter tout le temps !

— C'est Alexander qui l'a choisi, dit Eva.

— Je sais. Il est trop gentil, hein ?

— Il faudra que tu le remercies quand tu le verras.

— C'est déjà fait. Il est dehors avec ses enfants. Je l'ai invité pour le déjeuner. Ils sont trop mignons ses gosses, hein, maman ?

Eva fut surprise, et contente, à l'idée de voir Alexander. Elle dit : « *Mignons* ? C'est un mot que tu emploies rarement. »

— Mais ils sont *vraiment* mignons, maman. Et *tellement* futés ! Ils connaissent des tonnes de poèmes par cœur et toutes les capitales du monde. Alex est si fier d'eux. J'adore son prénom. Alexander… Comme Alexandre le Grand, hein, maman ?

Eva en convenait. « Oui — mais il a quarante-neuf ans, Brianne. »

— Quarante-neuf ? C'est là que la vie commence !

— Autrefois, tu t'énervais contre les gens de plus de

vingt-cinq ans en disant qu'on devrait leur interdire de porter un jean ou de danser en public.

— Mais Alex, il est trop beau en jean. Et il a un A-Level en sciences, maman ! Il comprend les équations non homogènes !

— Je vois que tu l'aimes bien, fit remarquer Eva.

— Je *l'aime bien*? dit Brianne. *J'aime bien* grand-mère Ruby, *j'aime bien* les moustaches des petits chatons et les bouilloires en cuivre qui brillent, mais putain, je suis passionnément *amoureuse* d'Alex Tate !

Eva réagit : « Je t'en prie ! Ne sois pas *grossière.* »

— Espèce d'hypocrite ! cria Brianne. Toi aussi, tu es grossière parfois ! Et tu essayes de pourrir ma relation avec Alex !

— Il n'y a rien à pourrir. Tu ne t'appelles pas Juliette, et on n'est pas chez les Montaigu et les Capulet. Il sait que tu l'aimes, Alex ?

Brianne répondit avec un air de défi : « Oui. »

— Et alors ?

Brianne baissa les yeux. « Il ne m'aime pas, évidemment. Il n'a pas encore eu le temps de faire ma connaissance. Mais quand je l'ai vu en train d'en baver pour monter la bibliothèque, à Leeds, j'ai su immédiatement que c'était la personne que j'attendais depuis que je suis môme. Je me suis toujours demandé qui ce serait. Et là, il a frappé à ma porte. »

Eva voulut lui prendre la main, mais Brianne la retira et la mit derrière son dos.

Eva demanda : « Et il a été gentil avec toi ? »

— Je l'ai appelé trois fois sur son portable quand il était sur l'autoroute. Il m'a encouragée à sortir plus et à rencontrer des gens de mon âge.

Eva dit avec douceur : « Il a raison, Brianne. Il a des cheveux blancs. Il est plus proche de moi que de toi.

On a tous les deux le deuxième album de Morrissey en solo. »

— Je sais, répliqua Brianne. Je sais tout ce qu'il y a à savoir sur lui. Je sais que sa femme est morte dans un accident de voiture et que c'était lui qui conduisait. Je sais que Tate est le nom de sa famille quand ils étaient esclaves. Je sais combien il a gagné dans les années 2000. Et je sais combien d'impôts il payait. Et à quelle école vont ses enfants, et quelles notes ils ont. Je connais son passé amoureux. Je sais qu'il est à découvert de soixante-dix-sept livres quinze et qu'il n'a pas de facilités de paiement.

— Il t'a raconté tout ça ?

— Non, je lui ai à peine parlé. Je l'ai doxé.

— Ça veut dire quoi, « doxer » ?

— Oh là là, t'es carrément Néandertal, toi ! Ça veut dire se documenter, chercher des infos. Je peux trouver n'importe quoi sur le Net. Je connais tout son historique, et un jour, je serai dedans.

— Mais, Brianne, n'oublie pas qu'il a des *enfants*. Et tu n'aimes *pas* les enfants, tu te souviens ?

Brianne hurla : « Les *siens*, je les aime ! »

Eva ne l'avait jamais vue se mettre dans un tel état. Elle entendit Brian Junior ouvrir sa porte. Quelques secondes plus tard, il déboulait dans la chambre.

« Arrête de débiner ma sœur, maman. Tu ne peux pas nous foutre la paix un peu ? »

Les jumeaux se serraient les coudes, comme ils l'avaient sûrement fait dans son ventre.

Eva fut soulagée de les voir partir, mais elle ne s'était jamais sentie aussi seule. Elle les entendit parler dans la chambre de Brian Junior, à voix basse et agitée, comme des conspirateurs se préparant à dévoiler un scandale politique.

L'ordinateur de poche de Brian était tombé dans la sauce au jus de dinde. Il essaya de le récupérer avec une pince à salade, mais l'appareil retomba dans la casserole et le jus bouillant lui éclaboussa le visage. Il poussa un hurlement, se rinça le visage au robinet d'eau froide, puis refit une tentative avec la pince et réussit cette fois à extirper la tablette. Il la balança dans l'évier rempli de vaisselle sale. Comme il s'y attendait, l'écran était mort.

Brian paniqua.

Qu'y avait-il à faire ensuite ?

Pendant combien de temps encore la dinde devait-elle cuire ?

À quelle heure fallait-il lancer les choux de Bruxelles ?

Devait-il sortir le pudding de Noël du cuit-vapeur ?

La sauce au pain était-elle assez épaisse ?

Où se trouvait le presse-purée ?

Sans prêter attention aux bruits qui émanaient de la cuisine, y compris les cris étouffés et les jurons, Ruby et Yvonne se prélassaient au salon dans de confortables fauteuils, devant un feu de cheminée, en se remémorant les nombreux repas de Noël qu'elles avaient préparés au fil des ans.

— Sans l'aide d'un ordinateur, dit Ruby.

— Ni d'un mari qui voulait bien faire la cuisine, ajouta Yvonne.

Dehors, Alexander avait entraîné ses enfants au milieu de Bowling Green Road, la neige tassée et glissante rendant les trottoirs impraticables. Il aidait Venus à pédaler sur son nouveau vélo à petites roues. Thomas poussait un landau de poupée dans lequel une girafe en peluche reposait contre un oreiller rose. Alexander se demanda s'il n'était pas allé trop loin dans le combat contre les jouets sexistes.

Stanley Crossley sortit de chez lui au moment où ils passaient devant sa maison. Après avoir admiré les cadeaux de Noël des enfants, il dit: «J'espère que je ne suis pas trop en avance.»

Alexander répondit en riant: «On risque de manger un peu plus tard que prévu.»

— Moi, ça m'est égal, dit Stanley.

À la porte des Beaver, Thomas raconta à Stanley que sa girafe s'appelait Paul.

Le vieil homme fit remarquer: «C'est un nom qui convient parfaitement à une girafe.»

Venus, qui le regardait avec de grands yeux, demanda: «Il te fait mal, ton visage?»

— Plus maintenant, répondit-il. Mais c'est horrible, hein?

— Oui, dit Venus. Si j'étais toi, je mettrais un masque.

Stanley rit, mais Alexander, gêné, bredouilla une excuse.

Stanley coupa court et décréta: «La vérité sort de la bouche des enfants. Elle s'y habituera.»

Entendant leurs voix dehors, Eva hissa le panneau inférieur de sa fenêtre et sortit la tête. «Joyeux Noël!» lança-t-elle.

Ils levèrent les yeux. «Joyeux Noël!»

Alexander pensa: «Elle est belle — même avec les cheveux hérissés.»

Stanley pensa: «On ne serait pas étonné si Tiny Tim* arrivait au coin de la rue en boitillant.»

À 17 h 15, ils passèrent enfin à table. Brianne réussit à s'installer en face d'Alexander.

Le repas fut en partie mangeable.

---

* Personnage d'*Un chant de Noël*, célèbre conte de Noël de Charles Dickens.

Après avoir débarrassé son assiette, Ruby déclara : « Il y a juste deux ou trois choses que vous avez ratées, Brian. Vos pommes de terre rôties n'étaient pas croustillantes, elles ne fondaient pas dans la bouche, et la sauce au jus de viande avait un drôle de goût. »

— Un goût de plastique, précisa Yvonne.

Brian Junior corrigea : « Non, un goût métallique. »

— Personnellement, dit Stanley, j'ai trouvé la dinde délicieuse. Toutes mes félicitations, docteur Beaver.

Brian était épuisé. Jamais il n'avait traversé une telle épreuve physique et intellectuelle. Derrière la porte fermée de la cuisine, il avait tour à tour pleuré, juré, hurlé, cédé au désespoir et à l'hystérie en s'efforçant de tout servir chaud et en même temps. Mais il s'était acquitté de son héroïque mission, apportant sur la table les treize composantes du repas disposées dans des plats. Les pétards en papillote avaient été tirés, livrant leurs chapeaux en papier dûment coiffés et leurs blagues accueillies par les traditionnels grognements.

Ruby félicita Alexander pour ses enfants polis et bien élevés.

Venus dit : « Papa a promis de nous donner dix livres si on était gentils. »

Alexander secoua la tête en riant.

— Définis-nous le concept de gentillesse ! lança Brian Junior à Venus.

Yvonne le gronda : « Brian Junior, cette petiote n'a que sept ans ! »

Venus leva le doigt pour demander à Brian Junior la permission de répondre. Il acquiesça.

La fillette expliqua : « La gentillesse, c'est quand on dit de gentils mensonges, pour ne pas faire de mal avec des mots qui sont vrais. »

Brian dit : « Venus, j'aimerais savoir ce que tu penses

du repas que j'ai préparé et que tu viens de manger. »

Venus demanda : « Papa, je dois être gentille ? »

— Non, ma chérie. Dis juste la vérité.

Venus posa sa serviette blanche froissée sur la table et l'ouvrit pour en révéler le contenu : une boulette de farce brûlée, une chipolata carbonisée, une pomme de terre rôtie gorgée d'huile, trois choux de Bruxelles trop cuits et un Yorkshire pudding pas assez cuit.

Il y eut un éclat de rire. Alexander se cacha le visage dans ses mains. Quand il écarta les doigts pour risquer un coup d'œil, il vit Brianne qui articulait silencieusement : « Je t'aime. » Il secoua la tête et détourna vite les yeux.

— Je vois que tu as réussi à manger la dinde, Venus, dit Brian.

Thomas redressa son chapeau d'infirmière en papier sur sa tête et, prenant la parole pour la première fois, déclara d'une voix fluette : « Elle a jeté les morceaux sous la table. »

Il y eut une autre explosion de rires.

Alexander fut surpris et horrifié en s'apercevant qu'il avait oublié Eva. Il lui semblait pourtant qu'elle occupait constamment ses pensées depuis quelque temps. « Quelqu'un a apporté à manger à Eva ? » demanda-t-il.

Des rires scandalisés s'élevèrent autour de la table, signalant que tout le monde l'avait oubliée. Il ne restait pas grand-chose. Même la dinde avait été largement dépiautée. Mais Alexander parvint malgré tout à constituer une assiette qu'il réchauffa au micro-ondes réglé sur trois minutes. Il prépara une sauce en déglaçant le jus du plat, la versa dans un petit pot et chercha un paquet de craquelins qui, selon Brian, se trouvait quelque part dans la maison.

Les autres invités ne se bousculaient pas pour quitter la table. Les verres furent remplis à nouveau, les langues se déliaient. Des rires fusaient à intervalles rapprochés. Même Stanley et Brian participaient à la conversation.

Brian était justement en train de dire : « Oui, Stanley, je crois qu'une couette avec un indice d'isolation thermique de 5 Tog est amplement suffisante pour l'hiver », quand la porte de la cuisine s'ouvrit d'un coup. Poppy entra en vacillant et annonça de sa voix de petite fille : « Ils sont morts. Papa et maman sont morts ! »

Les rires cessèrent.

« Ton papa et ta maman sont morts ? » dit Ruby.

Yvonne soupira. « Pauvre petite ! Et le jour de Noël en plus. »

Brianne ricana : « J'y croirai quand je verrai le certificat de décès. »

Yvonne la reprit : « Brianne, c'est terrible de dire une chose pareille ! J'ai honte de toi. »

Poppy regarda Brianne d'un air crâne. « Il n'est pas encore établi. »

— Je ne te prendrai pas en pitié avant d'avoir vu le document officiel, OK ? dit Brianne. Ils sont morts quand ? Hier ? Aujourd'hui ?

Poppy répondit : « Ce matin. »

— Et tu y étais ?

— Oui, je suis restée avec eux jusqu'à la fin.

— Ils sont morts exactement à la même heure, c'est ça ?

— Oui, dit Poppy. Je leur tenais la main à tous les deux.

Brianne regarda le public fasciné autour de la table et dit : « Quelle incroyable coïncidence. C'est carrément dingue. »

Poppy déclara, avec un brusque sourire triomphant : « Leurs machines ont été débranchées en même temps, c'est moi qui l'ai demandé. »

Brianne continua : « Ils sont morts à quelle heure ? »

— À 10 heures ce matin, répondit Poppy.

— Alors comment t'as fait pour revenir de Dundee et arriver à Leicester à 18 h 30 le jour de Noël ? Il n'y a pas de transports en commun, hein ?

— Non, dit Poppy. J'ai pris un taxi.

Brianne, qui ressemblait de plus en plus à l'inspecteur Morse, dit : « Dans la neige profonde ? Avec le blizzard ? Et sans visibilité ? »

Poppy répliqua : « On a eu de la chance. »

— Tu t'es arrêtée pour manger ? insista Brianne qui ne la lâchait pas.

— Non, je meurs de faim, dit Poppy. Je suis au bord de l'évanouissement.

Elle chancela et s'assit sur une chaise vacante au bout de la table.

Brianne demanda : « Qu'est-ce que tu as fait, en vrai, avec l'argent que mes parents t'ont donné pour aller à Dundee ? »

Brian lâcha : « Ça suffit, Brianne ! »

Le micro-ondes tinta.

Alexander prit l'assiette d'Eva et la posa en bout de table, puis se détourna pour chercher un plateau. Poppy s'empara de l'assiette, attrapa un couteau et une fourchette propres, et dit : « Merci. »

Les autres la regardèrent commencer à s'empiffrer dans un silence horrifié, puis s'écrièrent tous ensemble : « C'est pour Eva ! » Poppy se sauva dans la cuisine en emportant l'assiette.

Alexander lui cria : « J'espère que tu l'apportes à Eva ! »

Brian Junior murmura : « Pourquoi elle est revenue ? Elle va encore tout gâcher. »

Alexander courut à l'étage.

Eva était allongée face au mur. Elle se tourna vers Alexander. Voyant qu'il avait les mains vides, elle roula à nouveau sur le côté et dit : « J'ai tellement faim, Alexander. Est-ce qu'on m'a oubliée ? »

Alexander s'assit sur le lit et répondit : « Pas moi. Je pense à vous tout le temps. Sentez mon cœur. » Il lui prit la main, la posa sur le devant de sa chemise blanche. « Vous l'entendez battre ? Il dit : "Eva." »

Eva essaya d'alléger ce moment d'une trop grande intensité. « Telle que vous me voyez là, je pourrais le dévorer — avec du gingembre, de l'ail et du piment. » Elle pensa : « Oh non. Je vais avoir *encore* autre chose à gérer maintenant. »

Alexander lui embrassa le creux de la paume.

Elle examina son visage, remarquant les taches de vieillesse autour des yeux et les poils blancs sur ses joues. Elle reprit : « Je ne pense qu'à une chose : manger. »

Il se leva brusquement. « Un sandwich à la dinde ? »

Une fois redescendu, il vit Poppy, au salon, qui ramassait avec ses doigts les dernières miettes dans l'assiette et les enfournait dans sa bouche.

34

Le 26 décembre à l'heure du déjeuner, Brian posa un grand plateau en bois sur les genoux d'Eva, chargé du repas traditionnel des Beaver le lendemain de Noël.

« On se croirait dans *Un jour sans fin* ici, dit-il. Toujours les mêmes losers, il n'y en a pas un pour rattraper l'autre. La seule chose qui change, c'est la bouffe. »

Brianne avait de nouveau invité Alexander et les enfants, contre l'avis de Brian, et Alexander avait accepté parce qu'il voulait passer le plus de temps possible avec Eva avant d'aller voir son ex-belle-mère.

Stanley était revenu, à la demande de Ruby. Elle trouvait que ça changeait un peu d'avoir un gentleman dans cette maison.

Il ne manquait que Poppy. Elle était partie tôt le matin pour « donner à manger aux pauvres » dans un entrepôt du centre-ville tenu par l'association Crisis au moment de Noël.

« Cette gamine a un cœur d'or », avait dit Brian.

Les jumeaux, d'un seul et même geste, s'étaient enfoncé deux doigts dans la bouche.

Eva dit : « Cette salade a l'air délicieuse. »

— Ma mère a fait une descente chez Sainsbury's ce matin, expliqua Brian. Il ne restait plus que les os de la dinde.

Eva contempla son assiette sur laquelle était disposé un assortiment de charcuterie. « Très joli. »

— Ta mère m'a soûlé toute la matinée en préparant ça, dit Brian d'un air méprisant.

Dans une petite assiette creuse étaient présentées en rond des tranches de tomate, de concombre, de betterave et de radis noir, parées d'oignons verts. Il y avait aussi une énorme pomme de terre cuite au four, fendue en son milieu, où fondait un morceau de beurre ; une portion de fromage orange râpé dans une soucoupe ovale ; deux parts de tourte au porc flanquées de bâtonnets de carotte et de lamelles de poivron vert ; un coquetier rempli de sauce barbecue HP. La serviette était pliée en éventail, et Eva se réjouit en découvrant un grand verre de rosé.

Brian déclara : « Le garçon d'Alexander porte un tutu rose, mais personne n'a fait aucun commentaire. »

— Ta mère m'a raconté qu'après avoir vu *Le Magicien d'Oz*, tu avais voulu une paire de chaussures rouges comme Dorothée, dit Eva.

Brian rétorqua avec aigreur : « Mais est-ce que je les ai eues ? Non. »

Quand Brian rejoignit les autres en bas, Alexander lui demanda : « Eva, ça va ? »

Brian répondit : « Pourquoi ça n'irait pas ? Tout le monde se plie en quatre pour la servir. Si elle ne fait pas gaffe, elle risque de perdre l'usage de ses membres. »

Yvonne engloutit une tranche de jambon fine comme du papier à cigarette et déclara : « En général, je ne suis pas d'accord avec toi, Brian, mais là, je partage ton avis. C'est de la pure paresse de la part d'Eva. Qu'est-ce qui arriverait si on ne lui donnait plus à manger ? Elle se laisserait mourir de faim ou elle descendrait s'alimenter ? »

— On devrait essayer, dit Ruby.

Alexander suggéra : « Attendez que je sois revenu. Je pars quelques jours. »

Brianne s'inquiéta. « Vous allez où ? »

Venus répondit : « On va voir la maman de ma maman. »

Thomas ajouta : « Et on mettra des fleurs là où notre maman est dans la terre. »

Yvonne se tourna vers Alexander. « Vous ne traînez tout de même pas ces enfants dans les cimetières ? » dit-elle.

Alexander répliqua, sans sourire : « Non, seulement dans celui-là. »

Brian Junior était en train de tweeter sur la twittosphère mondiale :

Déj de Noël pire que jamais. Du carbone, j'avoue. Aujourd'hui 26 décembre. M'ennuie avec des morts-vivants. Désire apocalypse zombie.

Il lança à la cantonade : « La priorité, pour Brianne et moi, c'est d'abord de se débarrasser de Poppy. »

— Cette enfant est malade, dit Brian en prenant la défense de Poppy. Je lui ai parlé ce matin. Elle voulait partir cet après-midi, mais je lui ai proposé de rester jusqu'à ce qu'elle se sente capable de se débrouiller toute seule.

Ruby dit : « Moi, j'ai mis des années à me remettre de la mort de ma maman. Je la revoyais en train d'accrocher le linge dehors par un jour de grand vent. Espérons que cette pauvre petite Poppy a gardé un joli souvenir de ses parents quand ils étaient en bonne santé. »

Venus s'adressa à Stanley. « Il est mieux, ton visage », dit-elle.

— Merci, je suis bien content de l'apprendre, répondit Stanley.

Se tournant vers les autres, il demanda : « En ce qui concerne Poppy, quelqu'un a-t-il remarqué la croix gammée qui est tatouée sous sa grosse bague tape-à-l'œil ? Je me demande si elle a conscience de ce que signifie pareil emblème. »

— Les jeunes flirtent avec toutes sortes d'imageries choquantes, dit Brian. Pour autant, ça ne fait pas d'elle une Eva Braun. Poppy aura une place dans cette maison aussi longtemps que j'y habiterai.

Stanley s'étonna : « Les symboles fascistes ne vous dérangent pas, docteur Beaver ? Je n'aurais pas imaginé que vous étiez un sympathisant nazi. »

— Sympathisant nazi ! répliqua Brian. Elle a dix-huit ans, c'est l'âge où on explore les différents courants philosophiques.

La sonnette de la porte d'entrée retentit. Thomas descendit de sa chaise et alla ouvrir.

« Pauvre petit bonhomme, dit Ruby. Il n'y arrivera pas. »

Levant bien haut les deux mains, Thomas abaissa la poignée.

Le Dr Titania Noble-Forester découvrit avec stupéfaction un petit garçon noir en tutu et chaussons de danse roses.

Thomas demanda : « Tu as pleuré ? »

— Oui, répondit Titania. Oui, j'ai pleuré.

— Moi, j'ai pleuré dix minutes dans la voiture.

— Pourquoi ?

— Je n'avais rien d'autre à faire, répondit Thomas. Combien de temps tu as pleuré ?

— Toute la nuit, et une heure ou deux ce matin.

Puis Titania ajouta : « Ce salaud de Dr Beaver est là ? »

Thomas dit : « Oui », et ne bougea pas de la porte.

« J'aimerais lui parler. Tu peux t'écarter s'il te plaît ? »

Titania entendit des éclats de voix. Dans la cuisine, Brian criait quelque chose à propos de la mythologie nordique, du symbolisme païen et de l'odinisme.

— Tu veux entrer ? demanda Thomas.

— Oui, s'il te plaît, répondit Titania.

Thomas conduisit Titania à la cuisine. Brian faillit s'étrangler avec la peau de sa pomme de terre au four.

Titania annonça : « Il m'a fichue dehors, Brian. Je ne peux pas aller chez ma mère, ça la tuerait. Et je ne peux pas aller chez ma sœur. Cette salope, je ne lui donnerai pas ce plaisir. Tu as dit que tu quitterais Eva après Noël. Et Noël est passé maintenant. »

Chacun retenait son souffle, paralysé de stupeur. Sauf Brian qui bondit de sa chaise et propulsa sa lourde masse en avant comme un boulet de canon. Lorsqu'il atterrit à côté de Titania, les solives du plancher gémirent sous son poids. Il essaya désespérément de la pousser hors de la cuisine, mais elle résista.

Stanley Crossley, qui s'était levé à l'arrivée de Titania, dit : « Madame, vous avez l'air bouleversée. Puis-je vous offrir un verre ? »

Brian rugit : « C'est *ma* baraque ! C'est moi qui décide qui boit ici ! »

Dans l'encadrement de la porte, Titania croisa les bras et se campa fermement sur ses jambes. « Je voudrais une double vodka, dit-elle, avec du tonic light, une tranche de citron, une demi-poignée de glace pilée et une paille rose, si c'est possible. Merci. »

Ruby demanda : « C'est qui celle-là ? »

Titania répliqua : « Vous voulez que je vous dise, la vieille ? Je suis la maîtresse du Dr Brian Beaver depuis des années. »

— La maîtresse ? répéta Ruby, pour qui Brian faisait partie de ces gens qui, avec la reine, étaient dépourvus de sexualité.

Brian parcourut la cuisine du regard.

Qu'était-il arrivé à son univers ? Il lui semblait éprouver une forte antipathie pour tous les membres présents.

Il y avait un homme au visage brûlé qui préparait un cocktail pour Titania — une femme qu'il avait autrefois désirée. Un petit garçon en tutu de danseuse et une fillette de sept ans qui mettait en pratique sa conception toute personnelle de la philosophie utilitariste, deux vieilles femmes qui vivaient encore au Moyen Âge (ou au milieu des années cinquante), ses jumeaux qui étaient plus intelligents que lui et tournaient ostensiblement leurs chaises pour ne pas voir sa maîtresse, et un Noir agaçant avec ses manières raffinées et ses cheveux qui lui tombaient presque jusqu'à la taille. Et, pour couronner le tout, il avait à l'étage une épouse qui prenait tout son temps pour *réfléchir.*

Était-il le dernier *Homo sapiens* normal ? Le public ignorant s'imaginait-il vraiment qu'on trouverait des gens à son image sur une planète aux limites du cosmos ? Des extraterrestres qui écriraient des messages à l'attention du laitier ou souscriraient une assurance pour leurs animaux domestiques ! Les esprits, bien qu'obtus, ne comprenaient-ils pas que les êtres humains étaient en fait *eux-mêmes* les extraterrestres ?

Il repensa à son enfance, quand on prenait le petit déjeuner à 7 h 30, le déjeuner à 12 h 45 et le repas du soir à 18 heures tapantes. Il se couchait à 19 h 15 jusqu'à douze ans, à 20 heures jusqu'à ses treize ans, puis ensuite une demi-heure plus tard. Il n'y avait pas d'ordinateurs à l'époque pour se distraire — même s'il était au courant de leur existence par son magazine *Look and Learn.* Pour lui faire plaisir, sa mère l'avait emmené voir le premier ordinateur de Leicester dans les bureaux d'une usine de bonneterie, il était deux fois plus grand que sa chambre. Aujourd'hui encore, il fut envahi d'une immense tristesse en songeant qu'il serait mort dans cinquante ans et qu'il ne verrait pas l'essor de la nanotechnologie, les calculateurs quantiques ni, par conséquent, l'émergence d'une nouvelle conscience planétaire. Étant donné son hypertension artérielle, il aurait de la chance s'il tenait le coup jusqu'à l'atterrissage sur Mars.

La voix d'Yvonne claqua à ses oreilles : « Brian ! »

— Hein ?

— Tu fais encore ton truc bizarre.

— Quel truc ?

— Comme quand tu étais petit et que tu regardais le ciel en gémissant.

Brian se racla furieusement la gorge, feignant une obstruction passagère.

« Je sais que je suis un peu démodée, dit Ruby, mais est-ce qu'y a que moi qui trouve cette situation franchement scandaleuse ? » Elle fusilla Titania du regard. « De mon temps, Brian, tu aurais pris une dérouillée du mari. Pas sûr que t'en serais ressorti sur tes deux jambes. Tu devrais avoir honte de toi. »

Titania déclara avec emphase : « Brian est malheureux dans son couple depuis des années. » Puis, s'adressant à lui, elle ajouta : « Je monte parler à ta femme, Brian. »

Thomas demanda : « Je peux venir ? »

Titania partit d'un rire maléfique et répondit : « Pourquoi pas, petit bonhomme ? Tu n'es pas trop jeune pour apprendre que le sexe masculin est par nature bête et méchant. »

Alexander dit : « Thomas, assieds-toi. »

Emportant sa vodka, Titania sortit de la cuisine d'un pas décidé et cria : « Eva ! »

— Je suis en haut !

En voyant Titania, avec sa jupe noire et son chemisier blanc, Eva trouva d'abord qu'elle ressemblait à une employée des pompes funèbres. Ses yeux étaient gonflés comme si elle souffrait d'une grave allergie, ou alors la pauvre femme avait pleuré pendant très longtemps.

Titania dit: « Il m'avait caché que vous étiez belle. Il vous décrivait comme une harpie décharnée. Vous êtes une vraie blonde ? »

— Oui, répondit Eva. Et vous, Titania, vous êtes une vraie rousse ?

Titania s'assit dans le fauteuil taché de soupe et se mit à pleurer, encore une fois. « Il m'a promis qu'il vous quitterait après Noël. »

— Il le fera peut-être, dit Eva. Le jour après Noël, c'est encore Noël. Il me quittera peut-être demain.

— Mon mari m'a mise à la porte, dit Titania. Je n'ai nulle part où aller.

Eva était rarement méchante — elle avait le cœur aussi tendre et doux que ses oreillers en duvet d'oie —, mais elle encaissait mal qu'on lui ait menti pendant huit ans. « Venez habiter ici, proposa-t-elle. Vous pouvez vous installer avec Brian dans sa remise. Il y a largement la place pour vos vêtements. Comme vous et moi le savons, Brian ne possède pas une garde-robe digne de ce nom. »

— Je n'ai pas l'impression que ce soit un geste altruiste de votre part, dit Titania.

Eva reconnut: « En effet, ça ne l'est pas. Il aime être tranquille tout seul. Il détestera vivre avec quelqu'un à temps plein dans sa précieuse remise. »

Les deux femmes rirent, quoique sans partager la moindre complicité. Titania déclara: « Je termine mon verre et ensuite j'irai chercher mes affaires dans la voiture. » Eva reprit: « Juste une question… Vous feignez vos orgasmes ? »

— En général, je n'ai pas le temps. Il tient à peine deux minutes. Je me débrouille de mon côté.

— Pauvre Brian, fit Eva. Il ne montera pas sur le podium aux JO des meilleurs amants.

— Pourquoi personne ne le lui a jamais dit ?

— Parce que nous avons pitié de lui, répondit Eva, et que nous sommes plus fortes que lui.

— Quand j'ai été invitée au CERN pour travailler sur le collisionneur, confia Titania, il a dit : « Ah bon ? Alors ils ont *vraiment* un problème. »

— Quand je lui ai montré le fauteuil qui m'avait demandé deux ans de travail, raconta Eva, il a dit : « *Moi* aussi, je pourrais broder, si je voulais. C'est juste du tissu, du fil et une aiguille, pas vrai ? »

Titania caressa les bras du fauteuil. « Il est magnifique », dit-elle.

Une fois Titania partie, Eva s'agenouilla à la fenêtre et la regarda transporter dans la remise l'équivalent de ce que pouvait contenir une petite maison.

35

Dans la cuisine, Titania et Brian commencèrent à se prendre le bec parce qu'il ne l'aidait pas à décharger la voiture. Les autres quittèrent la table et se regroupèrent au pied de l'escalier, ne sachant où aller ni que faire.

Entendant leurs voix étouffées, Eva les invita à monter dans sa chambre.

Ruby se laissa tomber dans le fauteuil taché de soupe, Stanley prit place au bout du lit en s'appuyant sur sa canne, et les autres s'assirent par terre en tailleur, dos au mur.

Alexander accrocha le regard d'Eva et le retint un bref instant.

Thomas et Venus se mirent à jouer à La Méchante Prof de danse russe, un jeu qu'ils venaient d'inventer. Quand Venus s'en prit violemment à Thomas parce que son arabesque était « nulle de chez nul », et qu'elle menaça de le frapper avec un bâton imaginaire, Alexander les renvoya tous deux en bas.

Le portable de Brian Junior sonna.

C'était Ho.

Brian Junior dit : « Oui ? »

— Où je vais pour argent du gouvernement ? demanda Ho.

Brian Junior eut un moment de flottement. « Je te capte pas, là. Explique. »

Ho dit : « Je n'ai plus argent pour manger. Et j'ai faim. Je téléphone Poppy, mais elle ne répond pas. Alors, tu connais adresse à Leeds pour argent du gouvernement ? »

Brian Junior expliqua : « Ce sera fermé aujourd'hui. Et même quand ils seront ouverts, ils ne t'en donneront pas — tu es étudiant à temps plein. »

Ho demanda encore : « Où je vais trouver argent ? »

Brian Junior répondit : « Ho, je peux pas t'aider. Je n'ai pas la place dans ma tête pour les problèmes des autres. »

— Si je vais à une de tes églises et que je demande argent à un prêtre, il m'en donnera ?

— Probablement pas.

— Mais si je dis j'ai très faim, je n'ai pas mangé depuis deux jours et deux nuits ?

Brian Junior se trémoussa, gêné. « Arrête, j'aime pas penser à ça. »

— Mais je suis comme votre Jésus dans désert. Des fois, il manque nourriture.

Brian Junior passa le téléphone à Brianne qui écoutait attentivement.

Brianne s'adressa à Ho avec colère : « À cause de toi, maintenant on est trois à être mal. »

Ho annonça : « Le téléphone il dit j'ai plus beaucoup de crédit. »

Brianne dit : « Voilà ce que tu vas faire. Tu mets ton manteau et ton écharpe rouge, et tu files au temple sikh. Sur la route principale, derrière le dortoir, tu vois ? Avec des drapeaux orange devant la porte. Ils te donneront à manger. Je le sais, parce qu'il y a un garçon dans mon cours qui a claqué tout le fric de son emprunt la première semaine pour s'acheter une moto d'occase et une batterie. Les sikhs l'ont nourri pendant un mois. » Elle ajouta d'un ton sévère : « Bon, répète la consigne. » Elle écouta, puis dit : « C'est ça — manteau, écharpe, clés. Vas-y », et raccrocha.

Alexander remarqua : « Encore un nazi dans la maison. »

— Qu'est-ce qui a mis ce pauvre garçon dans un tel état ? demanda Eva.

— Il a donné tout son argent à Poppy, répondit Brianne.

— Toutes les routes mènent à Poppy, fit observer Stanley. Que faut-il faire d'elle ?

— Je serais contente si elle partait de la maison, pieds nus, et mourait dans la neige, dit Brianne.

Eva se prit la tête dans les mains et soupira : « Brianne, je t'en prie, ne parle pas comme ça. Tu parais tellement insensible. »

Brianne cria : « Tu ne sais rien d'elle ni des dégâts qu'elle a causés ! Pourquoi tu acceptes qu'elle reste chez toi alors que tu sais très bien que, Brian Junior et moi, on ne peut pas la saquer ? »

Ruby prit la parole : « Moi, cette pauvre petite me fait de la peine. Son père et sa mère viennent de mourir ! J'ai longuement parlé avec elle hier. Les corps vont être ramenés à Leicester, et je lui ai dit de prendre la Co-op comme entreprise funéraire. J'ai été très contente d'eux, pour ton grand-père. C'est pas leur faute s'ils se sont trompés de maison en allant chercher le corps. Fairtree Avenue et Fir Tree Avenue, ça se ressemble. »

Brianne s'agenouilla près du fauteuil à la soupe. Avec une lenteur délibérée, scrutant le visage de sa grand-mère, elle dit : « Mamie, pourquoi est-ce que les autorités de Dundee enverraient les corps de ses parents à Leicester ? Alors que, d'après Poppy, ils habitaient une grande maison à Hampstead, entourés de leurs amis riches et célèbres. Hugh Grant était son voisin. »

Ruby répondit avec irritation : « Je sais ! Poppy m'a raconté qu'ils l'emmenaient souvent dans leur avion. Il a pris les commandes une fois, quand le père de Poppy s'est senti mal au volant. Il a dû faire un atterrissage d'urgence dans le parc de Hampstead Heath à Londres. Un policier a été légèrement blessé. »

Brianne hurla : « Espèce de vieille imbécile ! Tout ce qu'elle t'a dit n'est qu'un tissu de mensonges ! »

Le visage de Ruby se décomposa. « Tu me déçois, Brianne. On ne parle pas comme ça à une personne âgée. Toi qui étais une petite fille si sage et si gentille. Tu as changé depuis que tu es partie à cette université. »

Brianne se releva prestement. « La Co-op ne réceptionnera aucun corps ! Les parents de Poppy sont vivants et habitent à Maidenhead ! Sa mère était sur Facebook ce matin, elle a raconté à ses "amies" qu'elle avait eu une couverture électrique pour Noël ! »

Eva demanda : « Comment peux-tu savoir ça ? »

Les jumeaux échangèrent un regard. Brian Junior répondit : « On est bons en informatique. »

Brianne passa un bras autour des épaules de Brian Junior et dit : « Son nom n'est pas Poppy Roberts. Elle s'appelle Paula Gibb. Ses parents habitent dans un HLM. Ils n'ont pas d'avion privé. Ils n'ont même pas de voiture ni le chauffage central. »

Alexander dit : « Au moins, ils ont une couverture électrique. » Il regarda les autres.

Eva était la seule à rire.

Stanley demanda : « Vous le savez depuis combien de temps ? »

— Deux jours, répondit Brianne. On le gardait en réserve, pour le lendemain de Noël. Vu qu'il n'y a jamais rien à faire ce jour-là.

Yvonne déclara : « Moi, personnellement, je trouve ça écœurant. Deux grosses têtes contre cette petite en deuil. »

Brianne dit, calmement : « Bri, c'est le moment d'apporter le dossier Poppy. »

Brian Junior se leva et étira ses bras pour se préparer à l'effort qui l'attendait, dans un geste qui semblait aussi implorer la clémence de Brianne. Puis il partit vers sa chambre en poussant un gros soupir.

Quand il revint, chargé d'une lourde pochette cartonnée à soufflets verts, Brianne dit : « Distribue. »

— Quoi, comme ça, au hasard ?

Elle hocha la tête.

Il procéda à la distribution de divers documents officiels, attestations et comptes rendus dont certains comportaient plusieurs feuillets agrafés.

Il y eut un silence. Chacun lisait les premiers paragraphes du document qui lui avait été remis.

Ruby déclara : « J'ai lu le début, deux fois, et je comprends toujours pas. »

Yvonne demanda : « C'est un examen que nous font passer les Grosses Têtes ? »

Brianne dit : « Tu as l'acte de naissance, Yvonne. Lis ! »

— Arrête de me parler comme si j'étais un chien. Un bâtard, même. Quand j'étais petite…

Brianne interrompit : « C'est ça, oui. Quand tu étais petite, tu écrivais sur une ardoise avec une craie. »

Eva ordonna à sa fille : « Fais des excuses à Grand-mère. »

Brianne s'exécuta avec mauvaise grâce : « 'scuse-moi. »

« Bon alors, il y a écrit… ceci est l'acte de naissance de l'enfant Paula Gibb, une fille, née le 31 juillet 1993, de Dean Arthur Gibb, gardien de parking, et de Claire Theresa Maria Gibb, employée dans un bowling. »

Brian Junior éclata de rire et prit un accent traînant, façon racaille : « Putain, déconne pas mec, on se tape un bouling. »

Personne dans sa famille ne l'avait jamais entendu jurer. Eva se réjouit de ce changement, preuve que Brian Junior pouvait être un ado normal.

Brianne se tourna vers son frère. « Bri, s'il te plaît. Ne fais pas ton Lebowski *. On n'est pas là pour plaisanter. »

Alexander dit : « Moi, j'ai le rapport d'un travailleur social. À trois ans et demi, Paula a été placée temporairement en famille d'accueil. »

Un froid tomba dans la pièce.

Eva leva les yeux de son document. « J'ai un compte rendu d'admission au CHU, le 11 juin 1995, et un suivi de six mois rédigé par une assistante sociale, Delfinia Ladzinski. » Eva parcourut les feuillets. « Par où je commence ? » Elle s'éclaircit la gorge et lut ce qui lui parut le plus important comme s'il s'agissait d'un bulletin de la météo marine.

« L'examen médical fait état de brûlures de cigarettes sur les mains et les avant-bras. Présence de poux, morsures de puces infectées, impétigo. Elle souffre de malnutrition, est incapable de parler. A peur d'aller aux toilettes… Dites donc, ça n'a rien d'un conte de fées ! »

Yvonne se leva. « Je ne sais pas ce que les autres en pensent, mais moi, j'en ai assez. On est le lendemain de Noël. J'ai envie de manger des sandwichs à la dinde et de jouer à M. Patate, pas de passer la journée à patauger dans cette misère. »

— Asseyez-vous, Yvonne ! dit Ruby. Y a des choses qu'on doit regarder en face. J'ai ici un rapport de la police de Thames Valley, à propos d'un incendie criminel dans un foyer pour enfants à Reading. Paula Gibb a été interrogée, mais elle a dit qu'elle avait seulement

* Allusion au film *The Big Lebowski*, dans lequel le personnage principal joue au bowling et jure copieusement.

voulu allumer une cigarette avec un briquet Zip. Elle a paniqué et jeté le briquet dans la salle de jeu, où il a atterri sur la table de billard... »

Yvonne interrompit : « Je ne me sens pas bien... »

« Ça explique tout », dit Eva.

Stanley objecta : « Pour autant, cela n'excuse pas son comportement aujourd'hui. »

Alexander hocha la tête. « Moi, ma mère me laissait enfermé dans ma chambre seul dans le noir. Je ne sais pas où elle allait. Elle m'interdisait de m'approcher de la fenêtre et me disait que si je pleurais, elle se débarrasserait de moi. Mais ce n'est pas une raison pour faire n'importe quoi dans la vie. »

En levant les yeux, il s'aperçut qu'Eva le regardait intensément, comme si elle le voyait vraiment pour la première fois.

Yvonne gémit : « Je ne serais jamais venue si j'avais su qu'il y avait une déséquilibrée ici — enfin je veux dire, une autre. »

Eva riposta : « Je ne suis pas déséquilibrée, Yvonne. Vous oubliez que votre fils, mon mari, est en train de se disputer avec sa maîtresse dans la cuisine ? »

Yvonne contempla ses doigts déformés par l'arthrite et ajusta ses bagues.

Brian Junior dit : « J'ai ses résultats aux examens du secondaire. Elle n'a eu aucune note en dessous de 12 au brevet, mais seulement deux mentions pour l'A-Level — 16 en anglais et 18 en étude des religions. »

— Donc ce n'est pas seulement une psychopathe, conclut Alexander, c'est une psychopathe *intelligente*. Ce qui est beaucoup plus effrayant.

Tout le monde sursauta en entendant la porte d'entrée claquer, puis le martèlement des grosses chaussures de Poppy dans le vestibule.

— Je veux lui parler, dit Eva. Brian Junior, tu peux lui dire de monter, s'il te plaît ?

— Pourquoi moi ? Pourquoi c'est moi qui dois y aller ? J'ai pas envie de lui parler. J'ai pas envie de la voir. J'ai pas envie de respirer le même air qu'elle.

Ils se regardèrent les uns les autres, mais personne ne bougea.

Alexander dit : « J'y vais. »

En bas, il trouva Poppy qui faisait semblant de dormir sur le canapé du salon, étendue sous une couverture rouge. Elle n'ouvrit pas les yeux, mais Alexander remarqua que ses paupières s'agitaient.

Il dit d'une voix forte : « Eva veut te voir », puis il la regarda imiter quelqu'un qui se réveille. Il éprouva un mélange de pitié et de mépris.

Poppy/Paula s'exclama : « Oh là là, je me suis endormie ! C'était crevant ce matin. Ils m'ont adorée, à l'entrepôt. Tout le monde demandait Poppy. »

Alexander répliqua : « Maintenant, c'est Eva qui demande Poppy. »

Quand ils entrèrent dans la chambre d'Eva, Poppy fut accueillie par un mur de visages accusateurs. Mais elle s'était trouvée maintes fois dans ce genre de situation. « Faut que tu la joues cool, ma fille », se dit-elle.

Eva tapota le lit pour l'inviter à s'asseoir. « Viens, Paula. Tu n'es plus obligée de mentir. Nous savons qui tu es. Nous savons que tes parents sont en vie. » Elle montra un document. « Il est écrit ici que ta mère est allée au ministère du Travail et des Pensions le 22 décembre et qu'elle a demandé un prêt d'urgence parce qu'elle n'avait pas d'argent pour Noël. Ta mère est bien Claire Theresa Maria Gibb, n'est-ce pas ? Au fait, tu es Poppy ou Paula ? »

— Poppy, répondit la jeune fille avec un sourire crispé. S'il vous plaît, ne m'appelez pas Paula. S'il vous plaît. Je me suis donné un autre nom. Ne m'appelez pas Paula.

Eva lui prit la main et dit : « D'accord. Tu es Poppy. Pourquoi n'essaierais-tu pas d'être toi-même ? »

Suivant son instinct, Poppy fit d'abord semblant de pleurer et sanglota : « Mais je ne *sais pas* qui je suis ! » Puis elle se laissa gagner par la curiosité. Oui, au fait, *qui* était-elle ? Elle se dit qu'elle allait arrêter de prendre cette voix de petite fille. En regardant sa robe de soirée années cinquante qui s'effilochait de partout, elle trouva soudain qu'elle ne ressemblait pas du tout à Helena Bonham Carter, tellement craquante dans ses tenues excentriques vintage. Et que ses grosses chaussures aux lacets soigneusement défaits ne lui donnaient aucun « caractère ». Elle mit la boîte de vitesses dans sa tête au point mort, attendit quelques secondes pour voir où ça la mènerait, puis demanda en testant sa nouvelle voix : « Je peux rester jusqu'à la reprise des cours, s'il vous plaît ? »

Brianne et Brian Junior répondirent à l'unisson : « Non ! »

Eva dit : « Oui, tu peux rester. Mais il y a des règles à observer dans cette maison. Un : finis les mensonges. »

Poppy répéta : « Finis les mensonges. »

— Deux : on ne traîne plus en petite culotte sur le canapé. Et trois : on ne vole plus.

— J'ai trouvé notre minuteur pour la cuisson des œufs dans son sac hier soir, dit Brianne.

Poppy s'assit près d'Alexander. « On te donne une chance formidable ici, dit-il. Ne fous pas tout en l'air. »

Brianne s'exclama : « Quoi, c'est tout ? Ça y est ? Elle est pardonnée ? »

— Oui, répondit Eva. Comme j'ai pardonné à papa.

Stanley leva la main et demanda : « Puis-je me permettre d'ajouter quelque chose ? » Il regarda Poppy. « Je ne pardonne pas très facilement, et tu n'imagines pas la colère et le désarroi dans lesquels me plonge ton tatouage en forme de svastika. Je n'arrive pas à me l'ôter de l'esprit. Je sais que tu es jeune, mais tu as sûrement étudié l'histoire contemporaine et tu dois savoir que le svastika symbolise un mal terrible. Et je t'en prie, ne me dis pas que ton tatouage fasciste représente un dieu hindou ou une absurdité de ce genre. Toi et moi savons que tu l'as choisi soit parce que tu es nazie, soit pour signifier ton désir de choquer ouvertement une société dans ce qu'elle a de plus respectable. Tu aurais pu choisir un serpent, une fleur, un merle bleu, mais tu as choisi le svastika. J'ai chez moi une collection de vidéos qui relatent les événements de la Seconde Guerre mondiale. L'une de ces vidéos montre la libération de Bergen-Belsen, le camp de concentration. Tu as entendu parler de Bergen-Belsen ? »

— C'est là qu'Anne Frank est morte. On a lu le livre pour le brevet.

Stanley poursuivit : « Quand les troupes alliées sont arrivées pour libérer les prisonniers, elles ont trouvé des créatures squelettiques à peine en vie, suppliant pour qu'on leur donne de l'eau et de la nourriture. On a découvert une immense fosse remplie de cadavres, parmi lesquels il restait encore quelques survivants. Un bulldozer... »

Ruby s'écria : « Ça suffit, Stanley ! »

— Oui, excusez-moi...

Il se tourna à nouveau vers Poppy : « Si tu veux voir la vidéo, tu es la bienvenue chez moi, nous la regarderons ensemble. »

Poppy secoua la tête.

Il y eut un silence.

Enfin, Poppy dit : « Je vais le faire enlever... au laser, c'est possible. J'adore Anne Frank. Je me rappelais plus qu'elle était juive. J'ai pleuré quand les nazis la trouvent dans le grenier. J'ai juste voulu ce tatouage parce qu'à quatorze ans j'étais folle d'un garçon qui adorait Hitler. Il avait une valise sous son lit pleine de poignards et de médailles et tout ça. Il m'a raconté qu'Hitler aimait les animaux et qu'il était végétarien, et qu'il voulait seulement que le monde soit en paix. Quand on était dans sa chambre, la règle c'était qu'on devait s'appeler Adolf et Eva. »

Tout le monde regarda Eva. Elle dit : « Voyez ça avec ma mère. »

Indignée, Ruby se défendit : « C'est le nom d'une star de cinéma. Eva Marie Saint. »

— Il m'a plaquée au bout de deux mois, continua Poppy, mais le tatouage est resté.

Stanley hocha la tête. « Je ne le mentionnerai plus. » Il émit une petite toux qui ressemblait à un signe de ponctuation, puis se tourna vers Ruby et dit : « Ah, Eva Marie Saint. La scène avec Marlon Brando. La balançoire, le gant… Quel visage adorable. »

La conversation avait changé de cap.

Alexander fut le dernier à partir.

« Si vous avez besoin de moi, passez un coup de fil, dit-il à Eva, et je viendrai en courant. »

Après son départ, les paroles de la chanson s'imposèrent à Eva qui ne parvenait plus à se les enlever de la tête. Elle se mit à fredonner doucement, pour elle-même : « Hiver, printemps, été ou automne*… »

Au milieu de la nuit, alors que tous les autres dormaient, Poppy se glissa silencieusement dans la chambre

* Allusion à la célèbre chanson de Carole King *You've Got a Friend*, reprise par James Taylor : « *You just call out my name — And you know wherever I am — I'll come running — To see you again — Winter, spring, summer, or fall — All you have to do is call — And I'll be there* » (Appelle-moi simplement, où que je sois je viendrai en courant, pour te revoir — hiver, printemps, été ou automne, appelle-moi et je serai là).

d'Eva. Les murs étaient illuminés par la pleine lune, et Poppy se coucha dans le lit.

Eva bougea, mais ne se réveilla pas.

Poppy appuya son visage contre l'épaule d'Eva et lui passa un bras en travers de la taille.

Le matin, Eva sentit une présence. Mais quand elle se tourna pour regarder, elle ne vit qu'un léger creux dans l'oreiller.

36

Mr Lin était tout excité quand il vit l'écriture de Ho sur une lettre qu'il était allé chercher à la poste de son quartier, dans la banlieue de Pékin. Peut-être Ho écrivait-il pour souhaiter de bonnes fêtes. Mr Lin savait qu'en Angleterre les gens célébraient la naissance de Jésus-Christ — qui, lui avait-on appris, n'était pas seulement le fils de leur Dieu mais aussi un révolutionnaire communiste torturé et exécuté par les autorités.

Il se dit qu'il attendrait d'être rentré à la maison pour ouvrir la lettre. Ou alors il la donnerait à sa femme et il verrait la joie se peindre sur son visage. Leur enfant leur manquait à tous les deux. Prendre la décision d'envoyer Ho en Angleterre n'avait pas été facile, mais ils ne voulaient pas qu'il travaille comme eux à l'usine. Ils voulaient que Ho soit chirurgien plasticien et gagne beaucoup d'argent. Partout dans le monde, de jeunes Chinoises avaient honte de leurs yeux bridés et de leurs petits seins.

Mr Lin s'arrêta à une échoppe pour acheter un poulet vivant. Il en choisit un bien charnu qui durerait plusieurs jours, le paya et l'emporta la tête en bas, puis il se rendit au marché de fruits et légumes où il acheta de jolies pommes rouges pour offrir à sa femme. Elles coûtaient cinq fois plus cher que des pommes ordinaires, mais Mr Lin aimait beaucoup sa femme. Elle ne lui cherchait jamais querelle, ses cheveux étaient toujours noirs et son visage à peine ridé. Les seules fois où elle était triste, c'était quand elle parlait de la fille qu'ils n'auraient jamais.

Il atteignit l'aire de jeux, au pied de la tour où il habitait avec sa femme au vingt-septième étage. Levant les yeux, il distingua leur fenêtre. « Pourvu que l'ascenseur marche », se dit-il.

Quand il arriva chez lui, essoufflé et haletant, sa femme se leva de son fauteuil et vint l'accueillir.

Il dit : « Regarde qui nous a écrit », et lui tendit la lettre de Ho.

Elle eut un sourire ravi et caressa le timbre rouge, vert et or représentant une scène de la Nativité comme s'il s'agissait d'un précieux objet d'art. « C'est la naissance de leur Jésus », dit-elle.

Le poulet s'agitait en caquetant. Mr Lin l'emporta dans la minuscule cuisine et le jeta dans l'évier. Puis il rejoignit sa femme et ils prirent place l'un en face de l'autre à la petite table. Mrs Lin posa la lettre entre eux.

Mr Lin sortit les pommes rouges du sac et les déposa à côté de la lettre de Ho.

Sa femme souriait, aux anges.

Il dit : « Elles sont pour toi. »

Elle s'écria : « Mais moi, je ne t'ai rien acheté ! »

— Ce n'est pas la peine. Tu m'as donné Ho. Vas-y, ouvre la lettre.

Elle l'ouvrit, lentement, soigneusement, et parcourut les premières lignes. Puis elle s'arrêta, le visage pétrifié. Elle poussa la lettre sur la table et dit : « Sois fort, mon mari. »

Mr Lin lâcha plusieurs petits cris en lisant le document. Lorsqu'il eut terminé, il dit : « Je n'ai jamais aimé la fleur de pavot*. Elle est vulgaire et répand trop facilement ses graines. »

Le poulet caquetait.

Mr Lin se leva, prit un couteau aiguisé et un billot, et trancha le cou du poulet d'un coup sec. Il le rejeta dans l'évier et contempla le flot de sang rouge vif qui se déversait par la bonde.

---

* Poppy signifie « pavot, coquelicot ».

37

Le 31 décembre, une inconnue se présenta à la porte.

Elle souhaitait parler à Eva.

Titania, dont c'était le tour d'aller ouvrir, demanda: « Qui dois-je annoncer ? »

La femme répondit: «J'habite au bout de Redwood Road. Je préférerais ne pas donner mon nom. »

Titania la fit attendre dans le vestibule pendant qu'elle montait l'escalier.

Quand elle entra dans la chambre, Eva lui dit: « Vous portez l'horrible tablier que Brian m'a offert pour Noël. Qu'est-ce que vous avez demandé d'autre ? »

Titania répondit en riant: « Votre mari, ça suffira. »

Eva fit remarquer: « En tout cas, ce tailleur vert vous va très bien. Vous devriez le porter plus souvent. » Puis elle ajouta: « Dites à cette femme de monter. »

Une fois Titania redescendue, Eva se coiffa avec ses doigts et retapa les oreillers.

La femme avait une quarantaine d'années, une allure encore jeune, et des cheveux gris et secs qu'elle laissait pousser naturellement. Avec son survêtement gris et ses chaussures de cross grises, elle ressemblait à un gribouillage au crayon sur une page blanche.

Eva l'invita à s'asseoir dans le fauteuil taché de soupe.

La femme déclara d'une voix posée: «Je m'appelle Bella Harper. Je passe sous votre fenêtre presque quatre fois par jour.»

— Oui, dit Eva. Je vous ai déjà vue emmener vos enfants à l'école.

Bella sortit un paquet de mouchoirs en papier de la poche de son survêtement.

Eva se raidit en devinant ce qui allait suivre. Elle ne supportait plus les larmes. Les gens pleuraient trop facilement de nos jours.

Bella dit: «J'ai besoin de conseils pour trouver le meilleur moyen de quitter mon mari sans que ce soit trop dur pour lui. Noël a été une torture. Il nous a fait vivre un cauchemar. J'ai l'impression de marcher dans un vent glacé avec les nerfs à vif et j'ai peur de ne pas tenir le coup.»

Eva demanda: «Pourquoi venez-vous me voir, moi?»

— Vous êtes toujours là. Parfois, la nuit, je fais le tour du quartier et je vous aperçois en train de fumer à la fenêtre.

— Mais je suis une très mauvaise conseillère.

— J'ai besoin de partager mon histoire avec quelqu'un que je ne connais pas et qui ne me connaît pas.

Eva réprima un bâillement et prit un air intéressé. Mais elle savait d'expérience que les conseils n'apportaient rien de bon.

Bella chiffonnait un mouchoir entre ses doigts.

Eva lui tendit une perche: «Bon d'accord. Il était une fois… Ça vous aiderait, comme ça?»

Bella dit: «Oui. Il était une fois un garçon et une fille qui habitaient le même village. Quand ils eurent quinze ans, ils se fiancèrent. Leurs deux familles étaient ravies. Un jour, le garçon entra dans une rage folle parce que la fille ne tenait pas l'allure quand ils couraient ensemble.

Il cria et elle eut peur. Puis, juste avant le mariage, alors qu'ils étaient dans la voiture du garçon, la fille fit tomber l'allume-cigare en le sortant du tableau de bord. Le garçon lui donna un coup de poing sur la joue droite. Il la secoua par les épaules et la frappa encore, du côté gauche. Elle perdit deux dents et alla aux urgences dentaires. Les hématomes mirent six semaines à disparaître. Mais le mariage eut lieu quand même. Bientôt il prit l'habitude de la frapper chaque fois qu'il était en colère... Après, il me suppliait de lui pardonner. J'aurais dû le quitter avant la naissance des enfants. »

Eva demanda : « Combien d'enfants ? »

— Deux garçons, répondit Bella. J'ai commencé à avoir tellement peur de lui que je n'arrivais plus à me détendre quand il était à la maison. Quand il rentrait du travail, les garçons s'enfermaient dans leur chambre.

Bella se tordait les mains. « Voilà. L'histoire s'arrête là. »

— Et vous vous demandez ce qu'il faut faire ? dit Eva. Combien d'hommes costauds connaissez-vous ?

Bella protesta : « Non, non... Je ne crois pas à la violence. »

— Combien d'hommes costauds connaissez-vous ? répéta Eva.

Bella réfléchit en comptant sur ses doigts. « Sept. »

— Téléphonez-leur et demandez-leur de venir à votre secours... quand ce sera le moment.

Bella hocha la tête.

— Comment s'appelle votre mari ?

— Kenneth Harper.

— Et combien de temps allez-vous encore vivre avec Kenneth Harper ?

Baissant les yeux, Bella répondit : « Je veux commencer la nouvelle année sans lui. » Elle regarda sa montre. « Oh non ! dit-elle, paniquée. Il est au pub, mais il rentre pour manger à 21 heures. Il est 20 heures et je n'ai même pas épluché une patate ! Il faut que j'y aille. Il ne sera pas content si le dîner n'est pas prêt. »

Eva cria pour couvrir sa voix affolée : « Où sont vos enfants ? »

— Chez ma mère, dit Bella qui s'était levée et arpentait nerveusement la chambre entre le lit et la porte.

— Appelez les hommes, tout de suite. Dites-leur de vous retrouver ici.

— Je n'approuve pas le vigilantisme, dit Bella.

— Il ne s'agit pas de ça. Ce sont tout simplement des membres de votre famille et des amis qui vous protègent, vous et vos enfants. Imaginez ce que serait la vie dans une maison sans lui. Allez-y, fermez les yeux et imaginez.

Bella ferma les yeux si longtemps qu'Eva crut qu'elle s'était endormie.

Puis elle sortit son téléphone et commença à appeler des numéros enregistrés.

Quand Brian revint du magasin de vins et spiritueux avec six bouteilles de vin mousseux, une caisse de Carling Black Label, un carton de rosé et deux énormes sacs de chips variées pour franchir le tournant de la nouvelle année, il découvrit à sa grande surprise un groupe d'hommes assis sur les marches de l'escalier et appuyés contre le mur dans l'entrée.

Il les salua de la tête et dit : « Vous arrivez trop tôt pour le bar ouvert. »

L'un des hommes, vêtu d'une chemise à carreaux et de bottes en caoutchouc couvertes de boue, prit la parole au nom de tous les autres : « Ma sœur nous a appelés pour qu'on l'aide à virer son mari de la maison. »

Brian dit : « Le soir du 31 décembre ? Le pauvre. C'est un peu raide, non ? »

Un homme plus jeune qui serrait et desserrait les poings répondit : « Ce salopard le mérite depuis longtemps. Déjà, le jour du mariage à l'église, je me suis retenu de lui arracher la tête. »

Un homme au visage buriné par le grand air, avec une coupe de cheveux customisée, dit : « Les gosses sont terrifiés. Mais elle ne veut pas le quitter parce qu'il a menacé de se zigouiller. Ce qui ne serait pas une mauvaise chose. »

Un homme plus vieux aux yeux fatigués, assis dans l'escalier, dit : « Le jour où il m'a demandé ma fille en mariage, j'aurais dû le balancer dans la fosse à lisier. » Il regarda Brian, un homme qu'il supposait du même âge que lui, et demanda : « Vous avez une fille ? »

Brian répondit : « Oui. Elle a dix-sept ans. »

— Qu'est-ce que vous feriez si vous saviez qu'elle était battue régulièrement ?

Brian posa la caisse de vin par terre et réfléchit en tripotant sa barbe.

Enfin, il répondit : « Je le bâillonnerais et je le ligoterais, je l'enfermerais dans le coffre de la voiture, je l'emmènerais dans une carrière que je connais, je l'attacherais à une grosse pierre avec une corde en nylon et je ferais un nœud marin. Ensuite je pousserais la pierre par-dessus le bord et j'écouterais le choc dans l'eau. Affaire réglée. »

Un homme à l'air anxieux dit : « Non, ce n'est pas possible. Où va-t-on si chacun se met à assassiner tous ceux qu'il n'aime pas ? À Mogadiscio, en moins chaud. »

Brian rétorqua : « Votre copain m'a demandé ce que je ferais, je lui ai répondu. Bon, c'est pas le tout, les gars. J'ai une fête à organiser, moi. Mais si jamais vous avez besoin des coordonnées GPS de la carrière… »

Le vieux répondit : « Merci, mais je ne crois pas qu'on en arrivera là. De toute façon, il y a toujours la fosse à lisier derrière la maison, et les cochons ont toujours faim. »

— En tout cas, je vous souhaite une bonne année à tous. Meilleurs vœux, dit Brian.

Il emporta son fardeau d'alcools dans la cuisine et commença à tout déballer sur la table. Titania essuyait déjà les verres.

Brian soupira. « Chaque fois que je rentre chez moi, je me retrouve avec les problèmes des autres sur le dos. »

À l'étage, Bella parlait avec son mari au téléphone. Il criait si fort qu'Eva n'aurait été qu'à moitié étonnée de voir l'appareil exploser. La voix de Bella tremblait quand elle dit : « Kenneth, je suis avec ma famille, juste un peu plus loin dans la rue. On arrive. » Puis elle éteignit le téléphone.

— Je ne peux pas lui faire ça, dit-elle à Eva.

— Ils s'en tirent toujours, répondit Eva, parce qu'ils sont faibles et qu'ils savent qu'on a pitié d'eux. Ils se servent de cette faiblesse pour nous manipuler. Si vous y allez tout de suite, il sera parti de la maison à 22 heures.

— Mais où ira-t-il ? gémit Bella.

— Sa mère est toujours en vie ? demanda Eva.

Bella fit oui de la tête. « Elle habite à cinq kilomètres d'ici, mais il ne va jamais la voir. »

— Eh bien, ce sera une charmante surprise pour elle le soir de la Saint-Sylvestre !

Plus tard, par la fenêtre, Eva regarda les sept hommes et Bella qui discutaient sur le trottoir.

Ils se mirent en route d'un pas décidé.

38

Eva sut qu'il était minuit grâce au son des cloches, des pétards et des fusées. Elle entendit que l'on faisait sauter des bouchons en bas et la voix de Brian tonna : « Bonne Année ! »

Elle repensa à ses nombreuses soirées du Nouvel An. Chaque fois, elle avait été déçue, espérant en vain un événement extraordinaire, magique, une fois que l'aiguille passait minuit. Mais rien ne changeait.

Elle n'avait jamais pu chanter en chœur *Ce n'est qu'un au revoir.* Elle aimait les paroles — « Formons de nos mains qui s'enlacent, Une chaîne d'amour » — et elle enviait les autres qui s'élançaient dans une joyeuse ronde, mais elle était incapable de se joindre à eux. Quand des danseurs se détachaient du cercle et venaient la chercher, elle refusait toujours.

« J'aime bien regarder », répondait-elle.

Brian, lui, se trémoussait sans retenue. « Eva ne sait pas s'amuser », disait-il.

Et c'était vrai. Le mot lui-même la rebutait. « S'amuser. » Cela évoquait une gaieté forcée, des clowns et des plaisanteries grossières. Des défilés en Corée du Nord, dans lesquels des enfants bien alignés et parfaitement synchronisés dansaient avec un sourire figé.

Elle avait faim et soif. Visiblement, on l'avait encore oubliée.

Le matin, Brian avait arpenté la rue pour convier les voisins à une soirée Maison Ouverte, distribuant un carton d'invitation qui disait (l'expression « faire un coucou » l'avait hérissée) :

Faites-nous un petit coucou ce soir.

On va bien s'amuser.

Apportez une bouteille.

Grignotage assuré, mais mangez quand même avant de venir.

Enfants sages tolérés.

Notre porte vous sera ouverte à partir de 21 heures.

P.-S. : Le Dr Brian Beaver vous emmènera visiter son observatoire et, selon le seeing *de coupole (conditions atmosphériques/couverture nuageuse pour les non-astronomes), il sera possible de voir Saturne, Jupiter, Mars, et peut-être aussi certaines planètes mineures.*

Yvonne avait offert à Eva une adorable cloche de temple provenant de Bali, achetée à Homebase, afin de lui permettre de communiquer avec les autres personnes dans la maison, mais Eva ne pouvait se résoudre à l'utiliser. L'idée d'ordonner qu'on se plie à ses besoins lui répugnait. Elle attendrait que quelqu'un pense à elle et lui apporte à manger. De l'autre côté de la cloison, les jumeaux marmonnaient et pianotaient sur leur ordinateur portable à une vitesse prodigieuse. Un rire fusait de temps à autre, ou des « Trop fort ! ».

Elle entendit sa mère et Yvonne monter l'escalier.

« J'hésite à aller le montrer au docteur, dit Ruby. C'est peut-être un petit kyste de rien du tout. »

Yvonne déclara : « Comme vous le savez, Ruby, j'ai été secrétaire médicale pendant trente ans. Je sais faire la différence entre un kyste et une vilaine chose. »

Eva les entendit entrer ensemble dans la salle de bains.

Ruby ne semblait pas sûre d'elle, pour une fois. « Est-ce que j'enlève mon corset, mon bustier et mon soutien-gorge ? »

Yvonne répliqua : « Mon regard ne traverse pas les vêtements, que je sache. Allons, ne soyez pas pudique. J'ai vu des centaines de nichons. »

Il y eut un silence, rompu par le babil nerveux de Ruby. « Vous croyez qu'Eva fait une dépression nerveuse ? »

Yvonne donna ses instructions : « Levez le bras au-dessus de la tête et ne bougez plus… Oui, c'est une dépression. Je l'ai dit dès le premier jour. »

Encore un silence.

Puis Eva entendit Yvonne conclure : « Rhabillez-vous. »

Ruby demanda : « Alors ? Qu'est-ce que vous en pensez ? »

— Je crois que vous devriez passer une radio. Il y a une grosseur de la taille d'une noix. Vous l'avez découverte il y a combien de temps ?

— Je n'ai pas le temps d'aller poireauter à l'hôpital.

Ruby baissa la voix. « Il faut que je m'occupe *d'elle*. »

Eva se demanda si elle faisait *réellement* une dépression.

Quelques années auparavant, Jill — une de ses collègues à la bibliothèque — s'était mise brusquement à parler toute seule et à se plaindre d'être malheureuse avec son mari Bernie Ecclestone*. Puis elle entreprit de jeter tous les livres à couverture rouge par terre, sous prétexte qu'ils l'espionnaient et transmettaient des messages au

* Célèbre homme d'affaires britannique, patron de la Formule 1.

MI5. Elle traita tous ceux qui l'approchèrent d'agents du système. Un imbécile appela les gardiens et voulut l'entraîner de force vers une issue de secours. Elle se débattit comme une bête sauvage, mordant, griffant, rugissant, et s'enfuit dans un jardin public en bordure de l'université.

Eva et les gardiens la suivirent. Les hommes, gros et lourds, furent bientôt hors d'haleine, mais Eva réussit à la rattraper. Jill s'était jetée face contre terre sur la pelouse et s'accrochait à l'herbe en disant: «Aidez-moi! Si je lâche prise, je vais être emportée par le courant.»

Il parut à Eva que la meilleure solution était de s'asseoir gentiment sur le dos de Jill pour la plaquer au sol. Quand les gardiens essoufflés approchèrent, Jill se mit à hurler et se débattit de nouveau. Une voiture de police entra en trombe dans le parc, toutes sirènes dehors. Eva ne put rien faire de plus pour son amie. Les policiers et les gardiens parvinrent finalement à maîtriser Jill et la voiture l'emmena.

Quand Eva eut le droit de lui rendre visite à l'hôpital psychiatrique, elle ne la reconnut pas. Jill était assise sur une chaise en plastique, dans une pièce nue, et se balançait doucement d'avant en arrière. Les autres patients firent peur à Eva. Le bruit de la télévision était insupportable.

«On est vraiment à *l'asile d'aliénés*, ici», pensa-t-elle.

En ressortant dans les jardins de l'hôpital, elle se dit: «Je préférerais mourir plutôt qu'être envoyée dans un endroit pareil.»

Bien des années plus tard, après avoir assisté à une représentation de *Marat/Sade* donnée par la troupe de théâtre amateur de l'université, dans laquelle Brian jouait un dément des plus convaincants, elle fut longtemps hantée par la pensée que la folie rôdait quelque part, jamais très loin, attendant de se glisser subrepticement dans votre tête pendant que vous dormiez, et de vous engloutir.

Eva s'endormit malgré tout. En s'éveillant, elle fut surprise de voir Julie, sa voisine, assise dans le fauteuil à la soupe.

« Je t'ai regardée dormir, dit Julie. Tu as ronflé. Je suis venue pour te souhaiter une bonne année, et aussi pour m'échapper de cette maison de dingues que j'appelle "chez moi". Je vais craquer, Eva. Ils ne m'écoutent plus. Ils n'ont plus aucun respect pour moi. On a dépensé une fortune pour leurs cadeaux de Noël. Steve a acheté aux grands une PlayStation chacun et une télévision pour Scott. Comme ça, il pourra regarder ses dessins animés pendant qu'il s'endort. Ils ont reçu un gros sac plein de jouets apportés par le Père Noël et ils en ont déjà cassé la moitié. Steve n'a qu'une envie, c'est de retourner au boulot, et moi aussi. »

Eva, que la faim rendait irritable, dit : « Pour l'amour du ciel, Julie, s'il te font tourner en bourrique, tu n'as qu'à confisquer leurs PlayStation et les enfermer dans un placard jusqu'à ce qu'ils apprennent à te respecter ! Steve est un adulte de sexe masculin, tu pourrais peut-être le lui rappeler. Ce ton cajoleur qu'il prend pour leur parler, ça ne marche pas. Il est capable d'élever la voix, de temps en temps ? »

— Seulement quand il regarde le foot à la télé.

Eva continua : « Steve et toi, vous avez peur de les gronder parce que vous croyez qu'ils ne vous aimeront plus. » Elle termina en rugissant : « Vous vous trompez ! »

Julie fit un bond et agita les doigts devant son visage comme pour s'éventer. Eva s'en voulut d'avoir crié si fort. Ni l'une ni l'autre ne savaient plus quoi dire.

Julie regarda les cheveux d'Eva d'un œil critique.

— Tu veux que je te fasse une coupe et une retouche des racines ?

— Quand les garçons seront retournés à l'école, d'accord ? Excuse-moi d'avoir crié, Julie, mais j'ai tellement faim. Tu veux bien aller me chercher quelque chose à manger ? Ils ont tendance à m'oublier.

— Ou alors ils espèrent que la faim t'obligera à te lever ! dit Julie.

Une fois Julie repartie dans son foyer anarchique, Eva se prit à s'apitoyer sur elle-même et souhaita presque être au rez-de-chaussée en train de picorer dans le buffet. Elle entendit Brian crier : « *Brown Sugar* ! Viens danser, Titania ! »

Quand la musique commença, elle les imagina se dandinant dans la cuisine et chantant avec les Rolling Stones.

39

C'était le Premier de l'an. Brian et Titania faisaient l'amour depuis le début de l'après-midi. Brian avait pris du Viagra à 14 h 15 et ne faiblissait pas.

De temps en temps, Titania gémissait « OMG ! ». Mais en vérité, elle en avait assez. Brian avait exploré la plupart de ses orifices et elle était contente pour lui, mais elle avait des choses à faire et des gens à voir. Elle pianota distraitement sur son dos, ce qui eut pour seul résultat de l'éperonner et, sans avoir vu venir le coup, elle se retrouva la tête en bas, manquant d'étouffer dans les oreillers en plumes de canard. Elle dut se débattre pour chercher de l'air. « OMG ! cria-t-elle. Tu essaies de me tuer ou quoi ? »

Brian s'interrompit pour reprendre son souffle, puis dit : « Écoute, Titania. Tu ne voudrais pas plutôt crier "Oh my God !" comme avant ? OMG, ça le fait pas pour moi. »

Titania, toujours la tête en bas et les jambes dressées contre le mur, dit : « On est comme deux buffles attelés ensemble qui font tourner une roue pendant des heures. Tu as pris combien de pilules ? »

— Deux, répondit Brian.

— Une seule aurait suffi, se plaignit Titania. J'aurais déjà fini ton repassage à l'heure qu'il est.

Brian fit un effort surhumain, convoquant toutes les images dont il se servait depuis des années : la poitrine pigeonnante de Miss Fox, qui lui enseignait la physique au collège Cardinal Wolsey ; des Françaises couchées en monokini sur une plage près de Saint-Malo ; la femme qu'il avait vue lécher un cornet de crème glacée derrière la boulangerie, avec un nuage blanc au bout de la langue.

Rien ne marchait. La bataille acharnée se poursuivit.

Titania ne cessait de regarder sa montre. Sa tête et son torse avaient à présent basculé hors du lit. Elle aperçut ses chaussettes qu'elle croyait perdues sous la commode. « OMGIH* ! cria-t-elle. Encore combien de temps ? »

Brian chuchota d'une voix lubrique : « Si on faisait semblant d'être en colère ? »

Titania explosa : « J'ai pas besoin de faire semblant, moi, je *suis* en colère ! J'en ai ras le bol ! Tu m'emmerdes ! Si tu me lâches pas bientôt, je te... »

Elle n'eut pas besoin de terminer sa phrase. Brian éjacula si violemment et si bruyamment que Ruby, penchée sur une bouche d'évacuation des eaux dans le jardin pour rincer au jet la tête d'un vieux balai à l'odeur fétide, crut qu'il avait recueilli des animaux sauvages dans sa remise.

Rien ne pouvait plus la surprendre. Elle avait pensé autrefois que le comble de la bêtise était d'acheter de l'eau en bouteille provenant d'Islande pour une livre soixante-dix — surtout quand l'eau coulait bien froide au robinet. Mais elle s'était trompée.

À son insu, pendant qu'elle avait l'esprit ailleurs, tout le monde était devenu fou sur cette terre.

---

* « Oh My God In Heaven » (au Ciel).

Alexander entra dans la maison — la porte n'était pas fermée à clé depuis quelque temps — et cria : « Bonjour ! »

Personne ne répondit sauf Eva.

Il s'engagea dans l'escalier, répétant à l'avance les paroles qu'il allait prononcer. Il y avait longtemps qu'il n'avait pas déclaré son amour à une femme.

— Bonne année, dit Eva. Vous avez l'air frigorifié.

— Oui, j'ai froid, répondit-il. Et bonne année à vous aussi. Je suis allé peindre au parc de Beacon Hill. Je n'avais encore jamais essayé de peindre un paysage sous la neige. C'est incroyable, le nombre de nuances de blanc qu'il peut y avoir dans la neige. Le résultat est une horrible croûte. En revenant, j'ai croisé Ruby sur la route et je l'ai raccompagnée chez elle. Elle m'a raconté que Brian et Titania faisaient beaucoup de bruit dans la remise en imitant des cris d'animaux.

— J'entends déjà les voisins tailler leurs crayons pour signer une pétition.

Ils rirent.

Eva reprit : « Ils ont une relation bizarre, tous les deux. »

— Au moins, ils en ont une.

— Mais on ne dirait même pas qu'ils s'aiment bien.

Alexander dit : « Je vous aime bien, Eva. »

Eva répondit, en soutenant son regard : « Moi aussi, Alex. Je vous aime bien. »

L'espace qui les séparait devint fragile, comme si leur respiration avait gelé et risquait de se briser en menus morceaux à la moindre fausse note.

Eva se mit à genoux à la fenêtre pour examiner la neige. « Il y a une bonne couche toute fraîche… parfaite pour les bonshommes de neige, la luge. J'adorerais… »

Elle s'interrompit, mais déjà il la suivait dans son idée. « C'est possible, Eva ! Vous pourriez dévaler une pente avec vos bras autour de ma taille. J'ai une luge dans la camionnette. »

Eva dit : « N'essayez pas de me sortir du lit, vous aussi ! »

Alexander répondit : « Il y a quelques années de ça, je faisais tout ce que je pouvais pour attirer une femme *dans* un lit. »

Elle sourit. « Je crois que ma première résolution pour la nouvelle année, c'est de n'avoir aucun homme dans ma vie. »

— Dommage. Je suis venu vous dire que je vous aimais.

Eva recula au fond du lit, contre le mur.

Alexander demanda : « Est-ce que j'ai mal interprété ? »

Elle répondit avec prudence, pour ne pas le blesser. « Ou bien c'est moi qui ai émis le mauvais signal… Comme dit le chef de gare qui vient de se faire renvoyer. »

— Ce sont peut-être nos signaux à tous les deux qui passent mal. Si je disais simplement ce que j'éprouve ?

Elle acquiesça.

— Je t'aime, Eva, dit-il. J'ai envie de vivre avec toi le restant de ma vie. Tu ne serais pas obligée de te lever. Je pousserais ton lit pour aller faire des courses chez Sainsbury's, je t'emmènerais à Glastonbury.

Elle fit non de la tête. « Non, je ne veux pas entendre ça. Je refuse d'être encore responsable du bonheur de quelqu'un. Je ne suis pas douée pour ça. »

Alexander dit : « Je m'occuperai de toi. On peut quand même être ensemble… Je m'assoierai au lit avec toi. Je serai Yoko et toi John, si tu préfères. »

— Tu as des enfants, et moi aussi. En plus, tu sais sûrement que Brianne est amoureuse de toi. Je ne voudrais pas l'avoir comme *rivale.*

— Ce n'est qu'une gamine. Ça lui passera. L'amour de sa vie, c'est Brian Junior.

— Je n'ai aucune envie de devoir gérer à nouveau un quotidien avec de jeunes enfants.

Il dit d'une voix stupéfaite qui montait d'une octave : « Tu n'aimes pas mes gosses ? »

— Ils sont adorables et très drôles, répondit Eva. Mais je ne veux plus élever d'enfants. Je ne supporte pas de voir leur désillusion quand ils découvrent dans quel monde ils vivent.

— Il arrive des saloperies, dit Alexander, mais c'est quand même un monde fantastique. Si tu avais vu le soleil qui brillait sur la neige ce matin… et les arbres, avec la glace qui gouttait des branches comme une pluie d'argent…

Eva dit : « Désolée. »

— Je peux m'allonger à côté de toi ?

— Sur la couette.

Il enleva ses bottes mouillées et les posa sur le radiateur. Puis il s'étendit près d'elle.

Il n'y avait aucune lampe allumée. Le soleil était couché, mais les contours de la chambre se dessinaient dans la clarté renvoyée par la neige. Main dans la main, ils contemplèrent le plafond. Ils parlèrent de leurs amours anciennes, de l'épouse morte et du mari actuel. La pièce était chaude, la lumière tamisée. Ils s'endormirent, étendus côte à côte comme deux gisants de marbre.

Quand Brianne rentra, après avoir utilisé ses chèques-cadeaux John Lewis pour acheter un carnet d'aquarelles à l'intention d'Alexander, elle poussa la porte de la chambre d'Eva et vit sa mère endormie sur la couette.

Il y avait un mot sur l'oreiller. Elle l'emporta sur le palier pour le lire. La main d'Alexander avait écrit :

Chère Eva,

Aujourd'hui a été un des plus beaux jours de ma vie. La neige était magique, et cet après-midi, allongé près de toi, je me suis senti heureux comme cela ne m'était pas arrivé depuis longtemps.

Nous nous aimons, j'en suis certain. Mais je ne te solliciterai plus.

Pourquoi tout ce qui touche à l'amour est-il si douloureux ?

Alex

Brianne emporta le mot dans sa chambre, le déchira et cacha les minuscules fragments au fond d'un paquet de chips vide qu'elle récupéra dans la poubelle.

40

Brian et Titania étaient en train de dîner, tard la nuit, après une longue séance d'observation astronomique. Les conditions étaient parfaites, et ils avaient vu maintes merveilles et étoiles extraordinaires dans le ciel d'hiver qu'aucun nuage n'obscurcissait. Ils éprouvaient toujours une émotion intense devant la réalité que seul un télescope pouvait révéler. Les écrans du Centre spatial ne rendaient pas compte de l'incontestable beauté de l'univers.

Tout en rongeant une côtelette d'agneau froide, Brian dit : « Tu as été formidable ce soir, Tit. Tu l'as bouclé la plupart du temps, et tu as repéré une étoile variable que personne n'a encore jamais recensée, j'en suis sûr. »

Titania piqua une olive farcie dans le bocal avec sa fourchette. Elle ne s'était pas sentie aussi heureuse depuis longtemps. Elle désirait ardemment que Brian avance, qu'il accomplisse de grandes choses. Il se consacrait totalement à son travail, maintenant qu'Eva ne le freinait plus en lui demandant — comme Titania le soupçonnait — d'assumer sa part de responsabilité dans l'éducation des enfants. Pauvre Brian, il n'avait jamais pu finir son livre, *Les Objets géocroiseurs*, à cause des exigences de sa femme. Mrs Churchill insistait-elle pour que son mari mette la table pendant qu'il dirigeait un pays en guerre ?

Elle tendit la main vers lui.

Brian dit : « Quoi ? »

Titania murmura : « Donne-moi la main. »

Il demeura sur la réserve. « Je dois te prévenir, Tit. Je suis toujours à moitié amoureux de ma femme. »

Titania recula sa main. « Ça veut dire que tu m'aimes à moitié ? »

Brian répondit : « Mes synapses ont l'habitude de vivre avec Eva Beaver depuis vingt ans. Il va leur falloir du temps pour s'adapter à toi, Tit. »

Titania pensa : « Il finira par m'aimer. Je serai l'amante parfaite, la collègue parfaite, l'amie parfaite. Je repasserai ses putains de chemises. »

Plus tard, au lit, ils parlèrent de leur enfance et de la première fois qu'ils avaient pris conscience des étoiles. Brian raconta : « J'avais sept ans, j'étais couché sur le dos dans le jardin de ma grand-mère dans le Derbyshire. C'était le crépuscule et les étoiles ont commencé à apparaître, presque l'une après l'autre. Puis le ciel a viré lentement du bleu foncé au noir. Les étoiles étaient comme un brasier. Le lendemain, à l'école, j'ai demandé à Mrs Perkins comment elles restaient accrochées. Pourquoi ne tombaient-elles pas ? Elle m'a expliqué que c'étaient des soleils et qu'elles tenaient en place grâce à quelque chose qui s'appelait la gravité. C'est là que j'ai eu ma première vision, mon esprit est complètement parti… À l'heure de la sortie, elle m'a donné un livre, *Le Livre de la nuit*, aux éditions La Coccinelle. Je l'ai toujours. Et je veux être enterré avec — dans la Vallée de la Mort, au Nevada. »

— Pour le *seeing*? demanda Titania.

Elle fut récompensée : Brian posa un bras sur son épaule dodue et prit son sein droit dans la main. Elle continua : « Moi, je sortais la nuit avec un papier d'emballage de Milky Way* et j'essayais de retrouver l'illustration dans le ciel. J'adorais ces barres au chocolat, parce que la pub les présentait comme quelque chose de sain qu'on pouvait manger entre les repas. »

Brian rit : « Les rares fois où le ciel était dégagé à Leicester, quand je voyais la Voie lactée, j'étais bouleversé. Je me sentais vraiment tout petit. » Il poursuivit sur un ton doctoral : « Enfin, je n'ai pas été bouleversé tout de suite. Seulement quand j'ai compris que la Voie lactée était le bras spiral de notre galaxie. »

— Galaxy, hmm, ça aussi c'était bon ! dit Titania, encouragée par cet échange avec Brian qui ressemblait à une conversation entre camarades. Intéressant, non, toutes ces friandises qui font référence à l'espace ? Mais Milky Way était la plus « morale » aux yeux de nos parents. Tiens, ce serait un chouette nom pour ce que ta femme appelle le Chemin blanc.

Mais Brian n'écoutait déjà plus les « gargouillis » de Titania, comme il disait. Il pensait à Mars. Le fleuron des barres chocolatées.

Titania reprit : « Tu crois qu'elle est folle, Bri ? Cliniquement folle ? Il y a le drap pour aller aux cabinets... et maintenant, elle parle toute seule. Si c'est le cas, on devrait la faire diagnostiquer. Même hospitaliser, peut-être — pour son bien. »

Brian n'aimait pas le « on » de Titania. Il répondit du bout des lèvres : « C'est difficile à dire, avec Eva. » Il répugnait à critiquer sa femme devant sa maîtresse. Il pensa au beau visage d'Eva puis regarda Titania. Aucune comparaison possible, côté look. « Elle ne parle pas toute

* *Milky Way* signifie « voie lactée ».

seule, dit-il, elle récite les poèmes qu'elle a appris par cœur à l'école. »

Brian éteignit la lampe de chevet et ils se turent, attendant le sommeil.

Une demi-heure plus tard, ils ne dormaient toujours pas.

Titania préparait en esprit son mariage avec Brian. Ce serait une réception traditionnelle. Elle porterait une tenue en soie ivoire.

Brian se demandait s'il supporterait de vivre avec Titania, une femme qui se tapait un sac entier de Maltesers *tous les soirs.* Il ne lui reprochait pas de les manger, mais il détestait la façon qu'elle avait d'en prendre plusieurs dans la bouche.

Il entendait les bonbons rouler contre ses dents.

41

Le 6 janvier, avant de repartir à Leeds, les jumeaux étaient assis dans le foyer des étudiants de l'université de Leicester où ils buvaient un Coca Light.

« Tu peux pas comprendre, dit Brianne. T'as jamais été amoureux. »

Ils attendaient de participer à une compétition de mathématiques qui se tenait dans les locaux de l'université. La coupe Norman-Lamont n'attirait qu'un petit nombre de ressortissants britanniques, et la plupart des concurrents ne parlaient pas anglais.

Brian Junior répliqua : « D'accord, je manque d'expérience personnelle, mais j'ai lu des bouquins sur le sujet. Et pour être honnête, je trouve que l'amour romantique n'apporte pas grand-chose. »

— C'est une souffrance physique, dit Brianne.

— Seulement s'il n'est pas partagé, comme celui que tu éprouves pour Alexander.

Brianne se tapa la tête contre la table en plastique. « Mais pourquoi il ne m'aime pas ? »

Brian Junior réfléchit. Brianne attendit patiemment. Ils respectaient tous deux le processus qui consiste à convertir une pensée précise en un énoncé clair.

Enfin, Brian Junior répondit : « Parce que, un, il est

amoureux de maman. Deux, tu n'es pas quelqu'un qu'on peut aimer, Brianne. Et trois, tu n'es même pas jolie. »

Brianne dit : « C'est vraiment agaçant que ce soit toi qui aies hérité des gènes de maman. La beauté physique, j'entends. »

Brian Junior acquiesça. « Et toi, tu as reçu la virilité intimidante de papa. J'aimerais bien avoir ça. »

— Pourquoi tu ne peux pas juste *dire* : « Regardez-moi, je suis un gros costaud » ? demanda Brianne.

Les haut-parleurs annoncèrent : « Les participants du niveau un sont attendus dans l'amphithéâtre David Attenborough. »

Sans bouger, les jumeaux regardèrent la majorité des concurrents se diriger vers l'amphithéâtre, à la manière de passagers de première classe jetant un œil dédaigneux sur les hordes de la classe économique qui traînent leurs valises bon marché et leur marmaille vers la porte d'embarquement.

C'était un moment que les jumeaux savouraient toujours. Ils s'exclamèrent en chœur : « Nul ! » et se tapèrent dans la main.

Les autres concurrents demeurés assis relevèrent les yeux de leurs ordinateurs avec angoisse. Les jumeaux Beaver formaient une équipe redoutable.

Brianne demanda à son frère : « Tu crois qu'on trouvera des brebis égarées qui nous aimeront, Bri ? »

— Qu'est-ce que ça peut faire ? On sait que nous deux, on sera ensemble toute la vie, comme les cygnes.

42

Il était 3 heures du matin. Une heure où la mort emportait les gens fragiles. Eva montait le guet. Elle vit les renards traverser tranquillement la rue, tels des passants dans une voie commerçante. D'autres animaux de petite taille se promenaient aussi, qu'elle ne reconnut pas.

Un taxi noir tourna le coin de la rue et s'arrêta devant la maison. Le chauffeur descendit. C'était un homme de forte constitution. Il sonna à la porte.

Eva pensa : « Qui a bien pu appeler un taxi à cette heure ? »

Au bout d'un moment, la sonnette retentit à nouveau.

Elle entendit Poppy se précipiter dans l'entrée pour ouvrir, en criant : « OK, OK, j'arrive ! »

Il y eut une altercation à la porte — les inflexions haut perchées de Poppy et le grondement sourd d'une voix d'homme.

Poppy s'écria : « Vous ne pouvez pas entrer. Elle dort ! »

L'homme insista : « Non, elle ne dort pas. Sa chambre est éclairée et je l'ai vue à la fenêtre. Il faut absolument que je lui parle. »

Poppy dit : « Revenez demain. »

— Je ne peux pas attendre jusqu'à demain, répondit l'homme. J'ai besoin de la voir tout de suite.

Poppy hurla : « Vous ne pouvez pas entrer ! Allez-vous-en ! »

— S'il vous plaît, supplia l'homme. C'est une question de vie ou de mort. Écartez-vous de là…

— Ne me touchez pas ! Je vous interdis… Ne me touchez pas !

Eva était raide de peur, en proie à une atroce culpabilité. Il fallait qu'elle descende affronter elle-même cet homme, mais, ayant balancé les jambes pour se lever, elle ne put se résoudre à poser les pieds par terre. Pas même pour sauver Poppy. Aurait-elle été capable de courir à la porte, se demanda-t-elle, si les jumeaux s'étaient trouvés face à un danger similaire ?

« Désolé, désolé, mais il faut que je la voie. »

Eva entendit un lourd martèlement dans l'escalier. Ramenant vivement ses jambes, elle se glissa sous la couette et la remonta jusqu'à son menton comme un enfant qui a fait un cauchemar, puis attendit anxieusement que l'homme entre dans la chambre.

Il surgit brusquement devant elle, clignant des yeux dans la lumière. Il avait le visage éreinté de quelqu'un qui travaille la nuit, une barbe qui lui bleuissait les joues et des cheveux ternes dont il repoussa une mèche derrière ses oreilles. Ses vêtements étaient froissés et négligés. Il respirait avec bruit.

Eva se dit : « Je ne dois pas le contrarier. Il faut que je reste calme. Il est visiblement perturbé. » Elle l'examina pour voir s'il portait quelque objet qui pouvait être utilisé comme une arme. Il avait les mains vides. « Vous êtes Eva Beaver, hein ? »

Eva sortit le menton de la couette et demanda : « Qu'est-ce que vous voulez ? »

— Les autres chauffeurs parlaient de vous. Ils ne savent pas qui vous êtes, mais ils vous voient à la fenêtre la nuit et, d'après certains, vous seriez une prostituée. Moi, j'ai jamais pensé ça. Et puis un des frères de Bella m'a raconté que vous les aviez aidés.

— Bella Harper ? fit Eva.

— Oui. Il a dit que vous donniez des conseils gratuits, vingt-quatre heures sur vingt-quatre. Et que vous étiez une sainte.

Eva rit. « Il vous a mal renseigné. »

Poppy s'était empressée de réveiller les jumeaux. Ils déboulèrent dans la chambre d'Eva ; Brian Junior, armé de sa vieille batte de cricket et les yeux écarquillés de peur, Brianne derrière lui, bâillant et clignant des yeux avec un air de martyre.

Brian Junior lâcha d'une voix menaçante : « Sortez de la chambre de ma mère ! »

— Je ne lui veux pas de mal, fiston, dit le chauffeur de taxi. J'ai juste besoin de lui parler.

— À 3 heures du matin ? ironisa Brianne. Pourquoi ? C'est la fin du monde ? Ou quelque chose d'encore plus important ?

L'homme tourna vers Eva des yeux tellement désespérés qu'elle dit : « Je ne connais pas votre nom... »

— Barry Wooton.

— Moi, c'est Eva. Asseyez-vous, je vous en prie.

Puis elle ajouta à l'intention des jumeaux : « Ça va aller, retournez vous coucher. »

Brian Junior dit : « Non, on reste. »

Barry s'assit dans le fauteuil taché de soupe et ferma les yeux. « J'arrive pas à croire que je suis ici. »

Poppy, qui essayait désespérément de gagner les bonnes grâces d'Eva, demanda : « Quelqu'un voudrait une tasse de thé ? »

Brianne grommela : « Parfois, je trouve que papa a raison. C'est quoi ce délire avec le thé dans ce pays ? »

— Moi, je veux bien, dit Eva.

— Oui, moi aussi, dit le chauffeur de taxi. Pas trop de lait, deux sucres.

Brian Junior déclara : « Un thé vert, et je le bois ici. » Il s'appuya contre le mur et frappa sa batte de cricket contre sa paume avec un bruit sec.

Brianne portait un pyjama appartenant à son père qui lui allait très bien. Elle s'assit sur le lit et passa un bras protecteur autour de la taille de sa mère.

Poppy dit : « Il faut que je prévienne Brian et Titania ? »

— Sûrement pas, répondit Eva.

Barry contempla ces visages inconnus autour de lui. « C'est pas mon habitude de faire ce genre de choses, dit-il. Je m'étonne moi-même. Mais chaque fois que je passe devant chez vous, Mistress Beaver, ça me titille de m'arrêter et de frapper à votre porte. »

— Pourquoi ce soir ?

— Ben, sans doute que j'avais envie de parler à quelqu'un avant de me fiche en l'air.

Brianne dit : « Charmant. Vous savez sûrement, cher Barry, que ma mère est célèbre pour son cœur d'artichaut et qu'elle essaiera de vous en dissuader. »

Brian Junior lâcha d'une voix monocorde : « Vous n'avez aucune intention de vous tuer, Barry. »

Brianne enchaîna : « Vous l'avez annoncé sur Internet ? »

— Hein ?

— C'est quasi obligatoire maintenant, Barry. Il faut faire la queue sur le Net. Vous n'êtes pas le seul qui cherche à attirer l'attention.

Eva regarda ses enfants. Que leur était-il arrivé ? D'où leur venait une telle insensibilité ?

Barry se trémoussa dans le fauteuil. Il mourait de honte. Sa langue pesait soudain lourd dans sa bouche, et il lui semblait qu'il ne serait plus jamais capable de parler. Ses yeux commencèrent à larmoyer. Il fut soulagé quand la fille à l'air bizarre revint avec trois mugs de thé et lui en tendit un. Il n'avait jamais vu personne habillé de manière aussi extravagante. Il but une gorgée de thé et se brûla la langue, mais ne dit rien de sa douleur.

Le silence était oppressant.

Enfin, Eva demanda : « Pourquoi vous voulez vous tuer ? »

Barry ouvrit la bouche pour parler, mais Brianne l'interrompit. « Je crois que je vais vous laisser et retourner au lit. Je ne supporterai pas d'entendre tous les clichés qui se bousculent en ce moment précis dans la tête de Barry et qui vont bientôt arriver dans sa boîte vocale puis en sortir. »

Brian Junior dit : « T'es pas bien dans ta tête, Barry. »

Brianne enfonça dédaigneusement les mains dans les poches de son pyjama et partit vers sa chambre.

Eva dit : « Poppy, va te recoucher. »

Poppy sortit en boudant.

Barry n'arrivait pas à se prononcer : la grande fille à la tignasse brune l'avait-elle insulté, oui ou non ? Il ne s'était pas attendu à trouver du monde en venant parler à cette femme, Eva. Il n'avait fait qu'empirer les choses, pensa-t-il. On lui avait manqué de respect, il s'était brûlé la langue, il avait raté plusieurs courses, et il se rappelait seulement maintenant que le train rapide sous lequel il prévoyait de se jeter ne partait pas de Sheffield avant 5 heures du matin. Il avait donc trois heures à perdre.

« Comme d'habitude, pensa-t-il. J'ai tout fait foirer. Mon existence n'est qu'une somme de choses perdues, cassées, volées, trouvées sur moi. » Il n'avait jamais pu apprendre les règles de la vie, alors que tous les autres — hommes, femmes, enfants, animaux — les connaissaient. Il était toujours à la traîne, parfois au sens littéral du terme, à crier: « Attendez-moi ! » Il n'était pas fichu de draguer, sauf les femmes que ses copains avaient jetées.

Une fille lui avait dit une fois: « Sérieux, Barry, tu pues. Et pas qu'un peu. »

Depuis, il prenait deux bains par jour — il n'avait pas de douche chez lui. Mais se laver demandait beaucoup de temps et sa facture d'eau chaude avait doublé. Il gagnait moins d'argent ces derniers temps — les gens ne sortaient plus la nuit ou ne donnaient pas autant de pourboires. Parfois, il ne couvrait même pas ses frais d'essence. Il n'avait pas de famille. Après sa bagarre avec le mari de sa sœur pendant la réception du mariage, sa mère avait déclaré d'un ton théâtral: « Tu n'es plus mon fils. À partir de maintenant, pour moi, tu es mort. » Pour être honnête, il avait pris du plaisir à mettre une trempe à ce branleur sur la piste de danse. Il ne laissait personne traiter sa sœur de salope. Mais même *elle* s'était retournée contre lui. La journée, quand il essayait de dormir, il se repassait inlassablement l'altercation dans sa tête. Il était si fatigué, et pourtant le sommeil le fuyait…

Eva dit: « Vous avez l'air épuisé. »

Barry hocha la tête. « Je le suis. Et j'ai des soucis. »

— Par exemple ?

— Je me demande si je souffrirai quand le train me passera sur le cou. C'est ce qui m'inquiète le plus. Ça fera sûrement mal avant que je clamse.

Eva dit: « Il y a des méthodes plus faciles, Barry. Et puis pensez au conducteur du train. Il aura votre mort sur la conscience pour le restant de ses jours. Les passagers, eux, n'y verront qu'une heure de retard, le temps qu'on retrouve votre tête et vos membres sur les rails. Imaginez un parfait étranger se promenant avec votre tête décapitée dans un sac Tesco. »

Brian Junior demanda : « C'est comme ça que ça se passe ? »

— J'ai vu un documentaire, répondit Eva.

— Alors, vous ne me conseillez pas le train ?

— Non, dit Eva. Sûrement pas le train.

Barry suggéra : « J'ai pensé à la pendaison. J'ai une poutre… »

— Non, dit catégoriquement Eva. Vous pourriez vous balancer plusieurs minutes au bout de la corde. En étouffant. Ça ne brise pas toujours la nuque, Barry.

— Oui, c'est vrai. On élimine… Qu'est-ce que vous pensez de la noyade ?

— Non. J'ai une amie qui s'appelle Virginia Woolf, mentit Eva, elle a rempli ses poches de pierres et est partie dans la mer.

Barry demanda : « Ça a marché ? »

— Non, répondit Eva, mentant à nouveau. Et maintenant, elle est contente que ça ait raté.

— Et le paracétamol ? dit Barry.

— Pas mal, répondit Eva, mais si vous ne mourez pas, vous risquez de vous empoisonner le foie et de succomber quinze jours plus tard dans d'atroces souffrances. Ou de vous bousiller les reins et de finir dialysé. Quatre heures par jour, cinq fois par semaine, à regarder votre sang tourner dans des tubes en plastique.

Barry fit remarquer : « À côté de ça, vivre paraît facile. » Il partit d'un petit rire sans joie.

Brian Junior proposa d'un air morose : « Je pourrais vous défoncer la tête avec ma batte de cricket. »

Barry rit encore. « Non merci, je préfère pas. »

— Alors autant rester en vie, Barry, dit Eva. Quels sont vos autres soucis ?

— Comment se faire de vrais amis, répondit Barry.

Eva demanda : « Vous fumez ? »

Il secoua la tête. « Non, c'est une sale habitude. »

— Vous devriez vous y mettre. Ainsi, vous pourriez vous joindre aux petits groupes qui fument sur le trottoir devant les pubs et les clubs. Vous feriez partie d'une minorité méprisée, unie par une puissante solidarité. Vous vous feriez vite des amis. Et vous ne seriez pas obligé de fumer pour de vrai, il vous suffirait d'allumer les cigarettes et de les tenir entre vos doigts.

Barry eut l'air sceptique.

— L'idée ne vous plaît pas ? dit Eva.

— Pas trop.

Eva lâcha avec agacement : « Alors, achetez un chien. »

Brian Junior demanda : « Vous avez un ordinateur, mec ? »

Barry était enchanté de s'entendre appeler « mec ». Ça ne lui était encore jamais arrivé. « Oui, j'ai un portable, mais je ne m'en sers que pour regarder des DVD. »

Brian Junior était scandalisé. « Je rêve ! C'est comme tremper un orteil dans l'eau au lieu de nager. Il existe un autre monde, Barry. Et je ne vous parle pas de naviguer en pro sur le Web. Même un débutant peut avoir accès à des trucs dingues, des trucs qui bouleverseront votre vie. Il y a des millions de mecs comme vous en ligne, avec qui vous pourriez vous connecter. En deux ou trois jours, vous verriez votre vie d'un œil complètement différent. Il y a des gens qui ont envie d'être votre ami. »

— Je ne saurais pas me débrouiller, dit Barry. J'ai le manuel qui va avec l'ordinateur, mais c'est rien que du charabia pour moi.

Brian Junior l'encouragea : « C'est facile ! Vous avez juste à appuyer sur quelques touches et hop... Internet, le monde entier, s'ouvre à vous. »

— Quelles touches ?

Brian Junior commençait à trouver Barry franchement lourd. « Je pourrais vous montrer deux ou trois astuces, vous emmener sur des sites, mais ne me demandez pas de vous suivre dans ces conneries de suicide à l'eau de rose. Je veux bien vous aider, mec, mais je ne supporte plus d'entendre ces jérémiades : "Je suis gros, j'ai des dents pourries, j'ai pas d'amis, aucune fille à inviter pour le bal de fin d'année." C'est bon, on connaît la rengaine. »

Barry se passa la langue sur ses dents abîmées.

« N'écoutez pas Brian Junior ni sa sœur, dit Eva. Ils vivent dans un tout petit monde qui s'appelle Internet, où le cynisme est la norme et où la cruauté a remplacé l'humour. »

Brian Junior concéda : « C'est vrai, incontestablement. »

Eva reprit : « Je peux vous donner des conseils pratiques, si vous voulez. »

Barry hocha la tête. « Je prends tout ce qu'y a à prendre. »

— Quand vous êtes dans le bain, dit Eva, lavez-vous les cheveux, rincez-les bien, et appliquez une crème après-shampoing. Allez chez le coiffeur pour vous faire faire une coupe moderne. Et vos vêtements… Ne choisissez pas ces couleurs layette. Vous n'êtes pas un animateur télé pour enfants.

Penché en avant, la bouche entrouverte, Barry écoutait attentivement.

Eva poursuivit : « Trouvez un bon dentiste conventionné et faites-vous soigner ces vilaines dents. Et quand vous parlez aux femmes, rappelez-vous : la conversation, c'est comme le ping-pong. Vous dites quelque chose, elle dit quelque chose. Ensuite vous rebondissez sur ce qu'elle a dit et elle renvoie la balle. Vous lui posez une question, elle répond. Vous pigez ? »

Barry acquiesça.

« Procurez-vous un bon déodorant vingt-quatre heures. Et souriez, Barry. Montrez-lui ces nouvelles dents. »

Barry dit : « Je devrais écrire tout ça. »

Brian Junior prenait goût à son rôle de coach IT. « Pas la peine. Il y a des sites web pour les losers. Et un guide à l'usage des coincés. Avec des tas d'infos super utiles. Par exemple, pour apprendre à marcher dans la rue sans faire peur aux gens : évitez de croiser le regard des femmes qui approchent, et ne marchez jamais derrière une femme la nuit. Pour la bouffe : ne commandez pas de spaghettis lors d'un premier rendez-vous galant. Pour les fringues : quelle couleur de chaussettes porter avec des chaussures marron. Renoncez *à tout jamais* aux chaussures grises, quelle que soit l'occasion. Il y a aussi des trucs pour le sexe et un tas d'autres idées. »

Barry esquissa un sourire. « Bon, alors il faut que je rentre chez moi et que je balance toutes mes chaussures grises. »

Eva insista : « Vous n'irez pas sur les rails ? »

— Non, je suis crevé. Je vais dormir un peu.

Brian Junior dit : « Le meilleur site, c'est no-life.org. Un peu trop américain, mais bon, vous pouvez zapper le baratin sur comment se comporter à un match de baseball. »

Barry avoua : « Je ne suis pas fortiche en lecture, mais je vais essayer. Merci. » Il se leva et dit à Eva : « Désolé de m'être pointé comme ça. Je peux revenir à un moment mieux choisi ? »

— Oui, nous aimerions avoir de vos nouvelles, n'est-ce pas, Brian Junior ?

Brian Junior répondit : « Moi, ça m'est égal, Barry. Je m'intéresse assez peu au genre humain. Mais je sais que ma mère serait contente de vous revoir si vous passiez dans le coin. Une fois que vous vous serez fait réparer les dents, peut-être ? Venez, je vous raccompagne. Et je vais vous montrer comment aller à l'adresse web. »

À la porte, Barry se retourna et risqua un sourire à l'intention Eva. Sa bouche ressemblait au Colisée, sans les chats.

Il y eut une conversation à voix basse dans la chambre de Brian Junior. Quand la porte d'entrée claqua, Eva s'approcha de la fenêtre et salua Barry de la main.

Il monta en voiture, démarra et fit une manœuvre dans un sens, puis dans l'autre… et recommença plusieurs fois.

Elle finit par comprendre que Barry dessinait le V de la victoire dans le langage des chauffeurs de taxi.

43

La neige avait perturbé l'ensemble du pays. Les transports et les différents services, y compris la Poste, fonctionnaient au ralenti.

À 18 h 30, une semaine plus tard, une carte postale d'Alexander fut glissée dans la boîte aux lettres, en même temps qu'une liasse de prospectus et que quelques factures. Brian récupéra le courrier et le tria sur la table de la cuisine. La carte postale était une aquarelle peinte à la main représentant la Tamise, le pont de Westminster et les Chambres du Parlement sous la neige.

Brian retourna la carte et lut :

Chère Eva,

Je deviens fou chez ma belle-mère. Elle nous oblige à nous lever à 7 heures du matin et à nous coucher à 21 heures le soir pour « économiser l'électricité ».

J'ai vendu quatre tableaux depuis que je suis ici. Même si, d'après ma belle-mère, « on ne peut pas gagner sa vie en étalant de la peinture sur un bout de papier ».

Nous rentrons à Leicester la semaine prochaine. Je pense à toi tous les jours.

Brian examina le dessin et imita le bruit d'un chameau qui blatère. *Ça*, les Chambres du Parlement ? Pas très ressemblant ! Et depuis quand la Tamise était-elle bleue et si haute qu'elle débordait sur les quais ? Les impressionnistes n'étaient qu'une bande de tricheurs.

Il fourra la carte dans le tiroir de la cuisine, puis revint au plateau qu'il était en train de préparer pour Eva : une assiette de sandwichs au fromage, une pomme, une orange et un demi-paquet de biscuits à la farine complète.

Il remplit une thermos de thé chaud, monta le plateau à Eva et déclara : « Avec ça, tu devrais tenir jusqu'à mon retour. Pourquoi ils ont choisi d'aller à Leeds, bordel, alors qu'on a deux excellentes universités à moins d'une borne d'ici ? Je les vois de la fenêtre quand je me rase ! »

***

Le silence régnait dans la voiture. Poppy jouait son rôle de pénitente.

Au bout d'un moment, Brian remarqua : « Tu n'es pas bavarde aujourd'hui, Poppy. »

Poppy répondit, d'une voix posée : « Je réfléchis. J'essaie de découvrir qui je suis, Brian. J'ai un problème d'individuation. »

Les jumeaux ricanèrent à l'arrière.

Brianne lâcha : « Je sais exactement qui tu es, Poppy. Tu veux que je te le dise ? »

— Non, Brianne, répondit Poppy d'une voix très douce, mais merci quand même.

Brian Junior grogna avec agacement : « Je ne supporte pas cette tension. Pas seulement parce que tu es dangereux au volant, papa. J'ai l'impression qu'on est tous là en train de ressasser nos idées et de monologuer chacun dans sa tête. Si on mettait un peu de musique ? »

Brian rétorqua : « Tu critiqueras ma façon de conduire quand tu auras eu ton permis, fiston. Nous allons oublier Noël et passer à autre chose, d'accord ? Par exemple, on pourrait avoir une conversation intéressante... J'ai plusieurs sujets à vous proposer — vous voulez savoir lesquels ? »

Poppy répondit : « Oui » et les jumeaux : « Non. »

Brian poursuivit : « Bon. Qu'est-ce que vous pensez du chômage ? »

Aucune réaction.

— De l'euro ?

Silence.

— Alors, une question pour les jeunes : qui vous tuerait le plus vite, un requin ou un lion ?

— Un requin, répondit Brian. Avec quinze secondes d'avance.

Brianne lança : « Depuis combien de temps tu baises Titania ? Parlons de ça. »

— Tu n'es pas un homme, Brianne, répliqua Brian. Tu ne peux pas comprendre.

— Je suis un homme, laissa tomber froidement Brian Junior, et je ne comprends pas.

— Tu es un garçon, corrigea Brian. Et, à mon avis, Brian Junior, tu le resteras toute ta vie.

— C'est vraiment blessant, ça, observa Brian Junior. Surtout pour quelqu'un qui se balade parfois avec sa casquette de baseball à l'envers.

Brianne renchérit : « Et qui écoute les Rice Krispies éclater après avoir versé le lait, en chantonnant : "Cric ! Crac ! Croc !" »

Poppy déclara dans un murmure : « De toute ma vie, je n'ai jamais rencontré un homme d'une telle maturité.

J'aurais bien aimé vous avoir comme père, Brian. » Elle posa sa main sur celle de Brian qui enserrait le levier de vitesse.

Brian ne tenta pas de se dégager. Quand il changea de vitesse, sa grosse main entraîna celle de Poppy.

Brianne demanda : « Comment tu peux préférer Titania à maman ? Maman est encore belle. Elle est *gentille*, elle s'intéresse aux gens. Titania ressemble à un spécimen conservé dans du formol, et elle n'est pas gentille. Elle appelle Alexander "Le Magnum", parce que, d'après elle, il est chocolat à l'extérieur mais blanc comme de la glace à la vanille à l'intérieur. »

Brian rit. « En tout cas, il parle et il se comporte comme un membre de la famille royale... Celle de Tobago, je veux dire. »

— Il a été adopté par une riche famille de Londres ! s'écria Brianne. C'est pas sa faute s'il a un accent bourge !

Brian talonnait un camion et faisait des appels de phares au chauffeur pour le forcer à se rabattre sur la file de droite. Il imita l'anglais classique tel qu'on l'entend au théâtre, criant pour couvrir le bruit du moteur en surrégime : *« Parbleu, voilà que l'effrontée me répond à cette heure !* On dirait que tu as le béguin pour lui, Brianne. »

— C'est plus qu'un béguin. Je l'aime.

Tout à coup déconcentré, Brian fit un écart et dut braquer brusquement son volant pour maintenir le cap. « Il a trente-deux ans de plus que toi ! »

— Je m'en fiche.

— Tu t'en ficheras moins quand tu essuieras ses fesses de vieillard et que son dentier reposera dans un verre à côté de ton lit. C'est un amour réciproque, au moins ?

Brianne regarda la neige qui tombait par la fenêtre, brouillant les feux arrière des autres voitures. « Non », dit-elle.

« Non, répéta Brian, parce que tu n'es qu'une gamine, une ado stupide qui se raconte des histoires. »

Brian Junior se pencha en avant, approcha sa bouche tout près de l'oreille de Brian, et dit calmement : « Et toi, t'es un hypocrite. Tu as dix-huit ans de plus que Titania. »

Gesticulant comme un forcené, Brian rugit : « Tu crois que je ne le sais pas ? Pendant des années, j'ai été terrorisé à l'idée qu'elle pourrait me quitter pour un homme plus jeune. »

La voiture fit une embardée.

Poppy lâcha la main de Brian sur le levier de vitesse et piailla : « Tenez le volant à deux mains ! »

Brian Junior dit : « Je veux savoir quand exactement tu as cessé d'aimer maman. Je veux savoir depuis combien de temps tu nous mens. »

— Je n'ai pas cessé d'aimer votre mère. La vie des adultes est compliquée.

Après un long silence, Brian reprit : « On aurait dû limiter cette conversation à "L'euro : merci, non merci ?". Ça ne fait de bien à personne de gratter les vieilles croûtes. »

— Moi, j'adore gratter les croûtes, rétorqua Brianne. C'est un tel bonheur quand elles s'en vont et qu'on voit la peau toute rose en dessous.

Brian explosa : « Qu'est-ce que vous pouvez être chiants, tous les deux ! D'accord, je vais vous dire exactement comment ça s'est passé pour Titania et moi ! Allez-y, posez-moi toutes les questions que vous voulez ! »

Les jumeaux demeurèrent silencieux.

Poppy demanda : « Est-ce que c'était merveilleux et romantique ? Vous avez eu le coup de foudre ? »

— Non, je parlerais plutôt d'un feu qui a pris lentement. J'étais impressionné par son intelligence et par la qualité de ses travaux. Elle était comme un chien de chasse qui a trouvé un terrier, elle savait qu'elle avait raison et ne lâchait pas. Les autres ne l'appréciaient pas beaucoup, mais moi, je la trouvais intéressante.

Les jumeaux échangèrent un regard moqueur.

Poppy insista : « Comment c'est arrivé, la première fois ? »

Brian sourit dans l'obscurité. « C'était un soir, à la bibliothèque de l'université, dans la section philosophie… »

— À la bibliothèque ?

Brianne était horrifiée. « Maman travaillait là-bas ! C'est dégoûtant ! »

— Ce ne serait plus possible maintenant, dit Brian, il y a des caméras partout.

Brian Junior demanda : « C'était *quand*? »

— À peu près au moment de la catastrophe de Columbia.

— Tu as une liaison avec Titania depuis 2003 ?

— J'ai très mal vécu l'accident, fiston. J'étais très affecté. Ta mère n'a pas mesuré à quel point ça me fragilisait. Mais Titania était là, et elle aussi était bouleversée. C'est Columbia qui nous a rapprochés. On s'est soutenus mutuellement.

Brian Junior répliqua : « D'accord, mais t'as pas mis huit ans à te remettre de la défaillance d'une navette spatiale pendant la rentrée atmosphérique ! »

Brian se tourna vers son fils. « OK, je reconnais qu'il y a eu quelque chose de l'ordre de la passion. En termes de physique quantique, c'est le bon vieux paradoxe de l'omnipotence : qu'arrive-t-il quand une force irrésistible — en l'occurrence, moi — rencontre un objet immuable — Titania. »

À travers le pare-brise, il vit l'arrière d'un semi-remorque scandinave approcher à une vitesse prodigieuse. Brian freina si fort que Poppy pensa immédiatement au coup du lapin avec procès pour dommages et intérêts.

Quand ils eurent recouvré leur calme, Brian Junior dit : « Non seulement on apprend que tu es coupable d'adultère, mais tu nous révèles en plus l'étendue de ta faillite intellectuelle. Cette métaphore pour exprimer ta prétendue force gravitationnelle ne peut sortir que du cerveau d'un pygmée. C'est une analogie de piètre vulgarisateur, et ta logique fallacieuse est aussi dangereuse que ta conduite. Des millions de gens sont morts à cause de pseudo-scientifiques comme toi. »

— Vas-y, Bri ! encouragea Brianne.

La discussion qui s'engagea ensuite, à coups de venimeuses et savantes reparties, porta le conflit à des sommets d'incompréhension, jusqu'à ce que père et fils trouvent enfin un terrain d'entente en débattant de l'espace à six dimensions.

Poppy s'ennuyait. Pour passer le temps, qu'elle trouvait interminable (ils venaient à peine de passer la sortie Aéroport d'East Midlands, au secours !), elle se laissa aller à un fantasme dans lequel elle s'imaginait au bras de Brian, jeune épousée d'une beauté saisissante devant l'autel, toute de vaporeuse dentelle blanche à côté d'une masse imposante et barbue. Elle lui ferait vendre la maison, avec les meubles et Eva en prime, quitter Titania et sa tronche de pruneau, et acheter un loft dans le centre-ville. Succombant à son charme irrésistible, les doyens de l'université accorderaient à Brian la chaire dont il rêvait. Elle l'obligerait à lâcher trois cent cinquante livres pour se faire couper les cheveux et tailler la barbe par Nicky Clarke. Après l'avoir intégralement relooké (pantalon de velours côtelé, chaussures en daim à lacets, veste de tweed, lunettes à monture écaille), elle deviendrait son agent, lui trouverait du travail à la télé, et ils côtoieraient les célébrités (elle avait toujours voulu rencontrer Katie Price et le dalaï-lama). Elle convaincrait Brian de subir une vasectomie. Elle se ferait payer pour avoir des relations sexuelles avec lui, et plus tard — quand il serait affaibli ou perdrait la boule —, elle le placerait dans une maison. Ou bien, elle pourrait l'euthanasier. Elle apparaîtrait au procès vêtue de noir, avec un modeste chapeau à voilette, froissant un mouchoir de lin blanc entre ses doigts et se tamponnant discrètement les yeux. Quand le président du jury déclarerait « Non coupable », elle s'évanouirait gracieusement sur le banc.

À la sortie Ikea, Brian était déjà remarié, refaçonné et enterré. Il conduisait toujours, sans se douter de ce qui l'attendait.

Sortant de sa rêverie, Poppy interrompit Brian Junior qui psalmodiait un discours monotone qu'elle ne comprenait pas et ne voulait pas comprendre.

— Votre père était très amoureux de Titania, dit-elle, ça me paraît évident. Elle devait être belle à l'époque. Elle était belle, Brian ?

Brian hésita. « Pas belle, non. Même pas jolie. Et je ne dirais pas non plus qu'elle avait du chien. Mais elle comprenait ma passion pour mon domaine d'études. Quand je rentrais tard à la maison, Eva ne me posait aucune question, elle ne montrait pas la moindre curiosité. Elle levait à peine les yeux de sa broderie à la con. La couture, toujours la couture... À la veille de la fin du monde, elle aurait quand même continué à coudre. »

Brianne dit avec tristesse : « Tous ces mensonges, papa, pendant tant d'années. »

Poppy pivota sur son siège pour faire face à Brian. Les pans de sa jupe portefeuille en soie s'écartèrent et Brian entrevit en un éclair sa petite culotte vert pâle.

Ils parcoururent un kilomètre en silence.

— Bon, on va mettre de la musique, dit Brian.

Il appuya sur une touche du lecteur de CD et un arrangement de Nelson Riddle emplit la voiture. C'était une torture pour les jumeaux, et ce fut pire encore quand Brian et Poppy unirent leurs voix à celle de Sinatra dans *Strangers in the Night*. Brian imitait (mal) l'accent américain, et Poppy modulait de douloureuses envolées.

Les jumeaux s'enfoncèrent un doigt dans la gorge et coiffèrent leurs écouteurs pour passer en mode déconnexion. Quand arriva le panneau de la sortie Leeds, Brian et Poppy chantaient *I've Got You Under My Skin* en échangeant des regards langoureux.

Dès que Brian les eut déposés devant la résidence universitaire, les jumeaux foncèrent vers l'ascenseur pour mettre en vente sur eBay leurs cadeaux de Noël contenus dans un sac en plastique noir — les iPad 1 d'occasion, tellement dépassés qu'ils en étaient ridicules, l'écharpe tricotée par Ruby pour Brian Junior, et l'autobiographie de Tony Blair portant l'inscription en page de titre : « Pour Brianne, de la part de grand-mère Yvonne, Joyeux Noël ! »

Mais Poppy s'attardait, essayant de faire comprendre par des œillades à Brian qu'il était l'homme le plus fascinant qu'elle ait jamais rencontré et qu'elle ne parvenait pas à se détacher de lui.

À 3 heures du matin, Brian Junior entendit la porte de Poppy s'ouvrir et l'eau couler dans sa douche.

Elle chantait : « Je t'ai dans la peau-o-o-o, et je suis bien dans ma peau-o-o-o. »

Brian Junior devint fou de rage et cogna du poing contre le mur. Il se fit peur, car il pensait : « Je pourrais vraiment la tuer. »

Il savait par ses recherches dans le Deep Web qu'il était possible d'organiser la « disparition » de quelqu'un sans jamais se faire prendre.

44

Miss Spears ordonna à Eva d'enlever sa chemise de nuit afin de vérifier qu'elle n'avait pas d'escarres.

Eva s'exécuta en essayant pudiquement de se couvrir avec la couette.

L'infirmière déclara : « Je connais des gens qui sont morts de leurs escarres, Mistress Beaver. Si on ne les soigne pas, les plaies peuvent s'infecter et produire des ulcères… À terme, on doit amputer. » Elle souleva les pieds d'Eva et inspecta scrupuleusement ses talons. Puis elle examina ses fesses, et enfin ses coudes. Elle parut presque déçue de ne rien trouver. « Vous appliquez sans doute une bonne crème hydratante. »

— Oui, dit Eva, et je sais qu'il faut bouger et changer souvent de position.

Une fois Eva rhabillée, l'infirmière prit sa tension et fronça les sourcils en lisant les mesures, bien que celles-ci fussent normales. Elle inséra un thermomètre dans son oreille et, à nouveau, fit la grimace. Tout en rangeant ses instruments, elle demanda : « Comment vont vos intestins ? »

Eva répondit poliment : « Très bien, merci, et les vôtres ? »

— Je suis ravie de vous trouver de si bonne humeur, Mistress Beaver. Connaissant la situation… Votre mère, que j'ai croisée en bas, m'a appris que votre mari vivait avec une autre femme dans le pavillon du jardin.

— C'est une remise.

— Votre mère m'a raconté aussi que, pour aller à la salle de bains, vous utilisez un « Chemin blanc », selon vos propres termes. Vous y voyez un prolongement de votre lit… Est-ce exact ?

— Oui, mais il ne s'agit pas de ce que je vois. *C'est* un prolongement du lit. Si je vous tirais une balle dans la tête, Miss Spears, et que votre crâne explosait, est-ce que la balle en serait la cause, ou bien le pistolet ?

Elle se rappelait vaguement avoir entendu cette question lors d'une discussion au petit déjeuner entre Brian et Brian Junior à propos de la physique quantique, conversation qui avait été interrompue quand le pot de confiture que Brian tenait à la main était tombé par terre.

L'infirmière nota ses remarques dans le dossier d'Eva.

— J'aimerais lire ce que vous avez écrit, dit Eva.

Miss Spears répondit avec un mouvement de recul : « Je regrette, c'est confidentiel. »

— Non, Miss Spears. La loi reconnaît aux patients le droit de consulter leur dossier.

L'infirmière ne céda pas. « Je considère que vous n'êtes pas assez solide mentalement pour avoir accès à de telles informations. Cela pourrait provoquer un autre épisode psychotique. »

— Je suis parfaitement saine de corps et d'esprit.

— C'est souvent ce que pensent les psychotiques.

Eva se mit à rire. « On ne peut jamais gagner avec vous, n'est-ce pas ? »

Miss Spears répliqua : « Voilà une question qui me semble légèrement paranoïaque. »

Eva demanda : « Vous avez été formée pour diagnostiquer les désordres mentaux ? »

— Formée, non, mais c'est un sujet qui m'intéresse tout particulièrement. Ma famille compte plusieurs cas de maladie mentale, il n'y a rien de honteux à cela, Mistress Beaver.

Eva se sentit prise d'un frisson, une sensation physique de peur. « Vous sous-entendez que je souffre d'un trouble mental ? »

L'infirmière répondit : « J'informerai votre médecin qu'à mon sens vous êtes atteinte d'un syndrome dépressif. Encore une fois, Mistress Beaver, n'ayez pas peur. Certains de nos grands hommes, et aussi des femmes, en ont été la proie comme vous. Churchill, Alastair Campbell, Les Dennis… »

Eva insista : « Mais je ne suis pas malade. »

— Les temps ont bien changé, depuis que ce pauvre Churchill se plaignait d'avoir un « chien noir » sur son épaule. Nous avons des médicaments miraculeux de nos jours. Dans quelques semaines, vous vous sentirez de nouveau pleine d'énergie. Vous pourrez vous lever et revenir parmi nous, les bien-portants.

— Je ne veux pas revenir parmi vous.

L'infirmière enfila son imperméable bleu marine et passa la ceinture dans la boucle en cuir marron. « Je reviendrai vous voir, évidemment. À bientôt, Mistress Beaver. »

Cinq minutes plus tard, quand elle entendit sa mère dans l'entrée et le bruit de la porte qui se refermait, Eva cria : « Maman ! »

Ruby mit plus longtemps que d'habitude à monter l'escalier et arriva tout essoufflée dans la chambre.

Sans vouloir faire de peine à sa mère, Eva avait besoin de lui parler franchement. Elle demanda : « Alors, tu as bien discuté avec l'infirmière ? »

— Oui, dit Ruby. Elle m'a raconté que le Dr Bridges n'était pas venu travailler pendant trois jours. Il s'est blessé avec un coupe-poils de nez rotateur.

Eva corrigea avec mauvaise humeur : « Rotatif. Elle ne devrait pas colporter de ragots sur les médecins. »

— Elle n'aime pas le docteur basané, Lumbogo. Elle dit qu'il est paresseux. Comme tous ces gens-là, pas vrai ?

Eva répondit : « Non, c'est faux. »

— Pauvre femme. Je n'échangerais pas ma place avec la sienne pour tout l'or du monde. Franchement, il y a de quoi être dégoûté. Elle m'a raconté les patients qu'elle a eus…

— Tu lui as parlé de Brian et de Titania. Tu as dit qu'ils habitaient un pavillon dans le jardin.

— Ben quoi, on ne peut pas vraiment appeler ça une remise.

— Et j'aurais préféré que tu ne lui parles pas du Chemin blanc.

Ruby se défendit : « Mais tout le monde est au courant ! »

— *Tout le monde ?*

— Oui. Enfin, les gens que je connais. Tu veux savoir la vérité, Eva ? Tout le monde pense que t'es cinglée. Et je vais te dire, même l'infirmière est de cet avis.

— Et toi, maman ? Qu'est-ce que tu en penses ? Tu crois que je suis cinglée, toi aussi ?

Ruby secoua tristement la tête et répondit :

« J'ai l'impression que je n'ai jamais bien su qui tu étais. Et que je ne le saurai jamais, maintenant. Plus personne ne te reconnaît. On voudrait tous retrouver l'ancienne Eva. »

— Je n'aimais pas l'ancienne Eva. Elle était minable et lâche.

— Tu as juste besoin de te changer les idées. Maintenant que tu t'es bien reposée pendant quatre mois, tu devrais te lever, prendre une douche, te laver les cheveux avec tes bons produits aux plantes aromatisées…

— *Aromatiques*, dit Eva.

— Mettre des habits bien chauds et on irait faire les boutiques. Il y a des perce-neige dans le parc… Je pourrais emprunter le fauteuil roulant de Stanley. Tu ne pèses rien du tout, ce serait facile de te pousser. Je voudrais m'occuper de toi, Eva.

— Tu ne comprends pas, hein, maman ? Imagine que je suis une énorme larve, en train de se métamorphoser.

Ruby était mal à l'aise. « Arrête donc de dire des bêtises ! »

— Un jour, la chrysalide sortira. J'ai hâte de savoir ce que je serai devenue.

— Tu seras *toute seule*, si tu continues comme ça.

En bas, Ruby trouva Titania occupée à vider le lave-linge. L'une des chemises de Brian était entortillée autour d'un déshabillé vaporeux.

— Vous n'êtes pas au travail ? dit Ruby.

Titania, qui voyait en Ruby la personne la plus bête qu'elle ait jamais rencontrée, répondit : « Apparemment, non. Je suis là, dans la cuisine, en trois dimensions. Quatre, si on inclut le temps. »

Ruby soupira en désignant du menton la chambre d'Eva.

— Ça ne s'arrange pas. Elle vient de me dire qu'elle était rien qu'une grosse larve.

— Grosse, peut-être pas, répondit Titania. Mais c'est vrai qu'il y a du laisser-aller.

— Et elle se demande ce qu'elle sera après sa métamorphose.

Titania marmonna : « Très kafkaïen. »

Ruby reprit : « Quand Brian rentrera du travail, vous lui direz qu'Eva se prend pour une grosse larve ? »

— Oh oui, je n'y manquerai pas, répondit Titania.

— Je vais rentrer chez moi, dit Ruby. Je me sens un peu patraque.

Quand elle eut enfilé son manteau et son chapeau, elle demanda : « Titania, qu'est-ce qui arriverait à Eva si je décédais ? »

— On se débrouillerait, répondit Titania.

Ruby insista : « Vous lui donneriez à manger ? »

— Évidemment.

— Vous feriez sa lessive, vous changeriez ses draps ?

— Bien sûr.

— Vous veilleriez à ce qu'elle soit propre ?

— Oui.

— Mais vous ne l'aimeriez pas, hein ? Vous et Brian ?

— Il y a plein de gens qui l'aiment.

La voix de Ruby se brisa. « Mais elle a besoin de sa maman, et si j'étais rappelée à Jésus, personne ne s'occuperait *bien* d'elle, n'est-ce pas ? »

Titania avança : « J'ai l'impression qu'Alexander l'aime. »

Ruby ramassa son cabas vide et dit : « Ça, c'est sexuel. Je ne parle pas de cet amour-là. »

En la regardant s'éloigner dans le couloir, avec ses épaules voûtées et sa démarche mal assurée, Titania trouva que Ruby avait beaucoup vieilli depuis une semaine. Peut-être devrait-elle lui suggérer de remplacer ses escarpins par des Merrell à semelles renforcées pour tonifier la silhouette.

* * *

En ouvrant la porte d'entrée, Brian sentit le curry. Son odeur préférée. Titania, debout devant la cuisinière, faisait cuire des chapatis dans une poêle. Tout ce qui pouvait être poli reluisait. Un soupçon d'eau de Javel flottait dans l'air. La pièce entière avait été récurée. Un bouquet de perce-neige était disposé dans un vase sur la table, mise pour deux, et une bouteille de bordeaux avait été ouverte pour laisser le vin respirer. Les verres, soigneusement essuyés, étincelaient.

Brian souleva le couvercle d'une casserole et demanda: « Qu'est-ce que c'est? Du poulet? »

— Non, de la chèvre, répondit Titania. Au fait, avant que j'oublie... Ta femme se prend pour une énorme larve maintenant. Une « vermine monstrueuse ».

Brian avait l'estomac délicat. Il reposa le couvercle en accusant un soudain recul d'appétit. « Une énorme larve? dit-il. Tu ne pouvais pas attendre qu'on ait mangé pour me dire ça? »

45

Le lendemain matin, Barry Wooton apparut sur le perron accompagné d'une « nouvelle amie », ainsi qu'il la présenta à Yvonne.

Celle-ci, qui assurait la garde du matin, les conduisit à la chambre d'Eva sans cesser de parler. Telle la bonne dans une pièce de théâtre, elle annonça : « Mister Barry Wooton et Miss Angelica Hedge. »

Eva s'assit dans le lit et dit à Barry : « Vous êtes encore parmi nous ? »

Barry répondit en riant : « Oui, merci. »

Eva se tourna vers Miss Hedge d'un air interrogateur.

« Elle préfère qu'on l'appelle Angel, expliqua Barry. Je l'ai prise dans mon taxi, et elle a dit : "Vous avez l'air bien gai pour un matin de février." J'ai répondu : "C'est grâce à l'incroyable Eva Beaver." Du coup, elle a demandé à vous rencontrer. »

Angelica était une jeune femme de petite taille, mince, aux cheveux coiffés à la diable. Elle ressemblait à une chouette, malgré le maquillage outré sous lequel elle tentait de dissimuler son visage. Elle tendit à Eva une main aux ongles naturels. D'une voix claire, dépourvue d'accent, elle dit : « C'est un honneur de faire votre connaissance, Mistress Beaver. Barry m'a raconté que vous lui aviez sauvé la vie. Je trouve ça merveilleux. »

— C'est une sainte, dit Barry.

Angelica continua: « Mais attention... Je crois que c'est Confucius, ou Platon peut-être, qui a dit: "Si vous sauvez la vie d'un homme, il sera à vous pour toujours." »

— Moi, je veux bien, commenta Barry, mais Eva, je ne sais pas...

Eva sourit faiblement et abandonna sa main à une poignée qui dura un peu trop longtemps. Sans parler, elle produisit divers sons qui traduisaient sa gêne.

Angelica demanda: « C'est votre belle-mère qui nous a ouvert? »

— Oui, répondit Eva. Yvonne.

— Quel âge a-t-elle? demanda Angelica.

Eva répéta: « Quel âge? Oh, je ne sais pas. Soixante-quinze, soixante-seize? »

— Elle habite ici?

— Non. Elle vient trois ou quatre fois par semaine.

— Et vos enfants? Ils ont quel âge?

— Dix-sept ans, dit Eva.

Et elle pensa: « Pourquoi veut-elle savoir l'âge de tout le monde? Elle est peut-être autiste. »

— Et vous? Vous avez quel âge?

« Oui, elle est autiste », se dit Eva. Elle demanda à Angelica: « Quel âge me donnez-vous? »

— Je ne sais pas... Vous pourriez avoir soixante ans et paraître plus jeune, ou quarante ans et faire plus vieille. Qui sait? Avec le Botox, maintenant...

Eva dit: « J'ai cinquante ans et je les fais. »

— Vous habitez ici depuis combien de temps?

— Vingt-six ans, répondit Eva, qui pensa: « Ça va devenir lassant. »

Angelica reprit: « Barry m'a dit que vous ne pouviez pas vous lever. C'est tragique. »

— Pas du tout. Je peux me lever et ce n'est pas tragique.

— Vous êtes *tellement* courageuse. Votre mari s'appelle Brian ?

— Oui.

— Il a quel âge ?

— Cinquante-cinq ans.

Yvonne entra dans la chambre et demanda : « Vos invités aimeraient-ils boire quelque chose, Eva ? Nous avons du thé, du café, du chocolat chaud, et bien sûr, des boissons fraîches. Je pourrais aussi vous préparer un petit en-cas léger. »

De rage, Eva eut presque envie de se lever pour étrangler Yvonne et la pousser dans l'escalier. Elle pensa : « Yvonne ne m'a jamais vraiment appréciée. Si j'avais besoin d'une preuve, la voilà. »

Barry et la jeune femme se tournèrent en même temps vers Yvonne et répondirent à l'unisson : « Un chocolat chaud. » Ils rirent. Barry invita Angelica à prendre place dans le fauteuil taché de soupe et s'assit sur l'accoudoir. Sous leurs regards fixes, Eva se rallongea contre les oreillers. Yvonne descendait lentement l'escalier, sans se douter qu'Eva comptait chaque seconde, souhaitant par-dessus tout que ses hôtes non désirés parcourent le chemin inverse pour sortir dans la rue.

Trente-cinq minutes s'écoulèrent ensuite, durant lesquelles Yvonne tendit à Barry et à Angelica des mugs brûlants pleins de lait chocolaté. Ils les lâchèrent aussitôt que leurs doigts entrèrent en contact avec l'insoutenable chaleur.

Le liquide bouillant se renversa sur le plancher blanc, sur les jambes de Barry et dans ses chaussettes en nylon. Il hurla de douleur. Dans le désordre le plus total, Yvonne tenta d'éponger les dégâts avec quelques minces feuilles de papier de toilette arrachées dans la salle de bains.

Eva criait : « De l'eau froide ! Mettez les pieds dans de l'eau froide ! »

Mais personne n'écoutait.

Entre les cris de Barry et les piaillements affolés d'Angelica, Yvonne lança à Eva : « Ce n'est pas ma faute, il n'y a rien pour poser les choses dans cette pièce ! Pourquoi vous êtes-vous débarrassée de vos meubles ? »

Pour refroidir l'atmosphère, au sens figuré, Eva dit en souriant : « Juste une suggestion, Yvonne : avant de servir des mugs brûlants, fournissez des mitaines. »

Yvonne s'écria : « Je vais vous en faire une, moi, de *suggestion* ! Quand on paresse au lit en se regardant le nombril, on ne critique pas les gens qui sont debout, *eux*, pour se rendre utiles ! Ce n'est même pas mon tour de garde aujourd'hui, c'est *Ruby* qui devrait s'occuper de vous ! Mais devinez quoi ? Elle a sa "migraine". Pratique ! En plus, j'attends un colis d'Amazon ! *Quand j'étais gosse* d'Alan Titchmarsh. Le vendeur a eu la gentillesse de me procurer une édition originale dédicacée. Avec ça, j'aurai la collection complète. J'ai laissé un mot sur la porte pour demander au facteur de déposer le paquet dans le coffre à charbon — à supposer qu'il sache lire l'anglais ! »

— C'est quoi, un coffre à charbon ? demanda Angelica.

— Un coffre où on met du charbon, répliqua Yvonne.

Eva dit : « Vous ne voulez pas savoir quel âge il a ? »

— Si, quel âge ?

— Bientôt soixante ans.

Le plancher fut essuyé, les vêtements ôtés et les brûlures apaisées avec des onguents qu'Yvonne sortit de son grand sac. Pendant que la belle-mère d'Eva trouvait une robe de chambre pour Barry et lui lavait ses chaussettes et son pantalon, Angelica engagea la conversation.

Elle commença par demander : « Vous avez quel âge, Barry ? »

— Trente-six ans. Ne me dites pas que je fais plus vieux, je le sais. C'est à cause des nuits. Je n'arrive pas à dormir pendant la journée. J'ai Massive Attack à droite, et Radio Classique de l'autre côté. Je leur ai demandé de baisser, mais ce sont des enfoirés. Au-dessus, il y a des chaussures à talons, et en dessous, une saleté de chien qui aboie non-stop. N'allez jamais vivre dans un immeuble moderne. Pas étonnant que je sois au bout du rouleau. Si je n'avais pas frappé à la porte d'Eva, je me serais fourré la tête dans un sac Tesco, pas vrai, Eva ?

Eva répondit dans un souffle : « Peut-être. »

— Je vous jure, cette femme est une sainte. Qui d'autre connaissez-vous qui ouvrirait sa porte à un homme désespéré comme je l'étais ?

— Le bon Samaritain ? marmonna Eva.

Barry continua : « C'est le fait de savoir que quelqu'un ici-bas renonce à dormir pour écouter un inconnu en pleine nuit. »

Eva glissa à Angelica : « Je n'avais pas le choix. Il est entré de force. »

— Quelle heure était-il exactement ?

— 3 h 27 du matin, répondit Barry.

— Qu'avez-vous ressenti quand cet inconnu a pénétré de force dans votre chambre ? Vous avez eu peur ? Vous étiez choquée, terrifiée ?

Eva répondit : « J'ai été surprise, c'est sûr. »

— On devrait lui remettre une médaille, dit Barry.

— Estimez-vous que vous êtes quelqu'un de compatissant ?

Eva réfléchit. « Non, pas particulièrement. »

Elle sentait tous les nerfs de son corps se crisper d'agacement. Sa colère montait, comme un ours qui se réveille après l'hibernation. Elle essaya de penser à autre chose. Elle s'imaginait marchant sur la plage d'une île grecque… À sa gauche, les eaux scintillantes de la mer Égée, un peu plus loin sur la droite, la maison qu'elle avait louée. Mais elle fut bientôt de retour dans la chambre avec ses tortionnaires.

Barry continuait de sa voix monocorde : « Je me suis fait des amis sur l'ordinateur. Des gens comme moi qui veulent se tuer. Ils sont très sympas, on a bien rigolé. »

— Moi aussi, je trouve souvent que la vie ne vaut pas la peine d'être vécue, dit Angelica. Vous avez l'adresse du site ?

Barry sortit un petit carnet rouge de la poche de sa veste. Il lut : « jeveuxmefoutrenlair.org ». Puis il se tourna vers Eva et demanda : « Brian Junior est là ? Je voudrais le remercier… Ça vous dérange si je donne votre adresse à mes nouveaux amis ? »

Eva gémit : « Barry, non ! »

— Vous êtes trop modeste, Eva. Faut le dire aux gens qu'il existe une femme extraordinaire comme vous. Vous devriez faire quelque chose de votre talent, comme on dit.

Eva cria : « Yvonne ! »

Elle entendit la lente progression de sa belle-mère dans l'escalier. Enfin, Yvonne entra dans la chambre.

« Barry et son amie s'en vont, dit Eva. Vous voulez bien apporter ses vêtements ? »

Yvonne répondit : « Ils ne sont pas prêts, je viens à peine de lancer le sèche-linge. S'il les met comme ça, il risque d'attraper une pneumonie. »

Eva répliqua, en s'obligeant à rester calme : « C'est un mythe perpétué par les vieux à la retraite. On n'attrape pas une pneumonie en portant des chaussettes et un pantalon humides. Si c'était le cas, tous les écoliers y passeraient après avoir fait du sport sous la pluie. » La colère lui serrait la gorge et menaçait de déborder.

« J'étais mouillée ou humide la moitié du temps quand j'étais petite. Même un imperméable ne résiste pas à une tempête de neige ou à des pluies torrentielles. Il y avait un seau au coin de ma chambre parce que le toit fuyait. Alors, Barry, vous allez descendre avec Yvonne et Angelica, mettre vos habits humides et foutre le camp ! »

Barry était au bord des larmes. Lui qui prenait Eva pour une amie, quelle terrible désillusion.

Angelica éteignit le petit enregistreur dissimulé dans la poche de sa chemise de cow-boy.

Yvonne s'adressa à sa belle-fille : « Vous nous faites une petite colère, hein, Eva ? Il y avait longtemps ! Mais ça ne servira à rien, parce que vous avez tort. Je ne compte plus le nombre de gens dans ma famille, parmi mes amis et mes connaissances, qui ont contracté une pneumonie en portant du linge pas assez sec ! »

Eva rétorqua : « Et c'est à cause de ce mythe qu'on se coltinait la lessive toute la semaine ! Lundi, on lavait. Mardi, on faisait sécher devant le feu de charbon. Mercredi, on pliait. Jeudi, on repassait. Vendredi et samedi, on laissait aérer. Le dimanche, on rangeait, et on recommençait le lundi ! Du coup, ma mère tirait une tête de martyre tous les jours. On se serait cru dans une laverie automatique ! »

Angelica déclara : « De toute façon, il faut que je retourne travailler. »

— Je vous dépose, proposa Barry d'un air triste.

— Au revoir, Eva, dit Yvonne. Vous ne me reverrez pas de sitôt. J'ai été extrêmement blessée par vos remarques. Je m'estime très mal traitée.

Eva dit : « Vous avez une mine superbe, Barry, je ne vous reconnais pas. Je regrette d'être si ronchon aujourd'hui. Si vous passez dans votre taxi et que vous me voyez à la fenêtre, faites-moi un petit signe. Ça me rassurera. Je saurai que vous êtes toujours là. »

— Vous êtes adorable, Eva, répondit Barry. Je voudrais vous offrir un cadeau. Qu'est-ce que vous aimez ?

— J'aime tout. Quoi que vous choisissiez, Barry, je vous en serai reconnaissante. »

Eva suivit des yeux le taxi de Barry qui emmenait Angelica.

Quelques minutes plus tard, Yvonne partit à son tour. Eva remarqua avec consternation qu'elle boitait et que son béret en tricot surmonté d'un pompon était mis à l'envers. Elle faillit ouvrir la fenêtre pour le lui signaler mais se ravisa, de peur qu'Yvonne ne se croie l'objet d'une moquerie.

Au bout de trois jours, Yvonne n'ayant pas réapparu, Brian voulut savoir pourquoi.

Il revint, l'air inquiet. « Ma mère semble avoir développé une obsession pour Alan Titchmarsh. Elle menace de le désigner comme bénéficiaire dans son testament. » Il ajouta : « Elle n'était pas maquillée du tout. Je ne l'ai pas reconnue. » Puis il conclut, tristement : « J'ai l'impression qu'elle perd la boule. »

46

Le lendemain, au Centre spatial, Mrs Hordern entra dans le bureau de Brian et annonça : « Votre femme est à la une du *Mercury*. »

Brian attrapa le journal et vit que la première page était largement occupée par une photo un peu floue, prise au grand-angle, montrant Eva assise dans son lit. Le titre annonçait : UN HOMME SAUVÉ PAR UNE « SAINTE ».

Brian lut l'article à la page trois :

Une femme de Bowling Green Road à Leicester, Eva Beaver (50 ans), possède un « don particulier », selon le chauffeur de taxi suicidaire Barry Wooton (36 ans).

« Elle m'a sauvé la vie », affirme le chauffeur. (Voir photo en haut à droite.)

Il y avait une photo sombre, en noir et blanc, de Barry ressemblant à Shrek. Brian continua avec une incrédulité croissante :

« Vendredi soir, j'étais désespéré », a raconté Barry à la journaliste du Mercury*, Angelica Hedge, dans le salon propret de son appartement moderne. « J'avais le moral dans*

les chaussettes et je pensais que ma vie ne valait pas la peine d'être vécue. »

Les yeux de Barry se sont remplis de larmes à l'évocation des calamités qui l'ont ainsi conduit au désespoir : « J'ai écrasé mon chien, Sindy, le gaz et l'électricité ont augmenté, mon chauffage est tombé en panne, des voyous ont tailladé les sièges en cuir de mon taxi, j'ai dépensé une fortune pour passer des annonces matrimoniales et je n'ai toujours pas trouvé de femme. » Barry explique qu'il a été poussé chez Mrs Beaver par « une force mystérieuse » : « Elle est clouée au lit et je la voyais souvent à sa fenêtre pendant la nuit. J'étais en route pour aller me coucher sur les rails, quand j'ai senti que quelque chose me guidait vers sa maison. Il était 3 h 27 du matin, mais j'ai sonné à sa porte. »

Poursuivant sa lecture, Brian découvrit que sa femme était « un ange », « une sauveuse », « une faiseuse de miracles » et « une sainte ». Lui, Brian Beaver (75 ans) était « un éminent chercheur en physique nucléaire » et le couple avait « des triplés âgés de 17 ans, Poppy, Brianne et Brian Junior ».

Il s'assit immédiatement à son bureau et adressa un courriel au rédacteur en chef du journal.

Monsieur,

Je m'inscris en faux contre l'article en première page que vous consacrez à ma femme, Eva Beaver, lequel contient une foule d'inexactitudes et d'informations erronées. En premier lieu, je ne suis pas chercheur en physique nucléaire. Je suis astronome, et j'ai 55 ans. Mon employeur observe l'âge de départ obligatoire à la retraite, et en aucun cas je ne serai autorisé à exercer mon activité jusqu'à 75 ans.

Je ne suis pas le père de triplés. La Poppy que vous mentionnez est une invitée de passage chez moi, non pas un membre de ma progéniture.

En outre, ma femme n'est absolument pas « un ange », « une sauveuse », « une faiseuse de miracles » ni « une sainte », et elle n'est pas non plus « clouée au lit ». Elle a choisi la position allongée pour des raisons qui lui appartiennent.

Vous serez contacté par mes avocats en temps voulu.

Veuillez agréer, monsieur, l'expression de mes sentiments distingués.

Dr Brian Beaver, Bsc, MSc, D Phil (Oxon)

Après avoir appuyé sur « envoyer », Brian sortit précipitamment dans le couloir pour montrer l'article à Titania. Elle le lut en s'esclaffant tout du long, son hilarité culminant en un rire hystérique lorsqu'elle parvint aux « 75 ans » de Brian.

Quand Brian lui apprit qu'il avait écrit un courriel au rédacteur en chef du journal, elle dit : « Imbécile ! Tu leur offres sur un plateau de quoi relancer l'affaire. »

L'un des jeunes assistants de Titania, Jack Box, dit : « C'est déjà sur Twitter. Le *hashtag* est « #femmeaulit ». Vous voulez voir ? »

Brian et Titania n'avaient jamais envoyé ni lu un tweet.

Les doigts de Jack Box volèrent sur le clavier. Il annonça : « Il y a eu trois messages postés depuis une heure. »

Brian lut à l'écran :

Eva Beaver, une sainte ? Ça m'étonnerait, c'est une salope.

J'ai besoin de ton aide, Eva, j'ai envie de me foutre en l'air, où es-tu ?

Meurs ! Brine Beevar ! ! ! t encore vivan a 75 an ! ! l'enegie nucleair nous tura ts ! ! ca deform les bebes ! ! ! !

Brian dit : « Regarde-moi ça, Tit. Des courriels d'insultes maintenant. Tu crois qu'Eva, ça lui fait quelque chose ? Non, elle se fiche complètement de ma souffrance. »

Il lut encore :

#femmeaulit, tu lis ça ? J'aimerais être au lit avec toi. T'as l'air bien gaulée.

L'écran afficha : « Un nouveau tweet posté. »

Jack Box cliqua et le tweet apparut, envoyé par NewAge2478 :

#femmeaulit. Je comprends ta recherche de plénitude spirituelle. On est tous des Enfants du Verseau, mais toi tu t'Eveilles, nimbée de poussière d'étoile. Bon voyage, Sister.

Brian dit : « Poussière d'étoile, mon cul. Si Eva était couverte de résidu de supernova, elle ne tiendrait pas longtemps le choc. »

À 22 heures ce soir-là, on comptait cent cinquante-sept tweets, et à 6 heures le lendemain matin, le chiffre avait presque triplé.

Un tweeteur demandait tout simplement : « Pourquoi elle est au lit ? »

Les suggestions affluèrent du monde entier.

47

Le lendemain, un vendredi, une équipe de la télévision régionale se présenta à la porte pour demander un entretien avec Eva.

Ruby, qui avait ouvert, déclara: «Je suis sa mère. Ruby Brown-Bird.» Elle reconnut immédiatement le présentateur. «Vous êtes Derek Plimsoll. Je suis une de vos fans, je vous regarde tous les soirs à la télé.»

C'était vrai. Ruby lui vouait une immense admiration. Il était tellement beau et drôle. Il faisait toujours une petite blague à la fin du journal de 18 heures. Au fil des ans, elle avait vu ses cheveux noirs devenir blancs, son corps prendre du volume, mais il portait encore ses beaux costumes pastel assortis de cravates aux couleurs vives. Il était très respectueux envers les hommes politiques qu'il interviewait, jamais agacé quand ils ne répondaient pas à une question — pas comme l'autre, Jeremy Paxman. Elle le voyait comme un bon vieux copain. Et, parfois, quand il disait: «Chers habitants d'East Midlands, bonne nuit et à demain», elle répondait en s'adressant à la télé: «Oui, à demain, Derek.»

La fille qui l'accompagnait, chargée de la caméra et du trépied, se présenta: «Je m'appelle Jo.»

Ruby la regarda de travers. Elle n'aimait pas beaucoup ce genre-là, comme Poppy, qui se mettait du rouge à lèvres rouge vif et portait de grosses chaussures. Ruby ne comprenait rien aux jeunes femmes de maintenant.

Elle les fit entrer dans la cuisine et s'excusa pour le désordre, pourtant invisible.

Derek retroussa son nez tout bronzé et demanda: « Quelle est donc cette odeur *délicieuse*? »

Ruby répondit: « J'ai un gâteau au four. »

— Un gâteau! s'exclama-t-il, l'air étonné et ravi à la fois. Il agita un doigt potelé sous les yeux de Ruby et dit: « Vous êtes sûre que vous n'auriez pas plutôt une *brioche au four*, comme on dit? »

Ruby couina de rire et se plaqua les mains sur le visage. « Moi, un bébé? » Elle rit encore. « J'ai soixante-dix-neuf ans et on m'a enlevé l'utérus! »

Derek continua: « Je parie que vous étiez une sacrée friponne, Ruby. Oh, rien que d'y penser, je suis tout excité. »

Jo leva les yeux au ciel en s'adressant à Ruby: « Vous voyez ce que je suis obligée de supporter. Il est franchement rétrograde. »

Derek dit: « Nous, on est de la vieille école, pas vrai Ruby? On aime bien plaisanter un peu, sans s'inquiéter d'avoir la police du sexe sur le dos. »

Ruby renchérit: « Je n'ose plus rien dire, moi. J'ai peur de vexer quelqu'un chaque fois que j'ouvre la bouche. Je ne sais même pas comment on doit appeler les Noirs maintenant. »

Jo lâcha d'une voix sans affect: « Noirs. On dit les Noirs. »

Derek imita l'accent africain: « Moi, je te dis, on est des pe'sonnes de couleu'! »

Quand Ruby servit le thé, Derek s'extasia à la vue de la théière. Il s'exclama: « Une théière, un pot à lait, un sucrier, des tasses en porcelaine avec soucoupes et des cuillères en argent! »

Ruby était enchantée. Enfin, quelqu'un qui appréciait les jolies choses de la vie.

Jo installa la caméra sur le trépied et régla l'objectif. Elle marmonna à l'intention de Derek: « La lumière est bonne », puis alluma le voyant.

— Je peux vous poser quelques questions au sujet de votre fille ? demanda solennellement Derek.

Ruby était flattée. « Oui, bien sûr. » Elle avait toujours espéré passer à la télé.

Derek fit un geste en direction de Jo. « Elle va cacher le fil du micro dans vos vêtements. Faites gaffe, Ruby, elle est de la pelouse. »

Ruby ne suivait pas.

Jo expliqua: « Il essaie de vous dire que je suis lesbienne, en insinuant que j'ai envie de vous sauter dessus. »

Ruby eut l'air un peu effrayé.

Derek reprit: « Ne vous inquiétez pas, Ruby. Jo a une "relation stable avec une personne du même sexe". Elle ne drague pas. »

Un petit micro accroché au col de son chemisier, Ruby appliqua son rouge à lèvres fuchsia et l'interview commença.

Derek annonça: « Nous allons tester le son. Mistress Brown-Bird, qu'avez-vous mangé au petit déjeuner ? »

Ruby récita: « Deux bols de corn flakes, un œuf, du bacon, des saucisses, du boudin noir, une tomate grillée, du pain frit, des haricots en sauce, des champignons et des toasts. »

À l'étage, Eva émergea d'un rêve troublant. Elle était poursuivie par le célèbre animateur de télévision Michael Parkinson.

Quand elle fut complètement réveillée, elle se livra à son rituel quotidien. Elle secoua sa couette, retapa les oreillers et regarda par la fenêtre. Une camionnette Mercedes portant l'inscription *East Midlands Tonight* était garée le long du trottoir d'en face. Des voix montaient de la cuisine, parmi lesquelles elle reconnut celle de sa mère.

Elle cria : « Maman ! »

Bientôt, la porte de la cuisine s'ouvrit et des pas résonnèrent dans le vestibule.

Elle entendit sa mère qui se plaignait dans l'escalier. « Ces saletés de marches finiront par m'envoyer dans la tombe. » Ruby entra en claudiquant et se laissa tomber pesamment dans le fauteuil à la soupe. « Pourquoi tu n'achètes pas un monte-escalier ? dit-elle en haletant. Je n'en peux plus de monter et descendre six fois par jour. »

Eva demanda : « Qui est en bas ? »

— Derek Plimsoll et une lesbienne.

Eva n'eut aucune réaction.

— *Derek Plimsoll*, reprit Ruby. Tu vois pas ? Celui qui est à la télé... À la fin de *East Midlands Tonight*, il fait une blague et il applaudit avec ses papiers dans la main.

Eva hocha la tête.

— Eh ben, c'est lui. Avec une lesbienne. Ils viennent de m'interviewer.

Ruby tâta le micro accroché à son col.

Eva demanda : « Tu as gagné à la loterie ? »

— Non, c'est à propos de toi.

— De moi ! s'exclama Eva.

— Oui, toi. Derek Plimsoll lit le *Mercury*, comme tout le monde. Il veut t'interviewer, parce qu'il dit que t'es un « bon coup ».

Eva se mit debout sur son lit et tapa du pied en criant : « Non, sûrement pas ! Je préférerais manger mon vomi ! Va leur dire que je refuse. »

Ruby répliqua : « Tu as oublié le mot magique. »

— S'il te plaît !

Ruby n'avait pas l'habitude qu'Eva s'adresse à elle en criant. Elle dit avec des larmes dans la voix : « Je croyais que ça te ferait plaisir. C'est pour passer à la *télévision*, Eva. Ça signifie que tu es quelqu'un de spécial. Je peux pas lui répondre que tu ne veux pas. Il sera déçu. Tu vas lui briser le cœur. »

— Il s'en remettra, dit Eva.

Ruby s'extirpa péniblement du fauteuil, marmonna quelques paroles incompréhensibles et partit en traînant la jambe vers l'escalier.

De retour dans la cuisine, Ruby feignit de chuchoter pour annoncer à Derek : « Elle ne veut pas, elle dit qu'elle préférerait manger son rendu. » Elle expliqua à Jo : « On avait un chien qui faisait ça autrefois. Je l'ai pas regretté quand il est mort. »

Le sourire de Derek s'évanouit. « Ruby, je ne partirai pas de cette maison sans avoir interviewé Eva. Je suis un journaliste expérimenté, très respecté, et j'ai ma fierté. Alors, s'il vous plaît, ayez la bonté de remonter pour insister auprès de votre fille. Dites-lui que j'ai interviewé toutes les célébrités qui ont posé le pied sur le sol des East Midlands. J'ai ma photo encadrée à côté de Mohamed Ali. J'ai interrogé Nelson Mandela sur son passé terroriste et, que Dieu la garde, j'ai flirté avec la princesse Diana. » Il se pencha pour murmurer à l'oreille de Ruby : « Et je peux vous assurer qu'elle n'est pas restée de glace. J'ai eu le net sentiment que si j'avais été seul avec elle, sans ses gardes du corps, nous aurions bu quelques verres et... Qui sait ce qui serait arrivé ? Elle était partante, moi aussi... » Laissant sa phrase en suspens, il lui fit un clin d'œil lubrique.

Ruby ne demandait pas mieux que de coopérer. Elle se détourna en hochant la tête.

Eva guettait avec impatience le départ des intrus, mais elle n'entendit que sa mère qui parlait à l'escalier : « C'est facile pour toi, l'escalier, tout ce que t'as à faire, c'est de rester là sans bouger, alors que moi je suis obligée de te monter. Oui, je sais, tu craques. Mais au moins, t'es en bois. *Moi*, quand je craque, ce sont mes pauvres vieux os que t'entends, et ça fait mal. »

Eva n'était pas surprise.

Sa mère avait toujours parlé aux objets de la maison. La veille déjà, Eva l'avait entendue grommeler : « Ah non, le fer. Ne me fais pas le coup de plus avoir de vapeur. J'ai encore trois chemises de nuit d'Eva à repasser. »

Ruby s'appuya contre le chambranle de la porte en reprenant son souffle.

Eva se mit debout sur le lit et la fusilla du regard. « Alors ? Pourquoi ne sont-ils pas encore partis ? »

Ruby répliqua avec colère : « On ne peut pas dire non à Derek Plimsoll. Il a interviewé la princesse Diana, quand elle était encore en vie. »

Jo visionnait l'interview de Ruby à l'écran de la caméra. Le rouge à lèvres fuchsia créait un effet visuel impressionnant, comme si elle avait la bouche en sang.

Ruby disait : « Eva a toujours été un peu bizarre. Pendant des années, on a cru qu'elle était retardée. Un peu débile, quoi. Elle préparait des spectacles dans le jardin en prenant le lapin comme personnage, mais bien sûr il n'y avait qu'elle qui parlait. Ils répétaient toute la journée, et après, je devais regarder. J'emportais mon tricot pour passer le temps. Le lapin était nul. »

Jo déclara : « On ne peut garder aucune prise de Ruby en plan d'ensemble. Elle était assise les jambes écartées et on voit sa grosse culotte. »

Jo était au bout du rouleau. Fervente adepte du cinéma-vérité, elle avait fait des études de cinéma à l'université Goldsmith, mais elle espérait travailler plus tard avec

Mike Leigh et des acteurs professionnels, pas avec les gens du peuple. Leur langage était d'une effarante pauvreté, truffé d'expressions dont ils usaient et abusaient, comme « faut pas pousser », « d'un autre côté », « n'importe comment » et — le grand favori — « y a pas photo ».

Cinq minutes plus tard, comme Eva ne descendait toujours pas, Derek déclara : « Bon, j'en ai ma dose. Je monte. Suis-moi ! »

Il était un peu anxieux à l'idée de ce qu'il allait trouver en haut. Il arrivait en effet qu'on ait de mauvaises surprises, comme l'homme de cent trois ans qui, interrogé sur le secret de sa longévité, en direct, avait répondu : « La branlette ! » Il siffla la musique de *L'Exorciste* en grimpant lentement l'escalier.

Jo venait derrière lui, caméra en marche. « On est un peu limite, là, Derek », dit-elle.

Sur le palier, il bouscula Ruby sans ménagement : « Poussez-vous, vous êtes dans le champ. »

Jo fit remarquer : « Joli plan de Derek en train de rudoyer une vieille dame. »

Eva vit Derek Plimsoll et une femme, caméra à l'épaule, qui s'apprêtaient à franchir le seuil de sa chambre. Elle cria : « Empêche-les d'entrer, maman ! Ferme la porte ! »

Ruby ne savait que faire. Jo aussi était la proie d'un conflit intérieur. Elle n'aimait pas la tournure que prenaient les choses. La jolie femme qu'elle voyait dans le viseur de sa caméra semblait terrifiée. Mais elle fut surprise par le dépouillement de la pièce toute blanche. La lumière était magnifique. Incapable de se résoudre à éteindre sa caméra, elle régla l'exposition et continua à filmer. Elle réussit à capter quelques images du visage d'Eva avant que celle-ci disparaisse sous la couette blanche en criant : « Maman ! Appelle Alexander ! Son numéro est en bas, dans le carnet à côté du téléphone ! »

Derek se positionna dans le champ en annonçant : « Je me trouve maintenant dans la chambre d'Eva Beaver, une femme que des dizaines de milliers de personnes surnomment "la Sainte des banlieues". J'ai été accueilli au domicile par sa mère, Mrs Brown-Bird, mais Eva est très timide. Elle ne veut pas que son visage soit filmé et nous respectons son souhait. La voici. C'est la bosse que vous voyez sur le lit. »

Jo braqua son viseur sur le lit.

Sous la couette, Eva cria : « Maman ! Tu es là ? »

Ruby répondit : « Oui, mais j'ai pas le courage de me retaper l'escalier tout de suite. » Elle se laissa tomber dans le fauteuil à la soupe. « J'arrête pas de monter et de descendre comme les gosses sur leur ballon sauteur. Mais j'ai soixante-dix-neuf ans, moi, je suis trop vieille pour ces acrobaties. Déjà que j'ai mis un gâteau à cuire dans le four, faudrait que je le surveille. »

Derek s'écria : « Mistress Brown-Bird, on essaye de filmer ! Taisez-vous un peu, on n'entend que vous ! »

Ruby se leva et déclara : « Bon, puisqu'on ne veut pas de moi, je m'en vais. »

Elle sortit sur le palier, s'appuya un instant contre la rambarde avant d'affronter l'escalier une fois de plus. En bas, elle trouva le carnet d'Eva. Le numéro d'Alexander, écrit de sa propre main, figurait en haut de la première page. À bout de forces, elle s'assit à la table de la cuisine pour le composer.

Il répondit aussitôt : « Eva ? »

— Non, c'est Ruby. Elle vous réclame. Il y a des gens de la télévision et elle veut qu'ils partent.

— Quoi ? Elle a besoin d'un videur ?

— Oui, elle vous demande de venir pour les virer de la maison, dit Ruby en développant de son propre chef.

— Pourquoi moi ? Je ne suis pas bagarreur.

Ruby répliqua : « Peut-être, mais les gens ont plus peur quand c'est un Noir, pas vrai ? »

Alexander rit. « D'accord, j'arrive dans cinq minutes. J'apporte mes pinceaux et mes brosses pour les intimider ? »

Ruby répondit : « Faites ce que vous voulez. Moi, en tout cas, j'en ai marre de tout ce tintouin. Je rentre chez moi. »

Elle replaça soigneusement le téléphone sur sa base, mit son manteau et son chapeau, prit son cabas derrière la porte de la cuisine et sortit dans le froid de l'après-midi.

* * *

Eva avait persuadé Jo d'éteindre la caméra et était assise dans le lit, les bras croisés, telle une Jeanne d'Arc des Temps modernes — aux yeux de Derek.

Il reprit : « Allez-vous être raisonnable maintenant et m'accorder un entretien, ou serai-je obligé de faire les réponses à votre place ? Je vous préviens, elles ne vous plairont peut-être pas. »

— Foutez le camp de chez moi ! Voilà ma réponse.

— Je ne suis pas d'accord, Derek, dit Jo. Tu la forces. Je vais devoir prévenir les ressources humaines.

Derek répliqua : « Tu n'auras qu'à couper ce qui ne te convient pas. »

— Mais je n'ai pas mon mot à dire au montage. Tout ce qu'on me permet de faire, c'est de tenir la caméra.

— Tu n'étais pas si pointilleuse la semaine dernière, quand on a coincé la veuve éplorée devant sa porte.

— Quelle veuve éplorée ? Il y en a eu deux la semaine dernière.

— Celle dont le crétin de mari est tombé dans la pétrisseuse.

— Je n'étais pas d'accord.

Derek saisit Jo par l'épaule. « Pourtant, tu as fait une image magnifique. Les larmes qui ruisselaient sur son visage, avec l'effet arc-en-ciel. »

— Je l'ai filmée à travers un vase en cristal, dit Jo, et je n'en suis pas fière. J'ai honte !

— On a tous honte de ce qu'on fait pour la télé, ma chérie, n'empêche qu'on le fait quand même. N'oublie pas : on donne aux spectateurs ce qu'ils *demandent*.

Derek baissa la voix et murmura à Eva : « Au fait, je suis désolé d'apprendre que votre mari vous quitte. Vous êtes anéantie, non ? »

Eva répondit : « Vous savez ce que signifie "anéantir" ? Détruire au point qu'il ne reste rien. Vous me voyez, là, assise sur mon lit ? Il n'y a pas *rien*, n'est-ce pas ? Maintenant, sortez, et fermez la porte derrière vous. »

Derek fulminait en descendant l'escalier : « Voilà pourquoi je déteste travailler avec les femmes. Elles ne pensent pas plus loin que leur derrière. » Il continua avec une voix de fausset qui était censée imiter celle d'une femme : « *Oh mon Dieu, je m'agite, mes hormones prennent le contrôle !* Tout doit être éthiquement correct et respecter l'image de la femme ! »

Ils entendirent une clé tourner dans la serrure. Alexander entra, portant un grand tableau enveloppé dans du papier à bulles.

« C'est vous qui embêtez Eva ? » demanda-t-il.

Derek répondit : « Vous êtes l'Alexander dont nous a parlé Mrs Brown-Bird ? Un ami de la famille, hein ? »

Alexander dit d'une voix ferme : « Je vous prie de partir immédiatement, votre présence ici n'est pas désirée. »

— Écoutez, le cousin, il s'agit d'un gros coup pour nous. Ce n'est pas tous les jours qu'on trouve une sainte dans les banlieues. On a des plans serrés d'elle à la fenêtre, on a une interview de la mère, et Barry Wooton nous a livré son récit super rasoir mais très tragique. Il ne nous manque que quelques mots d'Eva.

Le large sourire qui s'épanouit sur le visage d'Alexander rappela à Plimsoll la femelle crocodile enceinte qu'ils avaient filmée récemment au zoo de Twycross.

— Vous m'avez interviewé le jour de l'ouverture de ma première exposition, dit Alexander. Je crois que je connais votre discours d'introduction par cœur : « Voici Alexander Tate. Ce n'est pas un peintre du ghetto, il ne fait pas de portraits de membres de gangs dans les cités. Non, Alexander réalise des aquarelles du paysage anglais… » Et après, il y avait un morceau classique joué à la harpe.

— C'était pas mal, non ? dit Derek.

Jo protesta : « Derek, tu étais condescendant et tu insinuais que l'aquarelle était un passe-temps insolite pour les Noirs. »

— C'est vrai, répliqua Derek.

Jo se tourna vers Alexander. « Ma partenaire de vie est noire. Vous la connaissez ? Priscilla Robinson… »

Alexander répondit : « Non, c'est bizarre. Je devrais pourtant connaître les dix mille Noirs qui travaillent dans les champs de coton autour de Leicester. »

— Oh ça va ! lança Jo avec colère. Si on ne peut plus rien dire…

Derek Plimsoll s'assit pesamment sur les marches de l'escalier et soupira : « C'est la dernière fois que je fais du domicile. À partir de maintenant, je reste au studio. »

Alexander regarda le sommet de la tête de Derek. Ses racines auraient bientôt besoin d'une retouche. C'était pitoyable.

48

Eva regarda Derek et Jo regagner la camionnette Mercedes en silence. Elle suivit des yeux le véhicule, Jo au volant, jusqu'à ce qu'il ait disparu.

Puis elle se dépêcha de dérouler le Chemin blanc. Chaque fois qu'elle y posait le pied, elle s'imaginait marchant sur la Voie lactée, loin au-dessus de la Terre et de ses complications. Après avoir uriné et s'être lavé les mains, elle entreprit de se maquiller. Elle voulait se faire aussi belle que possible. Les pots et les pinceaux onéreux accumulés depuis des années lui paraissaient des talismans, avec leur discret logo doré qui la protégeait du mal. C'était de l'exploitation, bien sûr, elle savait qu'elle aurait pu acheter le même contenu pour un sixième du prix, mais elle s'en fichait. Le coût élevé lui procurait une sorte d'exaltation, le sentiment de prendre un risque, comme une artiste de cirque prête à s'engager sur le fil tout en haut du chapiteau sans filet de sécurité.

Elle s'aspergea de parfum, celui qu'elle utilisait depuis les débuts de sa carrière de bibliothécaire alors qu'elle n'en avait pas vraiment les moyens à l'époque. Elle se souvenait de l'anecdote à propos de Marilyn Monroe qui, lorsqu'on lui demanda : « Que portez-vous au lit ? », avait répondu : « Chanel No 5. »

« Ce n'était sans doute pas vrai », pensa Eva. Rien ne demeurait vrai longtemps. Avec le temps, tout était déconstruit. Le noir se confondait avec le blanc. Les croisés avaient violé, pillé et torturé. Bing Crosby battait ses enfants. Winston Churchill avait engagé un acteur pour enregistrer ses discours les plus célèbres. À Brian qui lui ouvrait les yeux par ces révélations, elle avait répondu : « Ce n'est pas vrai, mais ça *devrait* l'être. » Elle voulait des héros et des héroïnes dans sa vie. Sinon des héros, en tout cas des gens à admirer et à respecter.

Après s'être maquillée, elle retourna au lit, releva le drap blanc comme un pont-levis, le plia soigneusement et le glissa sous l'oreiller. Elle était fière de n'avoir jamais dérogé au Chemin blanc, pas une seule fois en près de cinq mois. C'était contraignant, incontestablement, mais elle avait la certitude que si elle s'en écartait, elle tomberait et partirait en vrille, happée par une folle spirale qui la condamnerait à suivre la Terre dans son voyage autour du Soleil.

Alexander s'arrêta à mi-chemin dans l'escalier. « Ça va si je monte ? » lança-t-il.

Eva cria : « Oui. »

En gravissant les dernières marches, il l'aperçut assise dans son lit. Elle était très belle. Son corps s'était arrondi et le creux de ses joues, rempli.

« Tu as l'air d'aller bien », dit-il, debout sur le seuil de la chambre.

Elle l'interrogea : « Qu'est-ce que tu portes sous le bras ? »

— Un tableau, c'est pour toi. Un cadeau. Pour le mur nu en face de ton lit.

Elle dit doucement : « Mais il me plaît, le mur nu. J'aime regarder les variations de la lumière. »

— Je me suis gelé les fesses pour peindre ça.

Eva expliqua : « Je ne veux rien ici qui interfère avec ma pensée. »

En vérité, elle avait très peur de ne pas aimer le travail d'Alexander. Elle se demanda s'il était possible d'aimer quelqu'un dont on n'admirerait pas la production. Mais elle ne lui fit pas part de cette réflexion. « Tu sais qu'on ne s'est même pas dit bonjour ? » dit-elle seulement.

— Je n'ai pas besoin de te dire bonjour, tu es toujours avec moi. Tu ne pars jamais.

— Je ne te connais pas, dit Eva, pourtant je pense à toi constamment. Je ne peux pas prendre le tableau, mais j'adorerais que tu me donnes le film à bulles.

Ce n'était pas ce qu'Alexander avait espéré. Il pensait qu'elle raffolerait du tableau, surtout quand il lui montrerait la minuscule Eva sur la crête d'une colline, la tache claire de son visage encadré de cheveux d'or. Il avait imaginé qu'elle se jetterait dans ses bras. Ils s'embrasseraient, il prendrait délicatement ses seins dans ses mains, elle lui caresserait le ventre. À un moment, ils se glisseraient sous la couette pour explorer chacun le corps de l'autre.

Il ne s'était pas projeté assis sur le bord du lit, tenant un coin du plastique dont ils éclataient les bulles transparentes. Entre deux réjouissantes pressions, il dit : « Il te faut un gardien à la porte. Une personne qui autorise ou non les gens à entrer dans la maison. »

— Comme Cerbère, dit-elle, le chien à trois têtes qui garde la grotte où habite… je ne sais plus qui. Il y a une histoire de grenade et de graines, mais… Non, je ne me souviens pas.

Quelqu'un sonna timidement à la porte.

Eva se raidit.

Alexander dit : « J'y vais. »

Après son départ, Eva tenta de se rappeler la première fois qu'elle avait entendu parler du chien Cerbère.

Elle était assise dans une salle de classe avec des hautes fenêtres cinglées par la pluie. Elle s'inquiétait parce qu'elle avait encore oublié son stylo-plume et qu'il faudrait bientôt écrire quelque chose. Mrs Holmes, son professeur d'anglais, racontait une histoire à trente-six fillettes de douze ans.

Eva sentait encore l'odeur du professeur — un mélange de Soir de Paris et de Vicks en tube inhalateur.

Alexander réapparut. « Il y a une femme en bas qui a entendu parler de toi sur Internet et demande à te voir. Elle est désespérée. »

— Désespérée ou pas, moi, je n'ai *pas du tout* envie de la voir.

— Sa fille a disparu depuis trois semaines.

— Mais pourquoi s'adresse-t-elle à moi ? Je ne peux pas bouger de mon lit.

— Elle est persuadée que tu pourras l'aider, dit Alexander. Elle vient de Sheffield. La petite s'appelle Amber, treize ans…

Eva l'interrompit : « Tu n'aurais pas dû me dire son nom ni son âge. Maintenant, j'ai cette gamine dans la tête. » Elle attrapa un oreiller, le plaqua sur son visage et hurla.

« Ça veut dire non ? » dit Alexander.

49

La mère d'Amber, Jade, ne s'était pas autorisée à prendre un bain ou une douche, à se laver les cheveux ni à changer de tenue depuis la disparition de sa fille. Elle portait encore le survêtement rose layette, à présent gris de saleté, qu'elle avait revêtu le jour de la tragédie.

« Amber est une petite fille heureuse et pleine d'entrain. Normalement, j'aurais dû la conduire à l'école, mais on s'était levées tard et je n'étais pas habillée. Je n'ai pas eu le temps de lui préparer son panier-repas. Je comptais le déposer à l'école dans la matinée. Elle n'a pas pu être enlevée… elle n'est pas assez jolie. Elle a de gros os. Des cheveux mal coiffés. Un appareil sur les dents du haut. Non, elle n'a pas pu être enlevée… Les pervers choisissent de jolies filles en général, non ? »

Eva acquiesça, puis demanda : « Depuis quand n'avez-vous pas dormi ? »

— Oh, je ne dois pas dormir ni prendre de douche, et je ne peux pas me laver les cheveux avant qu'Amber soit revenue. Je m'allonge sur le canapé la nuit et j'écoute les infos de Sky TV, pour le cas où il y aurait des nouvelles. Ma mère me tient pour responsable. Mon mari aussi. Moi aussi. Est-ce que vous savez où est Amber, Eva ?

— Non, je ne sais pas, répondit Eva. Allongez-vous près de moi.

Quand Alexander apporta du thé, il trouva Eva et Jade côte à côte, profondément endormies. Il éprouva un douloureux pincement de jalousie. Jade occupait *sa* place. Alors qu'il repartait, Eva entendit le parquet craquer et ouvrit les yeux.

Elle sourit en le voyant. Doucement, elle s'extirpa de la couette et s'assit au bout du lit, les jambes ballantes.

Alexander remarqua que le vernis rose s'écaillait sur ses ongles de pieds trop longs. Sans un mot, il sortit le couteau suisse que sa femme lui avait offert. Il était garni de nombreux outils, lourd et volumineux, mais Alexander le portait toujours sur lui. Il saisit le pied droit d'Eva, le posa sur ses genoux et murmura : « Jolis pieds, mais les ongles, ça fait mauvais genre. »

Eva sourit.

Jade dormait toujours. Eva espéra qu'elle rêvait d'Amber, qu'elles étaient ensemble toutes les deux, dans un lieu où elles avaient été heureuses.

Lorsque Alexander eut soigneusement coupé tous les ongles d'Eva, il rentra le coupe-ongles dans le couteau et sortit une petite lime en métal.

Eva rit doucement tandis qu'il lui limait les ongles.

— Tu crois que Jésus a été le premier pédicure ?

— Le premier qui est devenu célèbre, en tout cas, répondit Alexander.

— Est-ce qu'il y a un grand pédicure connu aujourd'hui ? demanda encore Eva.

— Je ne sais pas. Moi, je me coupe les ongles moi-même sur une page de journal. Ce n'est pas comme ça que tout le monde fait ?

Ils parlaient maintenant d'une voix normale, voyant

que Jade dormait du sommeil profond qui vient après le chagrin et l'épuisement.

Alexander partit dans sa camionnette et revint avec une bouteille de white-spirit et un chiffon blanc.

— Tu comptes mettre le feu au quartier ? dit Eva.

— Tu peux rester au lit pendant des mois, ce n'est pas une raison pour te laisser aller.

Il versa du white-spirit sur le chiffon et ôta le vieux vernis sur les ongles des mains et des pieds d'Eva. Quand il eut terminé, il dit : « Et maintenant, je vais "rafraîchir" ta coupe. » Il fit jaillir une minuscule paire de ciseaux du couteau suisse.

Eva rit : « On se croirait dans les contes de Grimm ! Qu'est-ce que tu as fait ce week-end ? Tu as coupé l'herbe d'une prairie ? »

— Oui, répondit Alexander. Pour obéir à un méchant elfe.

— Et qu'est-ce qui t'arriverait si tu échouais dans ta tâche ?

— Sept cygnes me dévoreraient les yeux, dit-il en riant aussi.

Il fallut moins de cinq minutes pour transformer la coupe d'Eva, de « Petite Fille Sage » en « Salut, c'est moi Eva ! ».

« Et pour terminer… dit Alexander-le-magicien, les sourcils. » Il reprit son couteau et, très concentré, en tira une pince à épiler qui paraissait minuscule entre ses longs doigts. « On veut un arc bien dessiné, pas une espèce de bombyx hirsute. »

Eva dit : « Un bombyx ? »

— C'est une…

— Je sais ce qu'est un bombyx. Je vis avec une chenille hirsute depuis vingt-huit ans.

Eva se sentait incroyablement légère, comme si son corps tout entier échappait à la gravité. Petite, elle avait déjà éprouvé cette sensation en jouant avec d'autres enfants à faire semblant, quand ils s'abandonnaient sans retenue à un monde imaginaire si puissant qu'il en devenait plus réel que le monde de tous les jours, lequel était surtout constitué de choses désagréables. Gagnée par une euphorie débridée, elle pouvait à peine se tenir tranquille pendant qu'Alexander lui épilait les sourcils.

Elle avait envie de danser et de chanter, au lieu de quoi elle se mit à parler. Il lui semblait qu'on avait ôté un bâillon de sa bouche.

Ils n'entendirent ni l'un ni l'autre Brian et Titania entrer dans la maison, dîner et ranger la cuisine avant d'aller se coucher.

À 5 h 30 du matin, Alexander déclara : « Il faut que je rentre. Mes gosses sont des lève-tôt, ce qui n'est pas le cas de leur grand-mère. » Il regarda la mère d'Amber et demanda : « Faut-il la laisser dormir ? »

— Je n'ai pas envie de la réveiller, dit Eva. Elle reviendra bien assez tôt à la vie.

Alexander partit en tenant le tableau contre lui, de sorte qu'Eva n'en voyait que l'envers. Il le posa dans l'entrée au pied de l'escalier.

Eva entendit la camionnette démarrer dans le silence du petit matin. Alexander avait laissé son couteau suisse sur le rebord de la fenêtre. Il était froid lorsqu'elle s'en saisit.

Elle le garda longtemps dans ses mains, jusqu'à ce qu'il devienne chaud.

* * *

À genoux, Eva inspectait son reflet dans la fenêtre et se familiarisait avec sa nouvelle coupe à la Jeanne d'Arc quand la mère d'Amber s'éveilla. En l'observant, Eva surprit le moment précis où le sommeil faisait place à la dure réalité, une vie dans laquelle son enfant avait disparu.

« Vous n'auriez pas dû me laisser *dormir*! » dit-elle en enfilant ses chaussures à la hâte. Elle sortit son portable. « Amber aurait pu essayer d'appeler. » Après un coup d'œil à l'écran, elle reprit : « Non, rien. Pas de nouvelles, bonnes nouvelles, hein ? » Son visage s'éclaira. « Ça veut dire qu'ils n'ont pas retrouvé son corps ! »

Eva dit : « Je suis certaine qu'elle est en vie. »

— C'est vrai, vous en êtes sûre ?

Avide de la moindre lueur d'espoir, Jade regarda Eva comme si celle-ci détenait la science infuse. « Sur Internet, on raconte que vous avez un pouvoir surnaturel. Certains prétendent que vous êtes une sorcière et que vous pratiquez la magie noire. »

Eva sourit. « Je n'ai même pas de chat. »

— Je crois que vous êtes quelqu'un de bon. Si nous restons assises sans bouger toutes les deux et que vous vous concentrez, est-ce que vous pourriez la voir ? Dire où elle est ?

Eva se rétracta aussitôt. « Non, je ne suis pas douée de perception extrasensorielle. Je ne suis pas criminologue. Je ne suis pas qualifiée pour avoir une opinion, et je ne sais pas où est Amber. Désolée. »

— Alors pourquoi êtes-vous certaine qu'elle est encore en vie ?

Eva regretta ses paroles. Elle aurait dû dire tout simplement : « La plupart des jeunes qui fuguent sont retrouvés vivants. »

— Non, reprit Jade. Si elle était morte, je le saurais.

Eva avança : « Il y a beaucoup d'adolescentes qui fuguent et partent à Londres. »

— Amber connaît déjà Londres. On y est allées pour voir *Les Misérables*. Elle a dit qu'elle était du côté des aristocrates. J'ai voulu l'emmener dans un magasin à rabais, elle a refusé.

Elle secoua la tête, accablée. « Qu'est-ce que je peux faire ? »

— Prendre une douche, vous laver les cheveux, vous brosser les dents.

Quand Jade ressortit de la salle de bains, elle paraissait mieux armée pour affronter la catastrophe qui avait menacé de l'engloutir.

Eva demanda : « Qu'allez-vous faire maintenant ? »

— J'ai une carte de crédit, j'ai de l'essence dans la voiture. Je vais aller à Londres et la chercher.

Eva confia : « Je suis partie à Paris quand j'avais seize ans. Mon Dieu ! Tous les matins, je me réveillais dans un endroit différent, mais au moins, je me sentais *en vie* ! »

Bien que ni l'une ni l'autre ne soient enclines à montrer leur affection, les deux femmes s'étreignirent longuement. Enfin, Eva libéra la mère d'Amber.

Après son départ, Eva fixa le mur blanc jusqu'à ce qu'Amber et Jade soient repoussées dans un compartiment tout au fond de son esprit. Un endroit qu'elle se représentait comme la face cachée de la lune.

50

De même qu'un voyage commence toujours par un premier pas, une foule se constitue autour d'une seule personne. Sandy Lake était une femme de quarante et un ans, anglaise à l'excès, convaincue que les gens la prendraient pour une « authentique originale » si elle s'habillait de couleurs tapageuses et portait un chapeau farfelu. Elle avait été parmi les premières à crier « Vas-y, Tim ! » sur le court central de Wimbledon après que le silence fut tombé. Par la suite, elle avait jugé un peu fort de se voir réprimandée par l'arbitre, un Asiatique.

Elle avait entendu parler d'Eva sur Twitter. De nombreux tweeteurs la présentaient comme une femme d'une grande sagesse, qui avait décidé de se mettre au lit pour protester contre les horreurs de ce monde, avec ses guerres et ses famines où des petits bébés mouraient (même si c'était en partie la faute des mères, parce qu'elles avaient trop d'enfants et choisissaient d'habiter à des kilomètres du point d'eau). Elle avait lu aussi sur SingletonsNet qu'Eva pouvait entrer en contact avec les morts et prédire l'avenir.

Sandy sentit qu'Eva exerçait sur elle une mystérieuse attirance et eut envie de se rapprocher d'elle. Aussi avait-elle quitté Dulwich la veille pour s'installer sur le trottoir en face de la maison d'Eva, avec une tente gonflable, un sac de couchage, un matelas thermique, une chaise pliante, un minuscule réchaud à gaz et un carton de rations de survie militaires en cas d'extrême nécessité.

Elle avait exploré le quartier et découvert ses commerces avec soulagement. Il était impératif qu'elle puisse se rendre à pied chez un marchand de journaux. Elle se vantait en riant de son addiction aux magazines people. Rien ne la réjouissait plus qu'une photo de Carol Vorderman avec une flèche pointée sur sa cellulite.

Sandy avait hérité d'une vaste maison à Dulwich, pleine de meubles encombrants en bois sombre, de tapis aux motifs fleuris et de rideaux à festons. Lorsqu'elle y séjournait, elle vivait dans la cuisine et s'aventurait rarement dans les autres pièces. Elle suspendait le peu de vêtements qu'elle possédait sur un portant, dans l'office, et dormait dans un sac de couchage, sur le vieux canapé où somnolaient autrefois les chiens de ses parents.

Elle refusait de vendre, jugeant la somme « ridiculement exorbitante ». La maison valait en effet plus d'un million de livres et se rangeait parmi les « demeures de haut standing », mais Sandy s'était laissé dire qu'on ne pouvait faire confiance aux agents immobiliers et elle n'avait pas un ami qui puisse la conseiller sur ces questions matérielles.

Mais elle avait des millions d'amis en ligne ! C'étaient eux qui lui indiquaient l'endroit où se formerait la meilleure file d'attente ou le lieu de la prochaine manifestation. Elle s'était maintes fois rendue à Trafalgar Square pour défendre de multiples causes. Elle ne soutenait aucune politique en particulier mais défilait avec n'importe qui, depuis l'Organisation de libération de la Palestine jusqu'aux Fils de Sion, et chaque fois elle s'amusait comme une folle. Tout le monde était adorable.

Elle aimait faire la queue pour saisir diverses occasions exceptionnelles. Sa cible préférée était le court central de Wimbledon, suivi de près par le Royal Albert Hall au moment où l'on s'arrachait les places restantes au dernier concert des BBC Proms. Sandy connaissait par cœur les paroles de l'hymne d'ouverture.

En 1999, transportée par les derniers accords de l'orchestre, elle avait accepté d'avoir un rapport sexuel derrière l'auditorium avec Malcolm Ferret, un professeur au teint pâle dont les paupières s'ourlaient de cils roux. Elle ne se rappelait pas grand-chose de leur étreinte, hormis qu'elle n'avait pas réussi à laver la poussière de brique rouge sur sa veste polaire vert amande. Lorsqu'elle avait repéré Malcolm dans la queue l'année suivante, il avait feint de ne pas voir le petit signe qu'elle lui adressait en se plongeant dans la contemplation du papier d'emballage de son Snickers.

Le lancement du dernier iPad avait été l'un des événements marquants de l'année. La foule hystérique qui attendait devant l'Apple Store de Regent Street était composée de gens en majorité plus jeunes que Sandy, mais elle leur fit valoir la jeunesse de son *esprit* et montra qu'elle connaissait un tas d'expressions modernes telles que *drag and drop*, ou encore des mots comme *geek* ou *weed*, grâce auxquels elle ne doutait pas de susciter leur admiration.

Il semblait à Sandy qu'elle ne cessait d'acheter le tout nouveau matériel issu des progrès de la technologie. Fort heureusement pour elle, papa et maman avaient laissé un joli magot à la banque. Mais que se passerait-il si l'argent venait à manquer et qu'elle reste sur la touche avec des outils obsolètes, sans aucun espoir de se remettre à la page ?

Il y avait toujours quelque part où aller. Les soldes d'Oxford Street après Noël étaient une aubaine, sans cela Sandy ne parlerait à personne pendant les fêtes. D'accord, elle avait été jetée à terre au cours d'une bousculade chez Selfridges pour arracher de la vaisselle à moitié prix, mais elle s'était relevée et avait réussi à rafler une louche avant de mordre à nouveau la poussière.

Sandy ne souffrait jamais de la solitude, elle trouvait toujours une queue dans laquelle se placer. Peu lui importait d'être de trente ans plus âgée que les gens tout autour. Elle avouait aussi sans honte qu'elle avait un jour poussé un enfant non accompagné et pris sa place dans la queue pour acheter le dernier *Harry Potter*. Le nombre des éditions originales dédicacées était limité, et du reste, ces livres dépassaient largement le niveau de compréhension d'un enfant. Surmontant sa cruelle déception quand J. K. Rowling avait annoncé la fin de *Harry Potter*, elle s'était consolée en lisant les fanfictions sur poudlard.org.

Et maintenant, elle avait Eva. Sa merveilleuse Eva.

Sandy ignorait combien de temps exactement Eva resterait au lit, mais quoi qu'il arrive, elle savait que 2012 serait une année importante. Il y aurait partout des files d'attente pour les billets des Jeux olympiques remis en vente. Le lancement de l'iPad 3 et de l'iPhone 5. Et elle avait déjà réservé son voyage à Disneyland, en Floride. À ce qu'on racontait, les queues pour ces attractions spectaculaires progressaient parfois si lentement qu'au comble de l'affluence, il fallait parfois deux heures avant de parvenir à l'entrée. Une attente qu'elle mettrait largement à profit pour se faire plein d'amis venus du monde entier.

Au bout d'une heure seulement, tandis que Sandy se battait contre un furieux vent d'est qui menaçait d'emporter sa tente, elle fut rejointe par Penelope sur le trottoir en face de la maison d'Eva. Celle-ci croyait que les anges vivent parmi nous et qu'Eva était sans conteste un « ange vieillissant » qui, ayant raté son envol vers le paradis, s'était mise au lit pour la bonne et simple raison qu'elle devait dissimuler ses ailes.

Lorsqu'une plume blanche voletant par la fenêtre d'Eva fut prise dans le vent et atterrit aux pieds de Sandy, Penelope s'exclama : « Ah, vous voyez ! Qu'est-ce que je disais ? » D'une voix où se mêlaient la crainte et la vénération, elle ajouta : « C'est un signe que votre ange personnel est là, à côté de vous. »

Sandy la crut immédiatement.

En y réfléchissant, elle se rendit compte qu'elle avait toujours aimé les anges, et que son cantique de Noël préféré était *Les Anges dans nos campagnes*. Oui, tout concordait : son papa l'appelait « mon petit ange », alors même qu'elle faisait deux fois sa corpulence. Elle pesait maintenant quatre-vingt-dix-neuf kilos, ce qui s'approchait dangereusement de la charge limite que sa chaise pliante pouvait supporter.

Quand Eva aperçut pour la première fois Sandy et Penelope, elle venait de s'éveiller d'un sommeil profond et sans rêve.

Regardant dans la rue, elle vit deux femmes d'âge moyen sur le trottoir d'en face, l'une coiffée d'un bonnet de Oui-Oui surmonté d'un grelot, l'autre braquant une paire de jumelles sur sa fenêtre.

Elles agitèrent la main toutes les deux, et Eva répondit machinalement — avant de baisser aussitôt la tête pour se cacher.

***

À trois kilomètres de là, assis à la table de la cuisine, Abdul Anwar bâillait en regardant sa femme lui assembler son panier-repas, plusieurs petits récipients en aluminium qu'elle disposait dans une gamelle métallique. Il examina du coin de l'œil la page arrachée au *Mercury* sur laquelle apparaissaient des photos d'Eva et de Barry Wooton, son collègue chauffeur de taxi.

La femme d'Abdul, Aisha, faisait cuire des chapatis pour le dîner — mais Abdul ne mangerait pas à la maison. Il travaillait de nuit et Aisha lui préparait toujours un solide en-cas avant son départ. « Le pique-nique de papa », comme disaient ses enfants.

— Aisha, dit-il, n'oublie pas de poster une photocopie de l'article à la famille. Je leur ai parlé de mon ami Barry.

— Je ne l'enverrai pas par la poste, répondit-elle, je vais le numériser. Tu vis encore dans le passé, Abdul.

Tandis que sa femme pétrissait un chapati, Abdul se leva et la prit par la taille. Il regarda la poêle dans laquelle elle pressait le pain avec un torchon propre. Quand elle le retourna du bout des doigts, il retint son souffle et murmura : « Qu'Allah soit béni ! C'est la femme au lit, la sainte ! »

Aisha dit : « Dieu est grand ! » et éteignit le gaz.

Ils examinèrent ensemble le chapati, qui ressemblait étrangement au visage d'Eva. Les endroits où la cuisson avait bruni le pain composaient ses yeux, ses sourcils, ses lèvres et ses narines. La farine demeurée en excédent figurait ses cheveux. Abdul apporta la page du journal pour comparer avec la photo. Ni lui ni sa femme n'osait en croire leurs yeux.

« Attendons qu'il refroidisse, dit Aisha. Ça peut encore changer. »

Elle espérait que non. Elle se rappela le jour où le boulanger hindou avait trouvé Elvis Presley dans un doughnut. Sa boutique avait été prise d'assaut. Par la suite, après trois jours dans la vitrine, Elvis ressemblait plutôt à Keith Vaz, le député local, lequel avait vu sa cote de popularité monter en flèche aux élections suivantes.

Quand le chapati eut refroidi, Abdul prit des photos et filma Aisha debout à côté de la cuisinière, entre l'image d'Eva et ce qu'Anwar appelerait plus tard sur Radio Leicester « le chapati béni ».

Après le départ d'Abdul — qui oublia son panier-repas sur la table —, Aisha s'assit à l'ordinateur dans l'espace aménagé sous l'escalier. En dix minutes, elle créa une page Facebook pour « la femme au lit », puis un lien vers sa propre page, avec le titre : « Eva — la sainte apparaît dans le chapati d'Aisha Anwar ». Enfin, au comble de l'allégresse, elle appuya sur la touche qui envoya le message à ses 423 amis.

Dès le lendemain matin, Bowling Green Road était pleine à craquer. Des voitures d'où s'échappaient des voix excitées et de la musique de Bollywood arrivaient en tous sens, klaxonnaient et tentaient de se garer.

Ruby se troubla lorsqu'elle ouvrit à trois hommes barbus qui demandèrent à voir la « Surnaturelle ». Elle répondit : « Pas aujourd'hui, merci », et referma la porte.

Pendant ce temps, des files d'attente s'étaient formées devant la maison d'Aisha Anwar, et elle dut faire entrer les gens afin qu'ils constatent la ressemblance entre « Wali Eva » et le visage sur le chapati. Elle fut aussi obligée de leur offrir à manger et à boire, mais, après avoir entendu quelqu'un chuchoter — mais pas assez bas pour ne pas être entendu : « Vous avez vu le carrelage *orange* de sa cuisine ? On se croirait dans les années soixante-dix ! », elle regretta sa générosité et s'imagina manger le chapati d'Eva avec un *aloo gobi* et du *dhal*.

51

Au cours de la semaine suivante, Eva se remémora ce qu'elle avait appris au collège et au lycée. Le plus long fleuve du monde. La capitale du Pérou. Les pays qui composent la Scandinavie. Les neuf tables de multiplication. Le nombre de pintes contenues dans un gallon. De pouces dans une verge. Les principales industries anglaises. Le nombre de soldats tués le premier jour de la Première Guerre mondiale. L'âge de Juliette. Les poèmes qu'elle avait appris par cœur : « Salut à toi, Esprit joyeux ! », « Insensés ! Car j'ai aussi eu mon heure/Une heure acharnée et douce ». Pendant ce temps, la foule s'épaississait jusqu'à devenir un brouhaha constant sous sa fenêtre.

Les voisins se plaignaient de la nuisance et de l'afflux des véhicules. Enfin, lorsque l'un des habitants de la rue ne put se garer devant chez lui et dut laisser sa voiture cinq cents mètres plus loin, la police entra en scène.

Malheureusement, l'agent envoyé sur les lieux, Gregory Hawk, ne trouva aucune place près de la maison d'Eva et fut obligé de parcourir à pied une distance regrettable. Quand il atteignit enfin la porte des Beaver, il découvrit Ruby assise dehors dans le frais soleil du printemps, vendant du thé et des tranches de cake aux fruits disposés sur une table à tréteaux. Elle avait piqué une jonquille dans un soliflore pour attirer les clients et appliquait des tarifs variables selon que leur tête lui revenait ou non.

L'agent Hawk s'apprêta à vérifier que Ruby détenait bien une patente et une attestation sanitaire. Il avait déjà rempli le formulaire d'évaluation des risques lorsqu'il fut distrait par un camion de régie qui reculait dans la rue, passant de justesse entre les voitures garées des deux côtés. Après avoir informé le chauffeur que le stationnement n'était pas autorisé, l'agent Hawk repartit vers la table à tréteaux au moment où Ruby lançait: «Au suivant pour les toilettes!», tandis qu'un homme en habit de druide sortait de la maison et qu'une femme arborant les lettres «EVA» peintes sur le front y entrait à son tour.

L'agent Hawk essaya de se rappeler si l'exploitation de toilettes privées dans un but lucratif constituait un délit civil ou criminel.

Lorsqu'il aborda Ruby, elle déclara que les billets contenus dans les poches de son anorak étaient des dons à l'association caritative Brown-Bird & Beaver. L'agent Hawk demanda si cet organisme était enregistré auprès de la Commission des œuvres de bienfaisance et s'entendit répondre que la demande d'inscription «venait d'être postée».

Il s'adressa ensuite à la foule des «dingos», qu'il menaça de verbaliser pour trouble à l'ordre public s'ils ne cessaient pas de chanter, de ululer, d'agiter des clochettes et de scander «Eva! Eva! Eva!».

Un anarchiste en pantalon de camouflage, col roulé noir et capote militaire, qui avait passé une heure à écrire sur son front «Aide la police — Mets-toi une branlée», cria faiblement: «Nous vivons dans un État policier.»

La main de l'agent Hawk se raidit sur son Taser, mais il fut rassuré quand une femme corpulente coiffée du bonnet de Oui-Oui lança : « L'Angleterre est le meilleur pays du monde, et notre police est formidable ! »

L'anarchiste éclata d'un rire sans joie.

L'agent Hawk dit : « Merci, madame. C'est bon de se savoir apprécié. »

Pareil spectacle lui faisait honte. Il y avait des Asiatiques partout, certains priant à genoux, d'autres, assis sur une couverture, mangeant ce qui ressemblait à un petit déjeuner, et un groupe de vieilles femmes — musulmanes, chrétiennes et hindoues confondues — qui frappaient dans leurs mains et chantaient sous la fenêtre d'Eva. Il n'y avait aucune barrière de police, pas d'équipes d'intervention, personne pour diriger la circulation. Il appela du renfort, puis s'approcha de la vieille dame qui se tenait sur le seuil du numéro 15 et exigea de voir le maître de maison.

Yvonne répondit : « Mon fils, le Dr Brian Beaver, est au travail. Il a beaucoup à faire pour protéger le monde contre les attaques de météorites. Allez donc parler à Eva elle-même… En haut, deuxième porte à gauche. »

L'agent Hawk était excité malgré lui à l'idée de rencontrer cette Eva, la femme dont la photo apparaissait en première page du journal, sur Internet, et qu'il avait vue repousser le vieux Derek Plimsoll au journal télévisé. Preuve qu'elle avait quelque chose à cacher.

Car, enfin, qui refuserait de passer à la télé ?

Lui, il ambitionnait d'être le porte-parole de la police lors d'une enquête pour homicide. Il connaissait toutes les expressions consacrées et se les répétait mentalement quand il s'ennuyait ferme au volant de son véhicule de patrouille, en route pour délivrer un avertissement à un jeune qui circulait à mobylette tous feux éteints.

Quand il vit Eva, il fut saisi par sa beauté — ne parlait-on pas d'une vieille de cinquante ans ?

À son tour, Eva eut un choc en découvrant un gamin dégingandé, au visage poupin, vêtu d'un uniforme de police. Elle dit : « Bonjour, vous êtes venu m'arrêter ? »

Il sortit son carnet et répondit : « Non, madame, pas pour l'instant. Mais j'aimerais vous poser quelques questions. Depuis quand êtes-vous au lit ? »

Eva se livra à un rapide calcul. « Depuis le 19 septembre. »

L'agent de police papillota des yeux. « Presque cinq mois ? » demanda-t-il.

Elle haussa les épaules.

— Êtes-vous séparée de votre mari ?

— Non.

— Avez-vous l'intention de le quitter dans un avenir proche ? demanda-t-il, enhardi par la franchise de la réponse.

Pour avoir regardé suffisamment de fictions policières à la télévision, Eva était familiarisée avec les diverses techniques utilisées lors d'une enquête. Mais à mesure que l'entretien progressait, elle s'aperçut que les questions de l'agent Hawk trahissaient un intérêt tout personnel — il cherchait à savoir si elle se laisserait courtiser par un jeune policier.

La fin de leur conversation prit un tour particulièrement grotesque.

— Quel est votre sentiment à l'égard de la police ?

— Je pense que c'est un mal nécessaire.

— Envisageriez-vous de sortir avec un agent de police ?

— Non, je ne quitte pas mon lit.

Eva fut soulagée quand le jeune homme rougissant posa sa dernière question : « Pourquoi ne quittez-vous pas votre lit ? »

Elle répondit honnêtement : « Je ne sais pas. »

Quand l'agent Hawk revint au commissariat, il demanda à son supérieur de le nommer officier de liaison dans l'affaire de la femme au lit.

« Elle crée pas mal de désordre, expliqua-t-il. C'est un quartier aisé et certains habitants parlent de soumettre une pétition. Parmi eux, il y a un avocat. »

Le sergent Price se méfiait des classes moyennes. Il avait été poursuivi en justice pour avoir giflé un jeune garçon dans une cellule. Comment aurait-il pu savoir que le père était clerc d'avocat ?

« Oui, pourquoi pas, répondit-il à l'agent Hawk. Nos deux chargées de liaison avec les familles sont en congé de maternité. Une femme conviendrait mieux, mais bon, vous êtes ce qui s'en approche le plus ici. »

L'agent Hawk avait les joues en feu lorsqu'il regagna son véhicule. Il pensa : « Dès que j'ai des poils, je me fais pousser une moustache. »

* * *

Il n'était pas en service quand le policier Dave Strong découvrit Amber. Elle faisait la manche au pied du Gherkin* avec un garçon de dix-sept ans surnommé Timmo — Timothy pour ses parents.

Strong avait agi sur une intuition — il lui avait semblé bizarre qu'une collégienne en uniforme, sale, demande à des employés de bureau indifférents en tendant la main : « Un peu de monnaie, s'il vous plaît », pendant que Timmo chantait sans enthousiasme sa version de *Wonderwall.*

Cependant, lorsqu'elle fut interviewée, la mère d'Amber déclara que sa fille avait été secourue par Eva.

---

* Célèbre gratte-ciel de Londres.

« Elle a des pouvoirs surnaturels, déclara Jade à un journaliste sceptique du *Daily Telegraph*. Elle voit des choses que nous ne pouvons pas voir. »

L'événement avait tout pour faire les gros titres — amours adolescentes et sexualité précoce dans *The Sun*, et (parce que Timmo ne s'était pas présenté à l'examen du A-Level) un article dans le *Guardian :* « Nos jeunes sont-ils soumis à trop de pression ?

La presse s'empara de ce nouvel os à ronger dans l'affaire Eva. Le *Daily Mail* changea sa une — « Eva, une ancienne bibliothécaire » — pour : « Eva la voyante retrouve une collégienne fugueuse ».

52

À midi, le jour de la Saint-Valentin, Brian et Titania entrèrent dans la chambre d'Eva.

Elle vit qu'ils avaient pleuré tous les deux. Ce qui ne l'inquiéta pas outre mesure, car il lui semblait que les Anglais avaient depuis longtemps perdu l'habitude de se contrôler. Ils pleuraient maintenant en public et on les *applaudissait*. Quant à ceux qui restaient les yeux secs, l'opinion s'accordait à déclarer qu'ils n'avaient pas dépassé le stade « anal ».

Brian dit, avec un sanglot : « Maman est morte. »

Eva en eut le souffle coupé. « La tienne ou la mienne ? » demanda-t-elle quand elle put parler.

— La mienne, gémit-il.

« Dieu merci », pensa-t-elle. « Oh, Bri, je suis désolée », dit-elle.

— C'était une mère formidable, hoqueta Brian.

Titania voulut le prendre dans ses bras, mais il la repoussa et se réfugia auprès d'Eva, qui se sentit obligée de lui tapoter gentiment le dos. Elle pensa : « Que c'est touchant, de la part d'un homme qui ne "voyait pas l'utilité" d'acheter un cadeau à sa mère pour son anniversaire, sous prétexte qu'elle n'avait "besoin de rien". »

« Elle n'avait plus de cigarettes, expliqua Titania, et elle est tombée de l'escabeau en essayant d'attraper son paquet de secours. » Sa voix se brisa et les yeux s'emplirent de larmes.

Eva ne pouvait pas savoir que Titania pleurait en fait parce que Brian, contrairement aux autres années, ne lui avait offert ni carte ni loukoums pour la Saint-Valentin.

— Encore une victime du tabac, dit Brian. Elle est morte il y a trois jours. Une vieille dame qui reste par terre dans sa cuisine, pendant *trois jours*, avant que quelqu'un s'en aperçoive... Dans quelle société vivons-nous ?

— Qui l'a découverte ? demanda Eva.

— Peter, le laveur de carreaux.

— *Notre* Peter ? s'étonna Eva.

— Il a appelé les flics et ils ont enfoncé la porte, expliqua Titania.

— Oui, et il a intérêt à payer la réparation ! dit Brian. Il sait très bien qu'on a un double de la clé ici.

Titania dit : « Le pauvre, il est bouleversé. »

Brian cria : « Il sera encore plus bouleversé quand je lui refilerai la facture pour une nouvelle porte en PVC rigide, triple vitrage, avec une serrure trois points ! »

— Maintenant, c'est *toi* qui es bouleversé, fit remarquer Titania.

— C'était la meilleure mère qu'on puisse rêver, dit Brian, la lèvre tremblante.

Eva et Titania échangèrent un regard en coin.

La sonnette de la porte retentit.

Titania regarda Eva, dans son lit, et Brian qui pleurait. Elle soupira : « C'est moi qui vais ouvrir, j'imagine. »

À la porte, elle essuya les habituelles insultes : « Femme adultère ! Pécheresse ! Salope ! » avec lesquelles la foule accueillait chacune de ses sorties. Elle avait beau se blinder, elle ne s'y faisait pas.

Une femme vêtue d'une houppelande verte lui tendit un énorme bouquet de fleurs blanches enveloppées dans du papier cristal et nouées avec un ruban de satin blanc. Pendant que Titania cherchait une carte parmi les fleurs, ne doutant pas que celles-ci lui étaient adressées par Brian, le camion de la Poste s'arrêta au milieu de la rue.

La fleuriste et le facteur se parlèrent sur le trottoir.

— Quelle journée cauchemardesque ! s'exclama la fleuriste.

— C'est presque aussi pénible qu'à Noël ! répondit le facteur.

— Heureusement, je sors ce soir. Je suis invitée à un grand gueuleton.

Titania fit la grimace au mot « gueuleton ».

— Votre mari est au courant ? demanda le facteur.

Titania fut étonnée par la force et par la durée de leur éclat de rire. Ils s'amusaient autant que si Peter Kay* lui-même avait surgi devant eux pour leur présenter un nouveau sketch.

Titania trouva la carte dans les fleurs. « Pour Eva, mon amour. »

Elle cria à l'adresse de la fleuriste et du facteur : « Si vous n'aimez pas votre travail, pourquoi le faites-vous ? »

Le facteur s'approcha : « Qu'est-ce qui se passe... vous n'avez pas d'amoureux, vous ? » Il lui tendit un volumineux paquet de lettres et de cartes entourées d'un élastique. « Juste avant de quitter le centre de tri, j'ai vu un gros sac arriver pour Eva. Demain, j'aurai besoin d'un chariot. »

* Comédien humoriste.

Titania lâcha avec violence : « La Saint-Valentin, c'est encore une manière d'objectiver les relations socio-sexuelles à des fins commerciales. L'amour quitte la sphère de "l'être" et devient une vulgaire représentation de "l'avoir". *Moi*, je suis fière que ceux qui m'aiment ne soient pas tombés dans le piège et ne confondent pas les sentiments avec une carte ou une boîte de chocolats ! »

Elle rentra dans la maison et claqua la porte, mais elle entendait encore le rire moqueur du facteur. Peut-être aurait-elle dû utiliser un langage plus simple ? Non, elle refusait toute forme de condescendance envers les gens sans instruction. Pourquoi ne serait-ce pas à eux de s'élever à son niveau ?

Quand Eva reçut le bouquet que Titania lui jeta, elle sut immédiatement qui l'avait envoyé. L'écriture appliquée était celle de Venus et les cœurs un peu tordus signalaient la main maladroite de Thomas.

« Si j'étais présidente d'Interflora, j'interdirais les chrysanthèmes dans les bouquets, dit-elle. Ils sentent la mort. »

Avachi dans le fauteuil à la soupe, Brian racontait qu'il était allé reconnaître le corps de sa mère. « Elle avait l'air de dormir, dit-il. Mais elle portait ces satanés chaussons kangourous que Ruby lui a offerts pour Noël. Je l'avais prévenue qu'ils étaient dangereux. Ça ne m'étonne pas qu'elle soit tombée de son escabeau. » Il regarda Eva. « Ta mère est directement responsable de la mort de la mienne. »

Eva ne répondit rien.

Brian continua : « À cause de la rigidité cadavérique, le médecin a dû lui ouvrir les doigts de force pour prendre le paquet de Silk Cut. » Il s'essuya les yeux avec un mouchoir en papier roulé en boule. « Elle s'était fait un dessert à la gélatine. Le saladier était posé sur la table et il y avait un peu de poussière sur le dessus. Elle aurait détesté voir ça. »

— Raconte les lettres... intervint Titania.

— Je ne peux pas, Tit.

Brian se mit à sangloter bruyamment.

Titania expliqua : « Elle s'était écrit des lettres, des lettres d'amour qu'elle s'envoyait à elle-même. Et il y avait une enveloppe dans son sac à main, adressée à Alan Titchmarsh. »

Brian gémit : « Est-ce qu'on devrait mettre un timbre et la poster ? Je ne sais pas ce qu'on est censé faire quand quelqu'un est mort, par rapport au courrier. »

— Moi non plus, dit Eva. Et personnellement, que la lettre pour Mr Titchmarsh parte ou pas, je m'en fiche.

Brian répliqua, d'une voix qui frisait l'hystérie : « Il faut bien en faire quelque chose, bon sang ! Est-ce que je dois exécuter ses dernières volontés sur ce coup-là ? »

— Calme-toi, Bri, dit Titania. Alan Titchmarsh ne s'inquiétera pas parce que ta mère ne lui écrit pas.

Brian pleurait. « Elle ne m'a jamais écrit, *à moi*. Jamais. Même pas pour me féliciter quand j'ai eu mon doctorat. »

Eva entendit la voix d'Alexander sous la fenêtre et éprouva un immense soulagement. Lui saurait ce qu'il fallait faire de cette fichue lettre pour Titchmarsh. Après tout, il avait fréquenté les meilleures écoles. Elle sentit qu'elle se détendait. Puis lui parvint la voix de sa mère. En regardant par la fenêtre, elle vit qu'Alexander soutenait Ruby, entièrement vêtue de noir, jusqu'au chapeau de feutre garni d'une voilette qui dissimulait la moitié de son visage.

Titania soupira : « Préparons-nous au pire. »

Ils attendirent en silence — Brian sanglotait toujours —, tandis qu'Alexander et Ruby montaient l'escalier. « Pourquoi Dieu m'a-t-il punie en emportant Yvonne ? » demanda Ruby.

Alexander répondit : « Vous dites bien que ses voies sont impénétrables, non ? »

Dès que Ruby aperçut Brian dans la chambre, elle se lamenta : « Je croyais que Dieu m'emmènerait la première. J'ai une boule mystérieuse… Si ça se trouve, je serai morte d'ici une semaine. Une gitane m'a dit en 2000 que je n'arriverai pas jusqu'à quatre-vingts ans. Mes jours sont comptés. »

Brian se leva pour lui laisser la place dans le fauteuil. « Ça vous dérangerait qu'on se concentre sur ma mère ? lança-t-il avec colère. Elle est *déjà* morte, elle ! »

Ruby reprit : « Ça me rend malade de penser à la pauvre Yvonne qui est partie comme ça, sans prévenir. J'ai ma boule qui palpite. Yvonne allait m'emmener chez le docteur, vu que ma propre fille refuse de se lever. » Ruby se toucha le sein et fit la grimace, attendant que quelqu'un l'interroge sur le sujet.

Alexander dit : « Soyez gentille, Ruby », comme s'il s'adressait à un jeune enfant indocile.

— Ce n'est sans doute qu'un kyste, maman, dit Eva. Pourquoi ne me l'as-tu pas annoncé tout de suite ?

— J'espérais que ça partirait tout seul, répondit Ruby. J'en avais parlé à Yvonne, je lui racontais tout.

Elle se tourna vers Brian. « Et elle me racontait tout sur *vous.* » Ses paroles contenaient une menace implicite.

Brian déclara : « Je vous tiens pour responsable de la mort de ma mère. Si vous ne lui aviez pas offert ces ridicules chaussons kangourous, elle serait encore en vie aujourd'hui. »

— Moi ? s'écria Ruby. C'est *ma* faute si Yvonne est décédée ? !

Titania dit : « Je ne fais pas partie de la famille, à strictement parler, mais… »

Alexander l'interrompit. « Titania, je crois que nous ferions mieux de rester en dehors de ça. »

Des adolescentes en uniforme scolaire encourageaient la foule à scander : « Eva ! Eva ! Eva ! » Quelqu'un maintenait le doigt appuyé sur la sonnette. Eva se plaqua les mains sur les oreilles.

Ruby lâcha : « Et ne comptez pas sur moi pour aller ouvrir cette porte ! C'était Yvonne qui s'en chargeait. Je me demandais où elle avait bien pu passer, depuis trois jours. Elle aimait les gens, elle. Moi, je peux faire avec ou sans, mais le plus souvent je préfère sans. Elle m'aidait beaucoup, Yvonne. Je ne sais pas me débrouiller avec tout ce monde-là, moi. Il en vient toujours plus chaque jour. »

Titania se déroba. « Je ne peux pas faire le pied de grue à côté de la porte, je travaille… Et j'ai une vie, moi. »

Debout au pied du lit, Brian maugréa : « Comme d'habitude, on parle encore d'Eva. J'aurais dû écouter ma chère maman qui est *morte.* Elle me conseillait de partir, de quitter cette maison et de divorcer. Je vous annonce donc que ma contribution s'arrête là, je ne me soucie plus du bien-être d'Eva. Laissez-moi à mon affliction de fils et maintenant d'orphelin, et permettez que je pleure ma mère en paix. »

Mais Ruby ne l'écoutait pas. « Il va falloir penser à l'enterrement… Et puis, on est en février. Je pourrais attraper une pneumonie. Qu'est-ce qui arrivera à Eva si je suis à l'hôpital, sous assistance respiratoire ? »

Alexander proposa : « Moi, je m'occuperai d'Eva. J'ouvrirai la porte. Je déciderai qui peut entrer ou non. Je ferai la cuisine, je laverai son linge. »

— Les fleurs… dit Eva. Elles sont très belles, Alexander. Merci. Mais tu ne peux pas t'occuper de moi, tu as ton travail.

— Je viens d'être payé pour un boulot, j'ai de quoi tenir quelques semaines.

— Et vos petiots ? demanda Ruby. Vous n'allez pas les trimballer tout le temps.

Alexander fixa intensément Eva. « Non. Il faudrait qu'on habite ici. »

Brian se tourna vers Alexander. « Ma mère est morte, et vous en profitez pour débarquer avec votre marmaille. Vous croyez que vous allez vivre ici gratos, en utilisant mon électricité, mon eau chaude, ma connexion haut débit ? Désolé, mon pote, l'hôtel est complet. »

Titania dit : « Bri, c'est terrible, c'est affreux, c'est une tragédie sans nom qu'Yvonne soit morte, mais ça pourrait tous nous arranger si on pouvait s'appuyer sur Alexander. »

Ruby ajouta : « La gitane, en 2000, elle a dit qu'il y aurait un homme grand et basané. »

C'en était trop pour Brian. Il explosa : « Vous allez la boucler, à la fin, espèce de crétine ? Ma mère est morte ! Figurez-vous que, moi aussi, je me demande pourquoi ma mère, si aimante, si généreuse, a été rappelée par son Créateur, et pourquoi *vous*, qui avez une cervelle de moineau et ne débitez que des âneries, Il a jugé bon de vous laisser vivre ! »

Ruby protesta : « Je n'ai pas tué votre mère ! » et se couvrit le visage de ses mains.

Eva cria : « Ne traite pas ma mère de crétine ! Elle est comme ça, elle n'y peut rien ! » Prise d'une rage folle, elle se mit à genoux et avança vers Brian qui était assis au pied du lit.

Une clameur s'éleva dans la rue quand la foule la vit se dresser à la fenêtre pour la première fois depuis plusieurs jours.

Eva sentit la colère bouillonner dans son corps puis jaillir en un flot de reproches. « Tu m'as menti tous les jours pendant huit ans ! Tu prétendais que tu quittais ton travail à 18 h 30 le soir parce que tes recherches personnelles sur la Lune te passionnaient. Mais ce qui te passionnait en fait, c'était Titania Noble-Forester ! Je me suis toujours demandé pourquoi tu rentrais tellement épuisé, affamé au point d'avaler un repas complet, entrée-plat-dessert, et de te resservir ! »

À son tour, Titania s'en prit à Brian. « C'est pour ça que tu ne m'emmenais jamais au restaurant, hein ? Tu étais trop content de retourner chez bobonne pour le cocktail de crevettes, la côte de porc et le pudding aux raisins ! »

Brian dit doucement : « Je n'ai jamais cessé d'aimer Eva. Je croyais qu'il était possible d'aimer deux femmes à la fois. Enfin, trois, avec ma pauvre mère. »

La colère de Titania retomba d'un coup. « Tu ne m'as jamais dit que tu m'aimais. » Elle lui murmura à l'oreille : « C'est tellement aphrodisiaque ! Viens, mon écureuil… On va se faire un câlin dans la remise. »

Quelqu'un sonna à la porte. Furieusement, ou avec désespoir.

Au bout d'un moment, voyant que personne ne bougeait, Alexander se tourna vers Brian : « J'y vais ? »

Brian répliqua sèchement : « Faites ce que vous voulez, je m'en fous. »

Alexander interrogea Eva du regard. Elle acquiesça. C'était rassurant de pouvoir compter sur lui pour repousser un forcené à la porte.

Il lui fit un salut ironique et descendit ouvrir.

Titania remit à Eva le paquet de courriers qu'elle tenait à la main. « Il y a surtout des pubs, mais le reste est pour vous. » Puis elle prit la main de Brian et l'entraîna comme s'il était un petit enfant.

« Mon écureuil ? » dit Eva, perplexe.

Elle contempla les lettres avec accablement. La plupart étaient adressées à « la femme au lit, Leicester ». Quelques-unes provenaient des États-Unis et portaient la mention : « Pour l'Ange au lit, Angleterre ». En Malaisie, quelqu'un avait écrit simplement : « Eva, R.-U. ». Après en avoir lu trois, elle renonça.

Chaque lettre n'exprimait que souffrance et faux espoirs.

Elle ne pouvait pas aider les gens. Le poids de sa propre souffrance lui était déjà insupportable.

Souvent, elle parvenait à se distraire en dressant des listes dans sa tête. Elle fixa le mur blanc jusqu'à ce que sa vue se trouble, attendant qu'une idée surgisse. Ce jour-là, ce fut la douleur.

La pire douleur
Accoucher des jumeaux
Tomber de la branche d'un arbre sur du béton
Doigts coincés dans une portière de voiture
Canaux lactifères bouchés
Tomber dans un feu de joie
Être mordue par un cochon à Farm Park
Abcès dentaire un jour férié
Pied écrasé par la roue — Brian en marche arrière
Punaise dans le genou
Oursins dans les pieds, Majorque

53

C'est à une autre douleur qu'elle dut faire face le lendemain, quand Brian Junior lui envoya un e-mail sur le téléphone d'Alexander. Grâce à une chaîne complexe de procédés Wi-Fi, Alexander l'imprima et le lui apporta en même temps qu'une tasse de vrai café.

Maman, il me déplaît de te parler au téléphone et je préfère m'abstenir. Dorénavant, je communiquerai peut-être avec toi par des moyens électroniques, voire en recourant aux services erratiques de la Poste.

« Petit prétentieux, dit Eva. Pour qui se prend-il ? Anthony Trollope ? » Elle continua à lire le message de son fils.

J'ai appris par papa que ma grand-mère paternelle était morte. Il serait hypocrite de ma part de feindre la tristesse, puisque son sort m'indiffère. C'était une vieille femme stupide, comme l'atteste sa fin grotesque. Toutefois, j'assisterai à son enterrement jeudi. (Je ne puis me prononcer pour Brianne, elle a un TD ce jour-là avec Mr Shing-Tung Yau, professeur invité. Il est rare qu'on accorde un tel honneur à un étudiant de première année. Mais je crains que cet être divin ne déchante quand il entendra ce que ma sœur pense du théorème de Yau.)

Eva commenta : « Pauvre homme, je le plains. Tu sais, Alexander… Je ne comprends pas du tout mes enfants. Je ne les ai jamais compris. »

Alexander la rassura : « Eva, personne d'entre nous ne connaît ses enfants. Parce qu'ils ne sont pas *nous.* »

Elle continua à lire avec réticence.

Puisque nous ne nous verrons pas au cimetière, sache que mon article prouvant que l'inégalité de Bohnenblust-Hille pour les polynômes homogènes est hypercontractive a été accepté par les Annales de mathématiques *et sera peut-être publié dans le numéro de septembre. On m'a offert par ailleurs une bourse au St. John's College d'Oxford, mais il est possible que je la refuse. Ça ne vaut pas Cambridge, et je me sens plutôt bien ici. Il y a un café pas loin qui propose un petit déjeuner anglais complet à un prix abordable. Cela me permet de tenir toute la journée, et le soir, je me contente d'un peu de pain et d'édam.*

Eva tenta de ne pas s'appesantir sur ce détail, bien qu'il montre que la bizarrerie de son fils allait croissant. Le courriel de Brian Junior l'inquiétait. Il avait toujours été le jumeau le plus fragile — celui qui avait marché et parlé plus tard, qui s'était accroché à sa jupe le premier jour à la maternelle. Mais elle se rappelait aussi que c'était Brian Junior qui charmait les passants avec son sourire quand elle sortait les jumeaux dans la poussette double. À l'époque, déjà, Brianne n'attirait pas les regards. Si quelqu'un s'approchait, elle se renfrognait et cachait son visage.

Eva poursuivit sa lecture, envahie par un sentiment d'échec et songeant, pour la première fois, que Brian Junior devrait peut-être aller vivre à Silicon Valley, où il pourrait travailler et côtoyer des gens comme lui.

Je déplore que tu n'assistes pas à l'enterrement de feu ta belle-mère. Mon père est, comme on dit, « anéanti ». J'ai aussi parlé à Barbara Lomax, responsable de l'unité de soutien psychologique aux étudiants. D'après elle, si tu es « incapable » de quitter ton lit, c'est parce que tu souffres d'agoraphobie, sans doute à cause d'un traumatisme survenu durant l'enfance.

Pour essayer de détendre l'atmosphère, Alexander dit en riant : « Tu as vu un fantôme, Eva ? »

La boutade ne lui arracha pas même un sourire. Elle lut la suite, en silence, craignant qu'Alexander ne la juge.

Ms Lomax m'a affirmé qu'on pouvait guérir en six semaines, cela s'est vu. Mais il faut suivre un régime, faire de l'exercice, s'imposer une discipline et avoir du courage. J'ai expliqué à Barbara que tu n'avais aucun courage, à mon avis, vu que tu laisses mon père forniquer sous ton propre toit et ne dis rien alors que tu es parfaitement au courant.

Eva s'écria malgré elle : « Il n'est pas sous mon toit ! Il couche dans sa putain de remise ! » Puis elle continua à lire.

Barbara m'a demandé : « Éprouvez-vous une colère latente à l'égard de votre mère ? » Je lui ai répondu que, depuis quelque temps, je pouvais à peine supporter de me trouver dans la même pièce qu'elle.

Eva relut la dernière phrase. Deux fois.

Où s'était-elle trompée ?

Elle l'avait nourri, lavé, habillé, chaussé. Elle l'avait emmené chez le dentiste et chez l'opticien, au zoo, sur le petit train à vapeur. Elle lui avait construit une fusée en Lego, avait fait le ménage dans sa chambre. La trousse à pharmacie demeurait toujours à portée de main, et elle avait rarement élevé la voix pour le gronder durant toute son enfance.

Elle plia la feuille en deux, puis en quatre, puis en huit, puis en seize, en trente-deux, en soixante-quatre. Elle essaya de la rendre encore plus petite et la mit dans sa bouche. Ce n'était pas agréable, mais elle ne pouvait pas cracher. Sans manifester aucune émotion, Alexander lui tendit un verre d'eau et elle mâcha lentement, comme une vache qui rumine, salivant pour ramollir le papier et le réduire en pulpe.

Avec sa langue, elle cala la pâte ainsi obtenue dans sa joue et dit à Alexander : « J'ai besoin d'un rideau à cette fenêtre. Un rideau blanc. »

La veille de l'enterrement de sa mère, Brian vint voir Eva. Il lui demanda de reconsidérer sa décision et d'assister au service religieux et à l'inhumation.

Eva lui assura qu'elle avait beaucoup aimé Yvonne. Elle penserait à elle tout le temps que durerait la cérémonie, mais elle était incapable de se lever.

Brian demanda : « Et si c'était Ruby, ta propre mère ? Tu te lèverais pour elle ? »

— Il faut que je réfléchisse avant de répondre à cette question, répondit Eva.

— Je ne supporte pas de penser à elle couchée sur le carrelage froid de la cuisine, dit Brian avec des larmes dans la voix.

Eva lui caressa la main. « Elle en avait assez du monde moderne, Brian. Elle était ahurie de voir de la pornographie sur sa Freebox. À l'époque où elle a commencé à regarder la télé, le présentateur du journal portait un smoking. »

— Tu crois qu'elle a eu une bonne vie ?

Eva fit une réponse prudente : « La meilleure qu'elle pouvait avoir, sachant qu'elle était née dans un monde d'hommes et que ton père ne l'autorisait pas à se mettre en pantalon. »

Brian reprit : « Tu sais, les cartes qu'elle recevait tous les ans pour la Saint-Valentin… »

— En nombre incroyable.

— Elle se les écrivait *elle-même.*

— Elle devait se sentir atrocement seule, Bri. Elle ne s'est jamais remise de la mort de ton père.

— Et toi, tu te sentais seule quand j'étais au travail ? interrogea Brian.

Eva répondit : « Encore plus quand tu rentrais à la maison et qu'on était assis l'un à côté de l'autre sur le canapé. »

— Mais on a quand même passé de bons moments, hein ?

— Sans doute. Je ne me rappelle pas lesquels.

Brian récita, vaguement agacé : « Les vacances à l'étranger. Le camping au pays de Galles. La Floride. »

Eva aurait aimé abonder dans son sens, mais sa mémoire ne lui restituait qu'une image floue où se mêlaient moustiques, pluie, boue, insolations, déshydratation, trajets interminables en voiture, disputes et réconciliations forcées.

54

Les ancêtres des Beaver avaient acheté une concession dans le cimetière de St Guthlac, à l'ombre d'un petit bosquet de conifères. Il n'y avait pas la place pour manœuvrer une pelle mécanique entre les arbres étroitement plantés et, à cause des racines, les fossoyeurs les plus robustes peinaient à creuser chaque nouvelle tombe.

Tandis que le cortège funèbre remontait l'allée de l'austère église normande au son du glas, Brian, Titania et les jumeaux, assis dans la voiture de tête, aperçurent deux jeunes fossoyeurs qui se lançaient des pierres par-dessus une tombe. L'un cria : « Sale con, t'as failli me toucher à l'œil ! »

Brian ordonna au chauffeur de s'arrêter. Il descendit et marcha résolument vers la sépulture inachevée de sa mère.

Les jeunes garçons jetèrent aussitôt les pierres et reprirent leurs pelles.

Brian dit : « On ne vous apprend peut-être pas à parler correctement à l'école publique, mais ce *trou* que vous êtes censés creuser sera le dernier repos de ma mère. Je vous interdis de crier "Sale con" sur sa tombe. »

Il regagna la limousine.

Dès que la portière se fut refermée, l'un des jeunes regarda Brian droit dans les yeux, marmonna « Sale con ! » et sauta dans la fosse.

Brian allait ressortir quand Brian Junior le retint. « Laisse tomber, papa. »

Brian était très énervé. Ils avaient parcouru cinq kilomètres derrière le corbillard qui transportait le corps de sa mère, suivis tout le long du chemin par Alexander, au volant de sa vieille camionnette, avec Stanley Crossley et Ruby assis à ses côtés sur la banquette avant.

Les sœurs d'Yvonne, Linda, Suzanne et Jean, attendaient devant l'église en fumant des cigarettes dont elles tapotaient la cendre dans leur paume. Ce qui était tout à fait inapproprié, de l'avis de Brian, d'autant plus qu'elles arboraient de profonds décolletés. Il ne leur avait pas parlé depuis des années, après un « incident » qui s'était mal terminé lors d'un baptême réunissant les membres de la famille. Sa mère n'avait jamais fourni aucun détail — elle se contentait de résumer l'affaire en déclarant : « Tout le monde avait trop bu. » Mais cela expliquait sans doute pourquoi Brian était à présent accueilli avec des regards chargés de malveillance.

Titania non plus ne fut pas épargnée : visage, cheveux, tailleur noir, sac à main, chaussures — chaque aspect de sa personne suscita un intérêt non déguisé. Comment Brian osait-il s'afficher en public avec cette usurpatrice ? Quant à son écervelée de femme qui attirait la honte sur la famille en faisant parler d'elle dans les journaux, comme si cet affront ne suffisait pas, elle ne daignait même pas se montrer à l'enterrement de sa belle-mère.

Immobiles, les trois femmes regardèrent Alexander, Stanley Crossley et les jumeaux pénétrer dans l'église. Ruby, prenant la mesure de l'atmosphère, s'éclipsa pour chercher des toilettes.

Un peu plus tard, elle fit une entrée fracassante quand la lourde porte, rabattue par le vent, claqua si fort que le vicaire et l'assistance, agenouillés en une prière silencieuse, sursautèrent et, en se retournant, la découvrirent pétrifiée au fond de l'allée centrale. Stanley Crossley, qui portait un brassard noir sur son costume sombre et était assis sur un banc à l'arrière de l'église, se leva pour l'aider à rejoindre les siens.

Ruby fut scandalisée en voyant ce qui ressemblait à une boîte en carton, posée sur des tréteaux devant l'autel. Elle chuchota à Brian : « Qui a laissé ce carton ici ? Où est le cercueil d'Yvonne ? »

— C'est *ça*, répondit Brian à voix basse. Il est écologique.

— Mais qu'est-ce que c'est que ce bazar ?

Le vicaire annonça à la petite assemblée qu'Yvonne était née dans le péché et morte dans le péché.

Ruby glissa à Brian : « Elle voulait un cercueil en noyer avec des poignées en cuivre et un intérieur en satin grenat. »

Brian répondit du coin des lèvres : « Son contrat prévoyance obsèques ne couvrait pas le noyer. »

Dans son habit noir et blanc, le vicaire ressemblait à un blaireau. Il continua d'une voix mielleuse : « Nous sommes rassemblés ici aujourd'hui, en cette matinée froide et pluvieuse, pour célébrer la vie de notre sœur, Rita Coddington. »

L'assistance réagit à son erreur par des grognements irrités et des rires contenus.

Il poursuivit : « Rita est née en 1939, de l'union d'Edward Coddington et de son épouse Ivy. De cet accouchement difficile qui nécessita l'emploi de forceps, Rita conserva toujours une tête de forme oblongue. Les autres enfants se moquaient d'elle à l'école, mais… »

Ruby se leva et prit la parole. « Excusez-moi, mais vous dites n'importe quoi. La femme dans cette boîte, c'est Yvonne Beaver. Son père s'appelait Arthur, sa mère Pearl, et elle avait une tête parfaitement normale. »

Parcourant les feuillets épars sur son pupitre, le vicaire s'aperçut qu'il était en train de lire l'éloge de la personne suivante. « Je m'en tiens aux informations qui m'ont été données. Alors, avant de continuer, j'aimerais vérifier deux ou trois points. En premier lieu, les chants... Vous avez bien demandé : *Que le Seigneur te bénisse et te garde*? »

— Oui, dit Brian.

— Et *En avant soldats du Christ*?

Brian acquiesça.

— Pour la musique profane... Elle aurait souhaité *Yellow Submarine* des Beatles, et *Rawhide*, interprétée par Mr Frankie Laine ?

— Oui, marmonna Brian.

— Elle était bien poinçonneuse de tickets jusqu'à son mariage ?

À nouveau, Brian confirma.

Brianne lança d'une voix forte : « C'est bon, maintenant? On peut continuer ? »

Le vicaire embraya : « Brian Junior, le petit-fils d'Yvonne, va nous lire l'oraison. »

Tous ceux qui connaissaient Brian Junior se raidirent en le voyant s'approcher du pupitre.

Alexander grommela : « Oh, Seigneur », et croisa les doigts.

C'était la première fois que Brian Junior s'exprimait en public lors d'une cérémonie officielle. Il commença avec une relative aisance, respectant le modèle qu'il avait pompé sur le site web eulogie-funebre.com. Puis, ayant épuisé les formules conventionnelles, il improvisa.

Il parla des souvenirs les plus anciens que sa sœur et lui conservaient d'Yvonne. « Elle était obsédée par l'hygiène. Quand on passait la nuit chez elle, elle me prenait mon ours en peluche et le mettait dans la machine à laver avec le singe de Brianne pour qu'ils soient tout propres le lendemain matin. »

Il embrassa l'église du regard, contemplant les piliers ouvragés et les murs porteurs de signes et de symboles qu'il ne savait pas déchiffrer. Malgré la faible lumière à l'extérieur, les vitraux luisaient dans la pénombre et leurs figures bibliques semblaient dotées de vie.

« Elle a enlevé l'odeur de Nounours », dit Brian Junior.

La voix de Brianne lui fit écho au premier rang. « Et celle de Petit Singe. »

Brian Junior s'essuya les yeux avec la manche de sa veste et continua : « Je sais que le cercueil de grand-mère inquiète certains d'entre vous par son apparente fragilité. Aussi ai-je fait des recherches sur le processus de décomposition du corps humain. Compte tenu de la taille du sujet et de son poids approximatif, en intégrant également les variables du climat et de la température, j'estime que le cercueil et le cadavre dureront... »

Brian interrompit : « Merci, Brian Junior ! Descends de là maintenant, fiston. »

Le vicaire reprit aussitôt possession du pupitre et, avant même que Brian Junior ait regagné sa place, fit signe à l'organiste d'entamer le premier cantique : « À Toi, mon Dieu, je m'abandonne... »

Stanley et Ruby chantèrent avec vigueur. Ni l'un ni l'autre n'avaient besoin du livret.

Tout en regardant le visage de Stanley à la dérobée, Ruby pensa : « C'est fou comme on s'habitue, avec le temps. »

* * *

Eva goûtait avec délice le silence de la maison. La pluie avait cessé. À en juger par la lumière sur le mur blanc, il devait être à peu près 11 heures.

Le calme régnait dans la rue. L'averse avait dispersé la foule, chacun s'enfuyant à la recherche d'un abri.

Elle pensa à Yvonne, qu'elle avait vue au moins deux fois par semaine pendant vingt-cinq ans. Des souvenirs lui revenaient.

Yvonne au bord de la mer, secouant des serviettes pleines de sable que le vent vous envoyait dans les yeux.

Yvonne avec une épuisette d'enfant, essayant de pêcher des têtards avec les jumeaux.

Yvonne au lit, pleurant à cause de ses douleurs d'arthrite.

Yvonne écroulée de rire devant Norman Wisdom à la télé.

Yvonne faisant claquer sa langue en mangeant pendant le déjeuner du dimanche.

Yvonne se disputant avec Brian à propos du créationnisme.

Yvonne laissant tomber la cendre de sa cigarette dans le plat qu'elle était en train de servir.

Yvonne horrifiée dans un restaurant en France en découvrant que son steak tartare était cru.

À sa grande surprise, Eva s'aperçut qu'elle regrettait Yvonne.

* * *

Dans l'église, le vicaire — par respect pour ses fidèles — chantait le dernier couplet de *Yellow Submarine.*

Quand ce fut enfin terminé, il conclut : « La vie est comme une banane. Le fruit se trouve à l'intérieur. Au début la peau est verte, alors on attend que la banane mûrisse… » Il marqua une pause. « Mais si on l'oublie et qu'il s'écoule trop de temps, la peau noircit, et quand enfin on l'enlève, qu'est-il arrivé au bon fruit ? »

Au premier rang, Brian Junior répondit : « La banane a produit de l'éthylène. Au cours de l'oxydoréduction, elle perd ses électrons au profit d'un corps gazeux de masse équivalente. »

Le vicaire dit : « Merci de votre contribution », et poursuivit : « Le corps d'Yvonne se décomposera, mais son âme atteindra la vie éternelle au Royaume de Dieu et restera à jamais dans vos mémoires. »

Brian Junior rit.

Le vicaire pria l'assistance de s'agenouiller pendant qu'il lisait un passage de la Bible sur la résurrection. Seule Ruby resta debout. Elle montra ses genoux et articula silencieusement « Mal aux genoux ! » à l'intention du vicaire en faisant non de la tête.

Lorsqu'il eut fini de lire, le vicaire examina les membres de l'assemblée. Ils se dandinaient d'un pied sur l'autre, regardaient leur montre et bâillaient. Il jugea qu'il était temps de passer à la Recommandation de l'âme et au Dernier Adieu. Il s'éclaircit la gorge, se tourna vers le cercueil et dit : « Recommandons maintenant Yvonne Primrose Beaver à la miséricorde de Dieu, notre Créateur et notre Rédempteur. »

Brian Junior lança d'une voix forte : « Créateur ? Ça m'étonnerait. » Il ajouta, comme s'il prenait la parole dans une séance de travaux dirigés : « Variation plus reproduction différentielle plus hérédité égale sélection naturelle. Score : Un point pour Darwin, zéro pour Dieu. »

Considérant Brian Junior, le vicaire se dit : « Pauvre garçon. Le syndrome de la Tourette est vraiment une maladie terrible. »

Alexander pensa : « C'est pas bientôt fini, ce cirque ? »

Au dernier enterrement auquel il avait assisté, il y avait une chorale de gospel et une batterie. Les gens dansaient. Ils se déhanchaient, levaient les bras au-dessus de leur tête et semblaient vraiment heureux que le défunt arrive bientôt dans les bras de Jésus.

Quand le vicaire prononça la formule finale : « Nous confions Yvonne à Ta miséricorde, au nom de notre Seigneur Jésus, mort et ressuscité, qui règne avec Toi pour les siècles des siècles », les membres de l'assemblée répondirent : « Amen », exprimant ainsi leur sincère gratitude de voir la cérémonie terminée.

Quatre employés des pompes funèbres remontèrent solennellement l'allée centrale, hissèrent le cercueil écologique sur leurs épaules et, au son de *Rawhide*, sortirent de l'église et partirent en direction de la tombe sommairement creusée.

L'assistance suivit.

Tout en chantant avec Frankie Laine, Brian s'imagina à cheval dans les vastes plaines du Texas, faisant claquer un fouet imaginaire pour rassembler le bétail.

Pendant qu'on emportait le cercueil en carton vers la tombe, quelques adorateurs de « l'Ange » de Bowling Green Road se joignirent au cortège. À leur tête venait Sandy Lake et son ami, l'anarchiste William Wainwright.

Sandy portait un unique lys qu'elle avait acheté au magasin de Mr Barthi. Celui-ci avait d'abord refusé de disloquer un bouquet préassemblé de six fleurs, mais elle s'était montrée si tenace qu'il avait fini par céder, déclarant plus tard à sa femme qu'il songeait à prendre sa retraite et à se reconvertir dans une activité où il ne serait pas obliger de traiter avec le public.

Elle l'avait tancé vertement : « Tu préfères les robots, c'est ça ? Tu vas retourner à l'université pour faire un master d'électronique et de robotique ? D'ici que tu décroches ton diplôme, tu auras soixante-dix ans ! Moi, je serai morte de faim, et tes enfants balaieront le caniveau ! »

Tout en rangeant les paquets de riz instantané sur les étagères, Mr Barthi regretta amèrement de s'être ainsi ouvert à sa femme. Il était déjà assez triste comme ça aujourd'hui. Mrs Yvonne Beaver était une bonne cliente, et elle avait toujours quelque chose d'intéressant à raconter. Pas comme son fils.

Il déplorait aussi de ne plus voir Mrs Eva Beaver, à qui il fournissait des boîtes de soupe à la tomate Heinz. Elle en mangeait tous les jours au déjeuner. Elle était la seule à aimer ça chez elle, les autres faisaient la grimace.

Pendant ce temps, à Bowling Green Road, des cris et des insultes étaient échangés entre divers groupes adverses. Les adorateurs de vampires conspuaient la faction d'Harry Potter.

Pour oublier le bruit, Eva avait entrepris de se remémorer toutes ses chansons préférées depuis qu'elle était enfant jusqu'à ce jour. Elle s'était déjà chanté *I'm a Pink Toothbrush** de Max Bygraves, puis *The Sun Ain't Gonna Shine Anymore* des Walker Brothers, et tentait à présent de se rappeler *Back to Black* d'Amy Winehouse. Elle savait qu'elle avait une belle voix, et l'oreille juste, de sorte qu'elle ne supportait pas d'entendre une fausse note dans la bouche des chanteurs professionnels.

Miss Bailey, son professeur de musique à l'école, l'avait inscrite à un concours de chant organisé par le comté. Eva interpréta en solo le classique de Schubert, *La Truite*,

---

* Chanson enfantine : « Je suis une brosse à dents rose ».

devant les membres d'un jury désabusé. À la fin, voyant qu'ils souriaient, elle en avait déduit qu'ils se moquaient d'elle et s'était enfuie en courant de l'estrade, se perdant dans une enfilade de couloirs avant de déboucher dans un jardin où les autres candidats, assis sur des bancs, mangeaient le contenu de leur panier-repas. Ils l'avaient tous dévisagée.

Le lundi suivant, la directrice de l'école, Miss Fosdyke, annonça aux élèves rassemblées pour la prière du matin qu'Eva Brown-Bird avait remporté la médaille d'or au concours de chant. Eva, sous le choc, trouva insupportable le tonnerre d'applaudissements. Elle rougit et baissa la tête. Quand Miss Fosdyke l'invita à monter sur l'estrade, elle se faufila entre ses camarades jusqu'au bout de la rangée et s'échappa par la porte la plus proche. Elle entendit un énorme éclat de rire dans son dos au moment où elle regagnait le vestiaire. Comme il lui paraissait impossible de rester à l'école, elle prit son manteau et son cartable, et, trempée jusqu'aux os par une pluie battante, traîna dans les rues de son quartier en attendant l'heure de rentrer à la maison.

55

Un grondement désapprobateur s'éleva à l'encontre de Brian et de Titania quand tout le monde revint à la maison après l'enterrement. Puis, obéissant à un geste d'Alexander, la foule se tut. Des photos des funérailles circulaient déjà sur Internet. Parmi les habitués, plusieurs tweeteurs mal renseignés s'inquiétaient que la disparition d'Yvonne ne signe la fin de l'accès aux toilettes.

À peine entré, le petit groupe entendit Eva qui chantait un air connu. « Voyez au sein de l'onde/Ainsi qu'un trait d'argent. »

Titania chuchota à Ruby : « C'est *La Truite* de Schubert. »

Ruby répliqua : « Pourquoi est-ce qu'on me dit toujours ce que je sais déjà ? »

Quand Eva passa à l'allemand, Ruby entonna : *« Ich stand an dem Gestade/Und sah in süßer Ruh/Des muntern Fischleins Bade/Im klaren Bächlein zu. »*

Les autres se regardèrent en souriant. Brianne dit : « Vas-y, mamie ! »

Ruby déclara platement : « Elle m'a cassé les oreilles avec ça pendant des semaines. J'ai cru devenir folle. »

Dans sa chambre, Eva cria : « Et ma médaille ! Qu'est-ce que tu en as fait, maman ? »

— Bon sang, Eva. Arrête de toujours ressasser !

Se tournant vers Stanley, Ruby expliqua : « Elle savait bien que je ne supportais pas le bazar. Elle n'avait qu'à la ranger. »

Stanley sourit. Lui aussi aimait que les choses soient à leur place.

Ruby s'approcha de l'escalier en boitillant et lança : « C'était pas de l'or, de toute façon ! »

Bien plus tard, quand Eva demanda à Brianne comment s'était passé l'enterrement, celle-ci répondit : « Brian Junior a été nul au moment de l'éloge, mais sinon, c'était pas trop mal. Personne n'a pleuré, sauf papa. »

— Et toi, Brianne ? Tu n'aurais pas pu verser une *petite* larme ? C'est la moindre des politesses, à un enterrement.

Brianne rétorqua : « Quelle hypocrite ! Toi qui nous rebats les oreilles avec la vérité, la beauté, et toutes ces conneries du dix-neuvième siècle. »

Brianne était déçue et en colère parce qu'Alexander ne lui prêtait aucune attention. Il n'avait pas passé plus de temps avec elle qu'avec le reste de la famille. Bon d'accord, il ne l'aimait pas. Mais il pourrait au moins reconnaître qu'ils étaient proches tous les deux. Elle s'était débrouillée pour s'asseoir à côté de lui à l'église, mais il s'en fichait comme de l'an quarante.

Il lui avait manqué de respect. Elle était vexée et éprouvait le besoin de se confier à ses amis en ligne. Elle partit dans la chambre de Brian Junior et alluma son ordinateur portable.

Brian Junior, déjà en ligne, était en train de poster un message sur Twitter. Il tapa :

Grand-mère = bonjour les asticots + adieu Jésus inexistant.

Il passa ensuite sur la page Facebook qu'il avait créée en l'honneur de sa mère et, *via* l'un de ses comptes troll, entreprit de casser du sucre sur la foule massée devant la maison en faisant plus particulièrement allusion à Sandy Lake. Après avoir terminé sa diatribe, il modifia le statut du compte troll, qu'il remplaça par: « Quelqu'un aurait une grenade ? »

Pendant ce temps, sur le même site, Brianne tapait:

Il y a un glandu noir devant chez moi. Il se prend pour un portier, sauf que ça le fait pas au niveau look et qu'il a des cheveux qui puent. Coupe tes dreads, papy.

Debout sur les marches du perron éclairé, dans son manteau Crombie bleu marine, Alexander fumait une cigarette.

Des cris de désespoir montaient vers lui, des suppliques émanant de gens qui demandaient à voir Eva avant la nuit. Elle accordait maintenant une audience à cinq personnes par jour, et Alexander sélectionnait les candidats parmi la foule selon des critères étonnamment variés.

Cet après-midi-là, le premier élu fut un homme de cinquante-sept ans dont la mère voulait épouser un homme de plus de soixante-dix ans. Comment pouvait-il l'en empêcher ?

Eva répondit: « Ne l'empêchez pas. Achetez-lui une bouteille de champagne et donnez-lui votre bénédiction. »

Le deuxième était un passionné de plumes qui croyait qu'Eva dissimulait une magnifique paire d'ailes dans son dos. Eva se retourna et souleva son T-shirt pour rétablir la vérité.

Il y eut une adolescente qui raconta à Eva qu'elle voulait mourir pour rejoindre Kurt Cobain au paradis et s'allonger près de lui dans son lit d'enfant à barreaux.

Et un Américain super obèse qui était venu en avion de La Nouvelle-Orléans — il avait réservé deux sièges en classe affaires —, pour dire à Eva qu'elle était une réincarnation de Marilyn Monroe et qu'il souhaitait « communiquer » avec elle.

Et puis, bien sûr, il y avait les affligés incapables de supporter la dure réalité, à savoir qu'ils ne verraient plus jamais les disparus si chers à leur cœur. Ils apportaient des lettres et des photos, demandant à Eva de parler aux morts et de transmettre leurs messages aux vivants. Eva essayait tant bien que mal d'endiguer les émotions dans la chambre, se détournant si les larmes venaient.

Alexander écrasa sa cigarette sous sa chaussure et repoussa le mégot dans le caniveau. Très calme, il s'adressa à Sandy Lake : « Ce sera tout pour ce soir. Soyez à l'écoute de vos émotions positives. Ne sollicitez pas Eva en criant. Faites preuve de respect. Il y a eu un enterrement ici aujourd'hui. »

Cette nuit-là, quand Alexander eut bordé Venus et Thomas dans la chambre de Brian Junior, il regarda par la fenêtre avant de se coucher lui aussi. Il vit qu'il ne restait qu'une seule personne sur le trottoir en face de la maison : Sandy Lake, assise devant sa tente.

Ayant garni son matelas de camping avec des cartons et des journaux, elle s'était installée aussi confortablement que possible et, à la lueur d'une lampe frontale, lisait un magazine people.

Alexander hissa légèrement la fenêtre pour laisser entrer un peu d'air. Sandy leva aussitôt les yeux. Troublé par la fixité de son regard qui lui évoquait un prédateur, il referma la fenêtre et engagea le loquet.

Sandy avait le moral à zéro ce soir. Penelope l'avait abandonnée et était rentrée chez elle pour soigner sa bronchite. Arrivée la première sur les lieux, Sandy n'avait toujours pas été reçue par Eva de manière satisfaisante. Dix minutes ne lui suffisaient pas. Eva lui avait promis une autre audience, mais à force de voir son tour chaque fois remis à plus tard, Sandy commençait à perdre patience. Elle avait besoin de raconter sa vie à Eva : comment les gens l'avaient toujours maltraitée — jusqu'à Mr Barthi, à présent, dans son magasin trois rues plus loin, qui refusait de l'écouter quand elle lui parlait d'Eva et des anges.

Récemment, il lui avait dit : « N'essayez pas de me faire avaler ces bêtises. Je suis agnostique. »

C'était la faute d'Alexander. Il l'empêchait de voir Eva. Il était jaloux, parce que Sandy s'était autoproclamée experte mondiale du phénomène Eva. Elle avait découpé et assemblé sur des pages de scrapbooking plus d'articles de journaux que tous les autres fans d'Eva, et elle pouvait réciter par cœur les étapes mémorables de son ascension au royaume de la célébrité. Sur son iPad, elle accédait à tous les sites et les blogs traitant d'Eva, et elle était fière de l'efficacité de ses alertes qui signalaient chaque mise à jour.

Elle était la principale source des informations, justes ou erronées, concernant les pouvoirs psychiques d'Eva. Encline à l'exagération, Sandy n'hésitait pas à décrire une audience fictive avec Eva : « C'est un être exceptionnel, d'une beauté éthérée à nulle autre comparable. Chaque parole qui sort de sa bouche est empreinte de sagesse et de vérité. »

Lorsqu'on l'interrogeait pour savoir ce qu'Eva avait dit de si impressionnant, Sandy s'essuyait les yeux et répondait : « Excusez-moi, je suis toujours tellement émue quand je parle d'Eva... » Puis, après un silence que ses interlocuteurs trouvaient interminable et des plus agaçants, elle reprenait : « Eva s'est adressée à moi et à moi seule, son message reste gravé dans mon cœur. Mais alors que je partais, je me suis retournée et je l'ai vue en lévitation au-dessus de son lit. Elle m'envoyait un signe ! C'était sa manière de me dire que j'ai été choisie ! »

Quand les cyniques demandaient : « Choisie pour quoi ? », l'élue répondait d'un air transfiguré : « J'attends un autre signe, il me viendra du ciel. »

Pour Sandy, il fallait absolument qu'Eva intervienne auprès des pays du monde entier afin qu'ils arrêtent de faire la guerre et qu'ils viennent en aide aux petits enfants qui n'avaient ni à boire ni à manger. Le monde écouterait Eva, elle en était sûre. Alors l'allégresse se répandrait au paradis des anges et il n'y aurait plus de guerres, d'inondations, de famines, de tremblements de terre. Partout régneraient la paix, la joie et l'amour, c'est pourquoi il était impératif qu'elle parle à Eva.

Que pouvait-il y avoir de plus important ?

Elle jeta un dernier regard à la fenêtre éclairée d'Eva, murmura une prière et rentra dans sa tente, où William Wainwright dormait comme un bébé, assommé par les barbituriques.

Chaque fois qu'elle regardait par la fenêtre, Eva voyait Sandy Lake, les yeux levés vers elle, souriant béatement. Maudite femme qui lui gâchait le paysage.

« Cette folle ne dort donc jamais ? » s'était-elle plainte à Alexander.

Alexander avait répondu : « Même quand elle dort, elle garde les yeux ouverts. Mais ne t'inquiète pas, je suis juste à côté. Frappe contre le mur si tu as besoin de moi. »

56

En février, de retour à Leeds, les jumeaux se coulèrent avec soulagement dans leur vie d'étudiants. Il était impossible de travailler à Bowling Green Road. D'après Brian Junior, la sonnette retentissait en moyenne 9,05 fois par heure.

Ils décidèrent de travailler ensemble sur les divers travaux requis par leurs professeurs. Grâce à cette collaboration, chacun pourrait ainsi consacrer davantage de temps à ses recherches personnelles.

Afin de consolider leurs finances, ils se rendirent dans une boutique d'achat et de vente de produits d'occasion où ils échangèrent les bijoux de leur mère contre des espèces sonnantes et trébuchantes. Ils décrétèrent que, dorénavant, ils ne laisseraient pas les sentiments s'immiscer dans l'exécution de leurs plans.

Le deuxième trimestre commençait à peine, mais ils réussirent à pirater les fichiers de l'université et modifièrent le statut de leurs comptes, passant de « Loyer impayé » à « Loyer acquitté jusqu'en 2013 ». Pour fêter le succès d'une opération qui leur rapportait chacun quatre cents livres par mois, ils allèrent s'acheter des vêtements.

Assis sur un canapé devant les cabines d'essayage de Debenhams, ils discutèrent longuement de leurs projets d'avenir.

Brianne avoua que si elle ne pouvait pas avoir Alexander, elle ne le remplacerait par aucun autre homme.

Brian Junior déclara qu'il ne se marierait jamais. « Je ne suis pas attiré sexuellement par les femmes, ni par les hommes », dit-il.

Brianne conclut en souriant : « Alors, c'est toi et moi pour la vie ? »

— Tu es la seule personne que je supporte pendant plus de quatre minutes, confirma Brian Junior.

Lorsqu'ils eurent enfilé leurs nouveaux vêtements, ils sortirent de leurs cabines respectives et furent frappés de voir à quel point ils se ressemblaient. Ils avaient tous deux choisi du noir et, après des négociations qui les ramenèrent plusieurs fois dans les rayons du magasin, ils optèrent pour un uniforme identique comportant une ceinture en peau de léopard et des bottes de cow-boy rehaussées de fil d'argent.

Ne doutant pas de la prospérité à venir, ils abandonnèrent leurs vieux habits dans les cabines et, bras dessus, bras dessous, parcoururent la galerie commerciale en marchant d'un même pas.

Chez Toni & Guy, un coloriste obéit à leurs instructions et teignit leurs cheveux en rouge magenta, puis un styliste effectua deux coupes identiques à la géométrie sévère. Après le coiffeur, ils se rendirent chez le meilleur tatoueur du Yorkshire.

À l'opérateur qui leur demandait s'ils avaient un lien de parenté avec la femme au lit nommée Beaver, ils répondirent : « Non. »

Il fut déçu. « Elle est cool », dit-il.

On leur fit passer un test allergologique cutané et ils allèrent attendre les résultats à la terrasse d'un café afin de pouvoir fumer. Pour des nihilistes comme eux, fumer était un *devoir.*

Ils allumèrent leur cigarette et fumèrent tranquillement. Puis Brian Junior demanda: « Est-ce qu'on retournera un jour à Bowling Green Road, Brianne ? »

— Quoi ? Pour se coltiner encore l'interface avec ces gens odieux qu'on appelait autrefois papa et maman ? *Alias* le Grand Adultère, on le sait maintenant, et sa femme, la Fausse Prophétesse.

Brian Junior dit: « Je les adorais quand j'étais petit — et toi aussi, Brianne, tu ne peux pas le nier ! »

— Les mômes sont trop cons. Ils croient à la Petite Souris, au Père Noël, à Dieu !

— J'avais confiance en eux, se lamenta Brian Junior. Je croyais qu'ils agiraient toujours bien. Qu'ils diraient la vérité. Qu'ils contrôleraient leurs désirs bestiaux.

Brianne rit. « Leurs désirs bestiaux ? Tu es en train de lire l'Ancien Testament ou quoi ? Ou alors D. H. Lawrence. »

Brian Junior reprit: « J'ai mal quand je pense à Disneyland. L'idée que pendant qu'on faisait la queue avec maman pour It's a Small World, papa se payait une prostituée à l'hôtel avec sa carte de crédit… »

Brianne proposa: « On va leur dire adieu définitivement, d'accord ? »

Ni l'un ni l'autre n'avaient de quoi écrire. Plus personne ne s'embarrassait avec du papier et un stylo de nos jours. Ils ouvrirent leurs ordinateurs portables et effacèrent toutes les références à leurs parents. Puis Brianne installa un feu virtuel à l'écran et tapa « Eva Beaver » et « Brian Beaver ». Brian Junior posa son index sur celui de sa sœur. Ensemble, ils appuyèrent sur la touche qui embrasa les deux noms pour les effacer à jamais de leur mémoire.

Ils discutèrent de leurs tatouages. Chacun porterait gravée sur sa peau la moitié d'une équation permettant de calculer une somme.

Quand ils ressortirent du salon de tatouage, ils suscitèrent plus d'un regard — mais personne, même les voyous qui traînaient dans ce quartier la journée, ne risqua le moindre commentaire.

Brian Junior se sentait fort et débordant d'assurance aux côtés de sa sœur. Lui qui jusque-là avait toujours fixé le trottoir en marchant dans la rue, il avançait la tête haute et les gens s'écartaient sur son passage.

57

Eva avait regardé les feuilles du sycomore se déplier une à une. Pour la première fois depuis des mois, il était possible d'aérer les maisons. Elle faisait de la gymnastique, allongée sur son lit, levant les jambes jusqu'à sentir les muscles de son ventre se durcir. Alexander était debout sur le perron, elle le savait à l'odeur de sa cigarette qui entrait par la fenêtre ouverte.

Elle l'avait entendu gronder Venus et Thomas ce matin, au moment de partir pour l'école, parce que tous deux ne trouvaient pas leurs chaussures. Elle avait ri en entendant Alexander s'exclamer : « Cherche ! Tu les as laissées quelque part. »

« Classique », pensa-t-elle.

Depuis combien de milliers d'années les enfants demandaient à leurs parents où étaient passées leurs chaussures ? Quand les enfants avaient-ils commencé à porter des chaussures, et de quoi étaient-elles faites alors ? De peau d'animaux ou de végétaux tissés ?

Il y avait tant de choses qu'elle ignorait.

Alexander avait dit aussi : « Finis ton bol, il y a des enfants qui meurent de faim en Afrique. »

À son époque, songea Eva, c'étaient des petits Chinois qui n'avaient rien à manger.

Alexander avait répondu à la question de Thomas : « Pourquoi les enfants doivent aller à l'école ? » par une phrase laconique : « Parce que c'est comme ça. »

S'il n'y avait pas eu cette foule dehors, elle aurait aimé les regarder partir. Alexander, avec ses dreadlocks et son élégant manteau bleu marine. Les enfants, dans leur uniforme rouge et gris.

La mère d'Eva s'était plainte autrefois parce que les dessins des enfants prenaient toute la place sur les murs de la maison. Ajoutant : « Si encore ils étaient beaux, mais je t'en fiche ! »

Ruby faisait de la pâtisserie aujourd'hui. La chambre était emplie de l'odeur douceâtre et écœurante des gâteaux qu'elle vendrait plus tard à la foule.

Eva lui avait demandé d'arrêter son commerce. « Tu encourages les gens à rester et *en plus* tu les exploites. »

Mais Ruby, qui s'était acheté un nouveau tapis de salon grâce aux bénéfices de ses ventes, avait refusé en répliquant : « Si ça ne te plaît pas, tu n'as qu'à te lever. Ils partiront tout de suite quand ils verront que tu es une femme tout ce qu'il y a de plus ordinaire. »

Tournant la tête pour s'étirer les muscles du cou, Eva vit deux pies passer devant la fenêtre, des brins de paille dans le bec. Les oiseaux nichaient dans un creux du tronc du sycomore et, depuis une semaine, elle observait leurs allées et venues avec un vif intérêt.

« Un couple uni », pensa-t-elle.

Elle se demanda s'il était possible qu'un homme et une femme soient parfaitement heureux ensemble.

Autrefois, lorsqu'ils invitaient des gens à dîner — sur l'insistance de Brian —, tout le monde commençait bien la soirée en général. Mais avant qu'Eva serve ses profiteroles maison, il n'était pas rare que l'on assiste entre l'un des couples mariés à des prises de bec et à des chamailleries mesquines, chacun reprenant son partenaire, mettant en doute la véracité de ses anecdotes et le contredisant sur d'absurdes petits détails. « Non, c'était mercredi, pas jeudi. Et tu portais ton costume bleu, pas le gris. » Ils partaient tôt, crispés et raides comme des statues de l'île de Pâques. Ou bien s'attardaient à n'en plus finir, se resservant un cognac après l'autre et noyant leur dépression dans une ivresse hébétée.

Eva sourit en pensant : « Je ne serai plus jamais obligée d'inviter des gens à dîner, ni d'aller chez eux. »

Elle se demanda si les pies étaient heureuses — ou bien le bonheur n'était-il qu'une notion propre à l'être humain ?

Qui avait insisté pour que soit inclus dans la Constitution américaine « le droit à la recherche du bonheur » ?

Elle savait qu'elle trouverait la réponse en quelques secondes sur Google, mais il n'y avait pas d'urgence. Cela lui reviendrait peut-être plus tard.

Alexander frappa à la porte. « Tu es prête pour un chauffeur routier qui a deux familles ? Une à Édimbourg, l'autre à Bristol. »

Eva grogna.

« Attends, ça se complique, continua Alexander. C'est son cinquantième anniversaire et ses deux femmes organisent chacune une grosse fête. »

Ils rirent. Eva dit : « C'est ma fête, et je pleure si je veux*... »

— Je ne t'ai encore jamais vue pleurer, fit remarquer Alexander. Ça t'arrive parfois ?

— Non, je ne peux pas.

Puis Eva demanda : « Qu'est-ce que je fabrique avec tous ces gens, Alexander ? »

---

* Allusion à une chanson célèbre popularisée en 1963 par Lesley Gore : *It's my party and I'll cry if I want to.*

— Tu te donnes une deuxième chance, non ? Tu es quelqu'un de bien, Eva.

— Non, ce n'est pas vrai ! s'écria Eva. Je leur en veux de me déranger. Leurs histoires m'envahissent, je me sens oppressée. Je ne vois pas en quoi je suis quelqu'un de bien ! Je me fiche de tout maintenant. Ces conversations m'ennuient. Je n'ai qu'une envie, c'est de rester couchée sans parler, sans rien entendre. Sans me demander qui est le suivant sur ta liste.

Alexander répliqua : « Tu crois que mon boulot est plus facile ? Je passe mes journées à me geler les couilles sur un pas de porte et à parler avec des mentalistes. »

— Ce ne sont pas des mentalistes, protesta Eva. Ce ne sont que des *êtres humains*, qui se retrouvent dans des situations impossibles.

— Ah, tu crois ça ? Si tu voyais ceux à qui je refuse l'entrée…

Alexander s'assit sur le lit. « J'en ai assez de rester dehors dans le froid. J'ai envie d'être ici, avec toi. »

Eva dit : « Je pense à toi la nuit. De l'autre côté du mur. »

— Oui, je dors à trente centimètres de toi.

Tous deux s'absorbèrent dans la contemplation fascinée de leurs ongles.

Alexander reprit : « Bon. Tu lui accordes combien de temps, au bigame ? »

— Comme d'habitude, dix minutes. C'est le maximum que je supporte, répondit Eva avec irritation.

— Si tu ne veux pas le recevoir, dis-le. Je peux le renvoyer.

— Tout ça n'est qu'une mascarade. Ils croient que je les aide, mais je ne fais rien. Pourquoi gobent-ils tout ce qu'ils lisent dans les journaux ?

— Les journaux ? Laisse tomber… C'est Internet. Tu n'as aucune idée, hein ? Tu n'imagines pas la folie qu'il y a dehors. Toi, tu es dans ton lit, tu te fais servir, et tu te planques littéralement sous ta couette quand tu tombes sur quelque chose d'un peu désagréable, quelque chose qui pourrait troubler ton petit confort. Mais sache que c'est en bas que ça se passe, le vrai boulot, le boulot dangereux. Je ne suis pas garde du corps professionnel. Je lis ton courrier, Eva. Il y a des lettres que je ne te montre pas. Et moi, est-ce que je peins pendant ce temps-là ? Non. Parce que je suis occupé à protéger Eva des fous furieux qui veulent la mettre en pièces. Eva la diva.

Eva s'assit brusquement.

Elle voulait sortir du lit et mettre fin à ces ennuis qui arrivaient par sa faute. Mais au moment de poser les pieds par terre, il lui sembla que le sol se dérobait. Que si elle se levait, tout son être se répandrait comme de la gelée et passerait à travers le plancher.

La tête lui tournait. « Donne-moi une minute, s'il te plaît, ensuite dis au bigame de monter. »

— Très bien… Et remets-toi à manger. Tu n'as plus que la peau sur les os.

Alexander sortit et ferma la porte avec autorité.

Eva eut l'impression d'avoir reçu un coup en pleine poitrine.

Depuis quelque temps, elle sentait que sa conduite laissait à désirer. Elle était égoïste, exigeante, et commençait à se croire le centre de son petit univers. Elle dirait à Alexander de partir et de rentrer chez lui avec ses enfants.

Réussirait-elle à se débrouiller sans l'amour d'Alexander et ses délicates attentions ? Imaginant sa vie d'autoemprisonnement sans lui, elle éprouva une souffrance si vive que cette pensée lui fut intolérable.

Elle reprit sa gymnastique, levant une jambe après l'autre. Un, deux, trois, quatre, cinq, six, sept…

58

Les parents de Ho, Mr et Mrs Lin, marchaient sur une étroite bande de terre le long d'une route à huit voies.

Ils ne parlaient pas. Le bruit de la circulation était assourdissant.

Deux ans auparavant, il n'y avait pas de route à cet endroit. Le quartier se composait de petites maisons basses, d'échoppes et d'ateliers, de ruelles et de passages où chacun évoluait sous les regards de ses voisins. Il n'y avait aucune vie privée. Si quelqu'un toussait, beaucoup de gens l'entendaient, et tout le monde se réunissait pour célébrer les fêtes.

Ils dépassèrent une tour moderne et un concessionnaire automobile qui vendait des voitures neuves rutilantes. Un peu plus loin étaient exposés des scooters électriques, alignés par couleurs. Mr Lin désirait un scooter depuis toujours. Il caressa le guidon et la selle de l'un d'eux, qui était de sa couleur préférée — aigue-marine.

Plus loin encore, Mrs Lin dit : « Regarde ces vieilles bicyclettes. »

Il y en avait des centaines, de l'autre côté d'un grillage sécurisé par des spots lumineux.

Ils rirent tous les deux, et Mrs Lin observa : « Qui voudrait voler de vieilles bicyclettes ? »

Bientôt, ils tournèrent dans leur ancienne rue. Les gravats n'étaient toujours pas dégagés.

Ils passèrent devant l'endroit où ils avaient vécu pendant dix-neuf ans, où Ho jouait dans les ruelles à l'abri des voitures. Il ne restait que cinq maisons encore habitées. L'une d'elles appartenait au prêteur d'argent, Mr Qu. On racontait que Mr Qu connaissait quelqu'un à l'office du tourisme de Pékin et qu'il avait soudoyé le conducteur du bulldozer pour que sa maison soit épargnée. Mr Qu avait peur des prêteurs professionnels qui menaçaient de lui prendre sa clientèle.

La porte était ouverte. Mr Lin lança, d'une voix douce : « Mister Qu, vous êtes là ? C'est Mr Lin, votre ancien voisin. »

Mr Qu s'approcha. « Ha ! fit-il. Alors ? Ça vous plaît de vivre là-haut dans le ciel, avec les oiseaux ? »

Les Lin étaient des gens fiers.

« Oui, répondit Mrs Lin. C'est mieux qu'en bas, avec les chiens. »

Mr Qu rit poliment.

Mr Lin n'avait jamais aimé le prêteur. Il trouvait scandaleux les intérêts que Mr Qu exigeait de ses clients. Mais il avait fait le tour des banques, toutes refusaient de lui accorder un prêt. Il s'était battu, jurant de prendre un deuxième emploi et de travailler la nuit pour aider à construire le nouveau Pékin. Mais il était si frêle, le visage si décharné, que les gens se disaient qu'à tout moment il risquait d'être appelé à rejoindre ses ancêtres. Aucun banquier ne pouvait imaginer qu'il vivrait suffisamment longtemps pour rembourser sa dette.

Mr Qu demanda : « Comment va Ho en Angleterre ? »

Mrs Lin répondit : « Il va très bien. C'est un excellent élève et il réussit tous ses examens. »

— Vous venez pour bavarder ou pour affaires ? interrogea Mr Qu.

— Pour affaires, répondit Mr Lin.

Mr Qu les entraîna dans la petite maison et les fit asseoir. Puis, d'un geste, il encouragea Mr Lin à poursuivre.

Mr Lin dit : « Nous avons une dépense imprévue. La famille... Une inondation dans les champs. »

— C'est très fâcheux, murmura Mr Qu. De combien s'agit-il exactement ?

Mrs Lin détailla : « Il faut remplacer un parquet, des matelas, une cuisinière, des vêtements pour huit personnes, une télévision. Ce n'est pas tout, mais... »

Mr Lin interrompit sa femme : « Disons quinze mille dollars. »

Mr Qu partit d'un rire joyeux. « Une petite somme ! Vous avez un collatéral ? »

Mr Lin s'était préparé. « Ho lui-même. Il sera docteur dans six ans. Sorti d'une université anglaise. Il vous remboursera. »

Mr Qu hocha la tête. « Mais pour l'instant, il n'est qu'en première année de médecine... Il y a tellement d'étudiants qui abandonnent, qui font honte à leurs parents. »

— Pas Ho ! dit Mrs Lin avec ferveur. Il sait quels sacrifices nous avons faits.

Mr Qu déclara : « En raison du temps qu'il me faudra pour rentrer dans mes frais... Trente pour cent. »

Mr Lin tenta de négocier. « Vous pourrez toucher une partie du salaire de Ho pendant dix ans. L'argent sera prélevé sur son compte et versé directement sur le vôtre. » Il espérait appâter Mr Qu dont il connaissait le goût pour le jeu.

Mr Qu secoua la tête. « Non, dit-il. Quelle est la chose la plus précieuse que vous possédez, Mister Lin ? »

Mr Lin détourna les yeux et dit : « Ma femme. Elle a beaucoup de valeur pour moi. »

Sur le chemin du retour, Mrs Lin s'assit sur un tas de gravats à l'endroit où se trouvait autrefois sa porte.

Elle avait les joues enflammées. « Quelle honte, dit-elle à son mari. Quelle honte… »

Mr Lin tira le mandat international de sa poche et répondit : « Ce n'était qu'une affaire d'argent. »

— Mais il nous a humiliés.

— Comment ?

— Il ne nous a pas proposé de prendre le thé avec lui.

59

Le sycomore d'Eva, tout en feuilles, déployait sa frondaison vert tendre contre la fenêtre, masquant la foule assemblée sur le trottoir en face de la maison. Eva ne voyait pas Sandy Lake, mais elle l'entendait crier ses messages invasifs tout au long de la journée et pendant la nuit. Sandy avait reçu l'ordre de maintenir une distance de cinq cents mètres avec le 15 Bowling Green Road, mais elle l'enfreignait régulièrement et, enhardie par la lenteur de la police qui tardait à réagir, tentait de forcer l'entrée et provoquait Alexander pour le faire sortir de ses gonds.

Elle le bousculait en criant: « Dégage, moricaud ! Il faut que je parle à l'ange en chef, Eva ! »

Quand, sur l'insistance d'Eva, Alexander finit par déposer une plainte formelle auprès de l'agent Hawk, celui-ci chercha à minimiser le « facteur de nuisance » que représentait Sandy.

« Je reconnais qu'elle est un peu enthousiaste, dit-il, mais personnellement, ça ne me déplaît pas chez une femme. J'en ai connu qui n'ouvraient pas la bouche au début, la première fois qu'on sortait ensemble. »

Alexander répliqua du tac au tac: « Alors, invitez-la à la pizzeria. Je vous garantis que vous n'irez pas vous resservir au buffet d'entrées à volonté. C'est une malade mentale, monsieur l'agent ! En plus, vous devriez savoir que traiter un Noir de "moricaud", dans le genre incendiaire... Moi, ça ne me dérange plus, mais il suffirait qu'une bande de jeunes Blacks désœuvrés passe dans le coin, et vous vous retrouveriez avec une émeute sur les bras. »

L'agent Hawk répondit : « Non, je désamorcerais tout de suite la situation. J'ai fait une formation sur le conflit racial... Mister Tate, pourquoi vous n'essayeriez pas de le prendre avec humour ? La prochaine fois qu'elle vous balance du "moricaud", traitez-la de "boudin". Quand elle vous connaîtra mieux, elle comprendra que vous êtes un être humain, exactement comme elle. Dites-lui que vous avez tous les deux du sang rouge dans les veines. »

Considérant le visage innocent et pétri d'ignorance de l'agent Hawk, Alexander comprit que rien de ce qu'il pourrait dire ne s'imprimerait dans ses circuits. Il avait fermé son esprit à l'adolescence, puis condamné les issues pendant ses années à l'école de police. Définitivement.

Eva était étendue sur la couette, face à la porte. Il faisait une chaleur étouffante et les mouches qui bourdonnaient au plafond l'agaçaient. Elle avait envie que quelqu'un entre pour lui apporter à manger et à boire sur un plateau.

La faim la plongeait dans un état de panique. On l'avait abandonnée plusieurs fois récemment, quand Alexander était parti s'acquitter d'un travail rémunéré.

Que ferait-elle si personne ne venait pendant une semaine ? Quitterait-elle son lit pour descendre à la cuisine, ou bien resterait-elle ici en se laissant mourir de faim — attendant que ses organes cessent de fonctionner, l'un après l'autre, jusqu'à ce que le cœur finisse par renoncer, que le cerveau déconnecte ses réseaux après avoir émis d'ultimes et vains signaux, et que le tunnel apparaisse avec la lumière vive au bout ?

Eva essaya de se représenter l'intérieur de son corps, les milliers de milliards de cellules plus petites que la largeur d'un cheveu humain. Elle pensa au système immunitaire qui, s'il est menacé par la maladie, convoque toutes les cellules de défense à un sommet de crise. Celles-ci choisissent alors un leader qui décide d'accueillir la maladie ou de la rejeter. Comme les citoyens démocrates de l'Athènes antique se réunissant pour débattre des affaires de la cité.

Portons-nous notre propre univers en nous, *sommes-nous* les dieux ? se demandait-elle.

Alexander frappa à la porte et entra, une feuille de papier A4 à la main. Voyant qu'elle avait trop chaud et semblait fatiguée, il demanda : « Tu te sens d'attaque aujourd'hui ? »

— Je ne sais pas. Il y a qui, dehors ?

— Les habitués, et quelques nouveaux… J'ai fait une liste.

Il consulta son papier, déchiffrant sa propre écriture avec difficulté. « Un marchand de semence agricole qui se plaint que personne ne l'a jamais aimé. »

— Oui, je veux bien le voir.

— Un végétarien qui travaille dans un abattoir. C'est le seul boulot qu'il a pu trouver. Est-ce qu'il doit démissionner ? Je vérifierai qu'il n'a pas de couteau sur lui.

Eva se souleva sur un coude et prit la liste. « J'ai tellement faim, Alexander », dit-elle.

— Qu'est-ce que tu veux ?

— Apporte-moi du pain. Du fromage. De la confiture. N'importe quoi.

À la porte, il marqua une pause. « Ça t'ennuierait de dire "s'il te plaît" ? J'aurais moins l'impression d'être un eunuque. »

Elle s'exécuta avec mauvaise humeur : « D'accord. S'il te plaît. »

— Merci, madame. Ce sera tout pour votre service ?

— Si tu as quelque chose à dire…

Alexander l'interrompit. « Oui, j'ai plein de choses à dire. J'en ai marre de te voir dépérir et te vautrer dans ton mal-être. Marre de tes caprices et de tes décisions arbitraires pour départager ceux qui ont l'honneur d'être reçus par la grande Eva et les autres que l'on rejette. Tu te rends compte que je ne t'ai jamais vue *debout*? Je ne sais même pas quelle *taille* tu fais. »

Eva poussa un profond soupir. L'idée qu'elle allait devoir écouter la détresse des gens la déprimait. Son entourage proche semblait traîner un malaise permanent, et même Alexander commençait à montrer des signes de fatigue.

Elle plaida : « Alexander, je ne peux pas réfléchir pour l'instant. J'ai trop faim. »

Alexander approcha son visage tout contre le sien et conseilla : « Alors, sors de ton lit et descends toi-même à la cuisine. »

— Je croyais que tu comprenais. On a passé un accord, non ?

— Non, je n'ai pas cette impression. Il me semble plutôt qu'on se retrouve tous les deux avec les jambes prises dans du béton. Et incapables de bouger, ni toi ni moi.

Il sortit, laissant la porte grande ouverte, ne prenant même pas la peine de la claquer.

Eva ramassa la liste et la parcourut, découvrant avec agacement qu'Alexander avait ajouté çà et là ses commentaires.

Homme marié — a une liaison homosexuelle. (Et alors ?)

Employée de cantine — m'a montré ses hématomes. Infligés par son mari.

Inspecteur, brigade des stups — accro aux amphétamines. S'est fait peur avec la méthamphétamine.

Ouvrier métallurgiste — plusieurs comptes de jeu sur Internet. A perdu quinze mille livres, plus un découvert de cinq mille livres. Épouse ne sait rien. Continue à parier, pour « réduire les pertes ».

Femme au foyer mère de six enfants, habitant Ipswich — forte aversion pour le cinquième.

Charpentier — expulsé demain.

Assistante d'éducation — kleptomane dans les magasins. Veut arrêter.

Maçon à la retraite — refuse d'exposer problème.

Adolescent — est cruel envers insectes, chiens et chats. Est-il « normal » ? (Pour un psychopathe, oui.)

Conducteur d'autobus — boit au volant.

Secrétaire personnelle — doit-elle épouser homme qu'elle n'aime pas ? (Non ! Non ! Non !)

Boulanger — crache dans la pâte. (Chercher où il travaille.)

Collégienne de quatorze ans — peut-elle tomber enceinte si elle prend une douche après les rapports ? (Oui.)

Conjoints mariés — proches de quatre-vingts ans. Femme a cancer de l'utérus. Consentiras-tu à administrer dose létale d'insuline à tous les deux ? (Chère Eva, s'il te plaît, ne les tue pas, c'est aller trop loin, je t'embrasse, Alex.)

Collégienne âgée de treize ans — abusée sexuellement, physiquement et émotionnellement par membre de la famille. (Allô Enfance en Danger : 0800 11 11 + police.)

Jeune musulmane — déteste la burka. Se sent « étouffer ».

Secrétaire dactylo-audio — mariée à A, toujours amoureuse de B, mais a une liaison avec C.

Financier raté, rastafari non pratiquant, peintre qui a du mal à vivre de son art — captivé par femme clouée au lit légèrement plus âgée. Veut partager son lit et faire des promenades dans la campagne avec elle. (Urgent, je te suggère de lui donner un rendez-vous sans tarder.)

Le sourire qui étirait les lèvres d'Eva se figea. Dehors, Sandy Lake criait: «Je suis revenue! Je suis là! Je serais prête à mourir pour vous, Ange Eva! Je ne vous quitterai jamais! Personne ne pourra nous séparer! Vous êtes ma moitié!»

Eva aurait bien aimé que Sandy Lake meure. Sans souffrir, dans son sommeil. Elle avait envie de dire à quelqu'un que Sandy Lake lui faisait peur, mais elle ne voulait pas paraître faible ni en demande.

Quand Alexander revint avec une assiette de sandwichs. Eva en prit un, mordit dedans et recracha immédiatement.

Elle s'écria: «J'ai demandé du pain et du fromage, ou bien du pain et de la confiture, pas les trois ensemble! Qui pourrait avaler ça!»

Alexander répondit tranquillement: «Quelqu'un d'excentrique, peut-être? Quelqu'un qui ne peut pas, ou ne veut pas, se lever? Et qui est assiégé par d'autres excentriques?»

Eva enleva le fromage et dévora le pain, mangeant sans s'arrêter jusqu'à ce qu'il ne reste plus rien dans l'assiette. Puis elle lécha ses doigts poisseux de confiture.

Alexander la regardait.

— Je vais aller chercher les enfants à l'école tout à l'heure, et après je rentrerai chez moi, annonça-t-il. Je viendrai te dire au revoir.

— Ça ressemble à un adieu.

— Je ne peux pas continuer, Eva. C'est comme s'occuper d'un bébé qui n'a aucune gratitude.

Il se pencha et l'embrassa sur la joue.

Tournant le dos, elle l'entendit partir. Elle écouta ses pas dans le vestibule, la porte qui s'ouvrait et se refermait, les cris et les sifflements de la foule sur son passage, le bruit du moteur de sa camionnette qui accéléra quand il eut passé le coin de la rue. Puis plus rien.

Elle était seule.

Il lui manqua aussitôt.

60

Les remises de Brian étaient déjà pleines à craquer avec les affaires de Titania, et Brian lui avait interdit d'apporter quoi que ce soit d'autre de la maison qu'elle partageait autrefois avec son mari. Mais il y avait certaines choses dont elle ne pouvait se passer : sa garde-robe d'automne et d'hiver, le rouet gallois déniché en Floride, la pendule à coucou postmoderne de chez Habitat, la méridienne victorienne achetée cinquante livres à un forain qu'elle croyait avoir bien roulé (jusqu'à ce qu'elle découvre que le bois était mangé par les vers et dépense cinq cents livres de plus sans compter la TVA pour faire restaurer cette pièce de mobilier antique).

Brian déplaçait tant bien que mal son grand corps parmi le fatras de Titania dans la partie de la remise qu'ils surnommaient la « kitchenette ». Agacée, Titania leva les yeux de son livre, *Hadrons et plasma quark-gluon*. Elle venait de noter dans la marge : « Pas d'après le prof. Yagi. Cf. son article réf : JCAP, vol. 865, 2 (2010). »

« Arrête de soupirer, Brian, dit-elle. On croirait que toute la misère du monde te tombe sur le dos. Je sais que mes affaires sont un peu encombrantes, mais je ne peux décemment pas les stocker dans mon ancienne maison. Surtout maintenant que mon mari la loue. »

Brian répondit en s'obligeant à rester calme : « Tit, je reconnais que je suis agacé de devoir partager mon espace avec le bric-à-brac que tu as accumulé pendant des années, mais est-ce que je me suis plaint une seule fois ? Non. Est-ce que je serai content quand tout ce bazar aura débarrassé le plancher ? Oui. »

Titania s'exclama : « Oh, je t'en prie ! La prochaine fois que tu poses une question et que tu y réponds *toi-même*, est-ce que je péterai un câble et t'enverrai mon poing dans la figure ? Oui, absolument ! »

Ils se réfugièrent dans un silence maussade, conscients qu'un écart de parole les exposerait à un risque considérable, comme deux poilus qui quitteraient la relative sécurité d'une tranchée boueuse à Ypres pour s'élancer vers le champ de bataille en enjambant un monceau de cadavres.

De longues minutes s'écoulèrent, durant lesquelles Titania ressassa sa liaison avec Brian. Une aventure plutôt excitante, malgré tout. Et puis, Brian la comprenait. Qui d'autre serait capable de compatir quand les vilaines particules refusaient de se soumettre à ses théories ?

Brian se cogna la cheville contre le rouet gallois. Il cria : « Saloperie ! » et relaya son insulte avec un violent coup de pied.

Il ne pouvait se douter que le rouet incarnait la retraite bucolique de Titania et de Brian — ils auraient des poules, et un brave chien avec un bandeau noir sur un œil. Ils emmèneraient Pirate au village pour acheter *Nature* et *Sky & Telescope* chez le marchand de journaux. Elle se procurerait de la laine de mouton en vrac à la ferme coopérative, la filerait et tricoterait un chandail pour Brian avec le motif qu'il choisirait. Elle ne savait ni tricoter ni coudre, mais elle pourrait suivre des cours. Pas besoin d'être ingénieur en aérospatiale… Au-dessus des collines du pays de Galles s'ouvrait un ciel d'une excellente qualité optique. Il y avait un centre Spaceguard à l'observatoire de Powys, doté d'un télescope à réflecteur de 0,60 mètre. Ils entreraient en contact avec les chercheurs, Brian leur donnerait des conseils et ferait office de consultant. C'était un astronome reconnu et hautement respecté. Il éviterait juste les heures où l'observatoire accueillait les écoles pour des visites guidées.

Voyant le rouet se précipiter vers elle, comme mu par ses propres mécanismes, Titania poussa un hurlement. Elle n'aurait pas crié plus fort si elle s'était trouvée sur la trajectoire d'un missile détecteur de chaleur. « C'est ça, vas-y ! Martyrise ce que j'ai de plus cher ! Espèce de brute ! »

— On ne « martyrise » pas des meubles. Femme stupide !

Titania riposta : « Pas étonnant qu'Eva soit devenue dingue et ait tout viré dans sa chambre ! C'est ta faute ! »

La réaction de Brian la stupéfia. Il tournoya un instant dans l'espace surchargé de la remise, puis débarrassa quelques cartons sur la méridienne, s'allongea et se mit à sangloter.

Ahurie par la tournure dramatique que prenaient les événements, Titania dit : « Pardon, Brian, mais je ne peux pas vivre comme ça. J'ai envie de m'installer dans une maison, avec des pièces qui ont chacune un nom et une fonction bien précise. Henry Thoreau était peut-être très heureux dans sa cabane, mais moi, je veux habiter une maison. Je veux vivre dans *ta* maison. »

Sa voix s'était faite suppliante. Finie, la cohabitation ludique dans la remise, façon lune de miel. Elle aspirait à former avec Brian un couple chevronné et solidement établi.

Brian gémit : « Tu sais bien que ce n'est pas possible. Eva n'apprécierait pas. »

Titania sentit un moteur démarrer dans sa tête. La jalousie et la rage entraient en scène. « J'en ai marre d'entendre tout le temps parler d'Eva, et je déteste les remises ! Je ne resterai pas ici une minute de plus ! »

Brian cria : « Alors, va-t'en. Retourne chez ton putain de Gorille ! »

— Tu sais bien que je ne peux pas ! Guy a loué la maison à des Vietnamiens qui font pousser du cannabis !

Elle sortit en courant, traversa la pelouse et entra dans la maison.

Brian eut la vision de Titania, filant tout droit, ressortant par la porte principale, continuant sur le trottoir et tournant au coin de la rue. Sans cesser de courir, elle coupait à travers les jardins, empruntait des routes secondaires, des chemins de campagne puis un sentier s'élevant à flanc de colline, redescendait de l'autre côté et disparaissait à l'horizon.

Il souhaita que Titania se volatilise, tout simplement.

61

Alexander sortit discrètement de la petite maison mitoyenne qu'habitait sa mère dans Jane Street. Il ne voulait pas la réveiller, sinon elle lui demanderait où il allait et il n'avait pas envie de lui répondre.

Il n'aimait pas trop la laisser seule avec les enfants — elle ne pouvait plus les porter maintenant, et, imprégnée par un modèle d'éducation à l'ancienne, ne se montrait pas tendre quand Thomas hurlait, en proie à des terreurs nocturnes, ou que Venus réclamait sa mère en pleurant.

Il fit quelques pas prudents dans la rue, puis accéléra l'allure lorsqu'il fut certain qu'on ne pouvait plus l'entendre. L'air frais de la nuit et l'odeur montant de la terre humide annonçaient l'automne. Les rues étaient calmes. Les voitures dormaient le long des trottoirs.

Il avait cinq kilomètres pour passer en revue ce qu'il allait dire à Eva à propos de leur relation. Si tant est qu'ils aient une *relation*, et peut-être devait-il commencer par poser la question ?

À une époque, quand Alexander avait rapporté de la prestigieuse école de Charterhouse un accent « de la haute » qui faisait rire même sa mère, il avait passé bien des heures dans sa chambre avec un vieux magnétophone pour tenter de relâcher ses voyelles tout en détendant sa mâchoire. Il fuyait la bande de Northanger Abbey et de Mansfield Park[1], se demandant si Mr Darcy se serait attiré plus tôt les faveurs de Miss Bennet[2] en entrant dans la Pump Room vêtu d'un jean baggy qui aurait laissé voir la moitié de ses fesses et l'étiquette de son caleçon Calvin Klein.

Alexander n'entendait plus à présent que le son de ses propres pas résonnant dans les rues éclairées par la lune.

Puis lui parvint le bruit d'une voiture annoncée par le rap tonitruant qui s'échappait de sa stéréo. Il tourna la tête au moment où la vieille BMW le dépassait. Quatre hommes blancs à l'intérieur, cheveux courts, musculature surdéveloppée. Flacons de compléments alimentaires à l'usage des culturistes sur la plage arrière. La voiture s'arrêta quelques mètres plus loin.

Il s'arma de courage et lâcha un « Bonsoir » qu'il espérait cordial.

Le conducteur ordonna à son voisin : « Hé, Robbo. Prends la caisse à outils dans le coffre. »

Alexander n'aimait pas du tout l'image de la caisse à outils. Lui n'avait que son couteau suisse pour se défendre, et le temps qu'il trouve la lame adéquate…

« Messieurs, vous m'excuserez, je suis un peu pressé », dit-il.

Sous l'effet de la peur, l'accent de Charterhouse qu'il avait tant travaillé à perdre lui revenait.

Les hommes rirent, mais ils n'avaient pas l'air amusés. Sur un geste du conducteur, les trois autres sortirent de la voiture.

1. *Northanger Abbey*, *Mansfield Park* : romans de Jane Austen. Les personnages de *Northanger Abbey* font partie de la société mondaine qui fréquente les thermes de Bath et leur célèbre salon néoclassique, dit « Pump Room ».
2. Miss Bennet et Mr Darcy : protagonistes de *Orgueil et préjugés*, autre roman célèbre de Jane Austen.

— Trop mignonnes, tes tresses, dit le conducteur. Tu les as depuis combien de temps ?

— Dix-sept ans, répondit Alexander.

Il se demandait s'il serait capable de courir plus vite qu'eux, avec ses jambes flageolantes.

— Tu serais content d'en être débarrassé, pas vrai ? C'est carrément crade, ces machins qui te pendent dans le dos.

Soudain, comme s'ils avaient répété la scène à l'avance, les trois hommes le bousculèrent et le mirent à terre. L'un s'assit sur sa poitrine, les deux autres lui maintinrent les jambes.

Alexander s'abandonna complètement. Il savait d'expérience que toute résistance se retournerait contre lui.

Il ouvrit la porte avec la clé qu'Eva lui avait donnée, ôta ses chaussures au pied de l'escalier et monta en les tenant d'une main, l'autre serrant ses dreadlocks.

Quand il arriva sur le palier, Eva demanda : « Qui est-ce ? »

Il gagna silencieusement la porte et répondit : « C'est moi. »

— Tu peux allumer la lumière ?

— Non. Je voudrais me coucher à côté de toi dans l'obscurité. Comme l'autre fois.

Eva regarda la lune. « La lune a un beau visage ce soir. »

— C'est un effet du Botox, dit Alexander.

Elle rit, mais lui non.

Se tournant vers lui, elle vit que ses dreadlocks avaient disparu. « Pourquoi as-tu fait ça ? »

Il répondit : « Ce n'est pas moi qui l'ai fait. »

Elle le prit dans ses bras.

Il était raide, aux prises avec une colère qui remontait de loin. Il demanda : « Quelle est la qualité la plus importante que l'on pourrait avoir ? Quelque chose qui nous ferait du bien et profiterait à tout le monde. Même aux salopards qui m'ont coupé les cheveux. »

Eva lui caressa la tête en réfléchissant.

Elle finit par répondre. « La bienveillance... C'est trop simple ? »

— Non. Je vote pour. La bienveillance, tout simplement.

Avant le lever du jour, il laissa Eva égaliser ce qu'il restait de ses cheveux.

Lorsqu'elle eut terminé, il dit : « Maintenant, je sais ce que Samson a ressenti. Je ne suis plus le même homme, Eva. »

Depuis quelque temps déjà, Alexander cherchait à comprendre ce qui était important.

Il dit : « Nous, tout le monde — les crétins, les génies, les mendiants, les stars —, nous avons tous besoin d'être aimés, et nous avons tous besoin d'aimer. Si nous aimons et que nous sommes aimés, alléluia ! Et si nous pouvons vivre notre vie sans être humiliés, quelle bénédiction. Je n'ai pas eu cette chance. Des gens que je ne connais même pas m'ont humilié. Mes dreads, c'était *moi*. Avec elles, je pouvais affronter n'importe quoi. Elles étaient un symbole de la fierté que j'éprouve pour notre histoire. Tu sais, mes gosses s'y agrippaient quand ils étaient bébés. Ma femme était la seule personne à qui je permettais de les toucher quand je les lavais et qu'il fallait les essorer. Mais je t'aurais autorisée, toi aussi. Quand je m'imaginais vieux, je me voyais avec des dreads blanches, de *longues* dreads toutes blanches. Sur la plage, à Tobago. Devant un coucher de soleil de carte postale... Pendant que toi, à l'hôtel, tu aurais rincé tes cheveux pleins de sable et de confettis. Eva, s'il te plaît, lève-toi. J'ai besoin de toi. »

Parmi toutes ces séduisantes paroles — Tobago, sable, coucher de soleil, confettis —, le seul mot qu'Eva entendit clairement fut « besoin ».

« Je ne peux pas être quelqu'un dont on a besoin, Alex, dit-elle. Je te décevrais… Alors, il vaut mieux que je ne sois pas dans ta vie. »

Alexander se mit en colère. « Y a-t-il *quoi que ce soit* qui te ferait lever ? Si les jumeaux étaient en danger ? L'enterrement de ta mère ? Un putain de sac Chanel ? »

Il n'attendit pas qu'elle le voie pleurer. Il savait comment elle réagissait devant les larmes. Il descendit, sortit dans le jardin et y resta assis jusqu'à l'aube.

Lorsqu'il se mit en marche pour effectuer le long trajet du retour, Ruby, arrivée de bonne heure, lavait les marches du perron avec un balai serpillière trempé dans du désinfectant. Elle poussa une exclamation ravie en le voyant : « Ah, une nouvelle coiffure ! Ça vous va vraiment bien. »

Il répondit d'une voix sourde : « C'est ma coupe de fin d'été. »

Ruby le regarda s'éloigner sur le trottoir.

Il n'y avait plus aucune fluidité dans sa démarche. De dos, on aurait dit un homme vieillissant, aux épaules voûtées.

Elle voulut le retenir et lui proposer une tasse de ce café amer qu'il aimait. Mais au moment d'ouvrir la bouche, elle eut beau fouiller sa mémoire, impossible de se rappeler son nom.

* * *

Quand le jour fut levé, Eva contempla le ciel qui virait du gris opaque à un bleu aux reflets irisés. Les oiseaux lançaient des trilles emplis d'un optimisme et d'une joie à vous fendre le cœur.

« Je devrais suivre leur exemple », pensa-t-elle.

Mais elle était encore en colère contre Alexander. Il ne pouvait pas être en *demande*. Pas lui. C'était *elle* qui avait besoin de soutien, de nourriture et d'eau. Elle devait parfois boire au robinet de la salle de bains. Le service n'était presque plus assuré, depuis que les pertes de mémoire de Ruby se faisaient plus fréquentes.

Mais de quoi se plaignait-elle ? Elle n'avait qu'à se lever.

62

Allongée sur le dos, Eva contemplait une fissure au plafond qui déroulait ses méandres comme une rivière noire dans une nature sauvage et blanche.

Elle en connaissait chaque millimètre — les coudes, les anses, les mouillages. Elle tenait le gouvernail d'un bateau sur lequel des passagers s'étaient embarqués, cherchant la paix et le plaisir. Brian Junior, immobile, fixait les eaux profondes. Brianne essayait d'allumer une cigarette dans le vent. Alexander, debout à la poupe, entourait de son bras les épaules de la femme aux commandes. Venus était là aussi, espérant dessiner ce qu'on ne pouvait dessiner — la vitesse du bateau, le bruit de la coque qui fend l'eau. Et Thomas tentait de prendre la barre des mains d'Eva.

Où allaient-ils ? Elle ne savait pas. Plus loin, la fissure du plafond disparaissait sous la corniche. Il lui fallait alors tourner le bateau et remonter le courant en naviguant contre le vent. Parfois l'embarcation s'amarrait à la rive, les passagers débarquaient et partaient à pied dans le paysage désolé, marchant sur du sable blanc et doux.

Mais ils ne trouvaient rien.

Quand ils revenaient sur le bateau, Eva passait le gouvernail à Brianne. « Ne sois pas si indifférente, Brianne, disait-elle. Ramène-nous sains et saufs à la maison. »

Les nuages roulaient au plafond, le vent fouettait leur visage. Brianne tenait fermement la barre et ramenait le bateau à la maison.

63

À 8 heures précises, Eva fut réveillée en sursaut par un bruit effroyable dehors. Elle se redressa et s'agenouilla à la fenêtre. Son cœur battait si vite qu'elle avait du mal à respirer.

Un homme était debout dans le sycomore, équipé d'un harnais, d'un casque et de lunettes de protection. Il coupait une branche avec une scie électrique. Horrifiée, elle vit la branche descendre au bout d'une corde, réceptionnée en bas par d'autres hommes qui la débarrassèrent de ses rameaux et jetèrent le feuillage dans une broyeuse vrombissante.

Eva cogna à la vitre et hurla : « Arrêtez ! C'est mon arbre ! »

Sa voix ne fut pas entendue dans le vacarme. Elle ouvrit la fenêtre, reçut une pluie d'écorces en plein visage et referma vivement. Ses doigts lui revinrent tachés de sang quand elle palpa sa joue brûlante. Elle continua à crier et à gesticuler pour attirer l'attention de l'homme dans l'arbre, mais lorsqu'elle réussit enfin à attraper son regard, il lui tourna le dos.

Elle fut médusée de voir à quelle vitesse le sycomore était démembré. Il ne resta bientôt plus que le tronc. Un instant, elle avait espéré que son arbre ne subirait qu'un sévère élagage et qu'il produirait une nouvelle ramure au printemps prochain.

Le bruit cessa. Les machines étaient à l'arrêt. À présent qu'il n'y avait plus de branches, elle voyait le jardin devant la maison. Les ouvriers buvaient du thé.

Elle frappa contre la vitre et cria : « Laissez le tronc ! S'il vous plaît, laissez le tronc ! »

Les hommes levèrent la tête. En l'apercevant à la fenêtre, ils se mirent à rire. Que s'imaginaient-ils donc ? Qu'elle les invitait à monter ?

Les machines repartirent et, peu de temps après, le tronc de son arbre se trouva réduit à un tas de bûches. Un jour impitoyable entrait maintenant dans la chambre, contrastant avec la lumière dansante et tamisée par le feuillage à laquelle Eva était habituée.

Elle eut soudain froid, bien qu'elle fût couverte de sueur. Elle se remit au lit et rabattit la couette sur sa tête.

Au début de l'après-midi, Eva entendit du chahut parmi la foule et l'échelle de Peter apparut dans le panneau inférieur de la fenêtre. Elle ajusta son haut, enfila son cardigan en cachemire qui avait rétréci et qu'elle portait quand elle s'asseyait dans le lit, puis se passa machinalement les doigts dans les cheveux.

De l'autre côté de la vitre, Peter lança : « Alors ? Vous êtes toujours là ? »

— Eh oui, répondit-elle avec une bonne humeur forcée. Je n'ai pas bougé.

Comment pouvait-on manquer de cœur à ce point ? se demanda-t-elle. Ne déplorait-il pas comme elle la disparition de son arbre magnifique ?

— Magnifique ? rétorqua Peter en riant lorsqu'elle lui posa la question après avoir ouvert la fenêtre. C'était un sycomore. Ça pousse comme de la mauvaise herbe, ces machins-là. Je ne voudrais pas être indiscret, Eva, mais qu'est-ce qui vous est arrivé au visage ?

Eva n'écoutait pas. « C'est à cause de Brian, il détestait cet arbre… Il disait que les racines allaient ressortir dans le macadam. »

— C'est vrai, confirma Peter, qui n'avait pas envie de s'étendre sur ce maudit arbre et préférait changer de sujet. Plus que cent douze jours pour faire les courses de Noël, annonça-t-il en se faufilant par la fenêtre.

Eva entendait Sandy Lake crier : « Eva ! Je vais finir par me mettre en colère ! Vous voyez tout le monde sauf *moi* ! »

Peter rit. « On va acheter un fauteuil roulant motorisé pour Abigail. Enfin, ce sont les services sociaux qui payent. »

Eva demanda : « Peter, vous pourriez me rendre un service ? Je voudrais condamner la fenêtre de l'intérieur. »

Elle a sombré d'un coup, se dit Peter. Tout récemment encore, ils auraient pris une tasse de thé et fumé une cigarette ensemble. « Pas de problème », répondit-il.

Depuis vingt ans qu'il était laveur de carreaux, Peter ne voyait partout que des comportements excentriques. Personne — pas un seul de ses clients — n'était normal. Les vêtements que les gens portaient au lit ! Les trucs bizarres qu'ils mangeaient ! La crasse qu'on n'aurait jamais imaginée dans certaines maisons ! Et Mr Crossley, qui avait tellement de livres qu'il pouvait à peine bouger chez lui !

Obstruer une fenêtre de l'intérieur était chose simple pour Peter. Il transportait tout le nécessaire à l'arrière de sa camionnette. On lui demandait souvent ce genre d'intervention, après un accident domestique ou le tir mal ajusté d'un ballon de football. Il redescendit de son échelle, hué par la foule.

Sandy Lake le rejoignit au moment où il ouvrait la porte arrière de la camionnette et le questionna à propos d'Eva.

« Est-ce qu'elle m'entend dans sa chambre ? »

Peter répondit : « Oh oui. On entend tout là-haut. »

Sandy tambourina sur le côté de la camionnette en criant : « J'ai un message très important ! Ça concerne l'avenir de notre planète ! »

Peter tourna le dos pour rassembler les planches de contreplaqué et les outils dont il aurait besoin. Sandy Lake saisit l'occasion. Elle traversa la route et se précipita vers l'échelle qu'elle grimpa avec l'agilité d'un cabri approchant les cent kilos.

Quand Eva vit le visage buriné de Sandy s'encadrer dans la fenêtre, elle attrapa un oreiller et s'en servit comme d'un bouclier.

Sandy la dévisagea fixement : « Alors là, je suis vraiment en colère ! dit-elle. Qu'est-ce qui vous est arrivé ? Vous êtes juste une femme ordinaire ! Vous n'avez rien d'exceptionnel du tout ! Vous ne devriez pas avoir de cheveux blancs ni de pattes d'oie autour des yeux — et ce ne sont pas des rides d'expression ! »

Elle essaya d'escalader le rebord de la fenêtre, mais l'échelle se déplaça légèrement. Sandy regarda les barreaux, puis plus bas, tout en bas... Certains disent qu'elle eut un étourdissement, d'autres qu'elle accrocha le talon de sa bottine dans l'ourlet de sa maxi-jupe. Peter crut voir une main pâle repousser l'échelle.

Eva eut l'impression que la maison oscillait quand Sandy tomba dans le buisson de lavande qu'elle avait planté des années auparavant. Il y eut des cris horrifiés, d'autres excités. Sandy ayant atterri dans une position peu avantageuse, l'anarchiste se précipita pour rabattre sa maxi-jupe qui lui remontait jusqu'à la taille. William était vaguement amoureux de Sandy, mais il lui fallait bien reconnaître que la vision de ses parties basses dénudées avait quelque chose d'inconvenant.

Sandy n'était pas morte. Dès qu'elle reprit connaissance, elle s'extirpa du buisson de lavande puis roula sur le dos. L'anarchiste enleva son blouson de pilote et lui en fit un oreiller.

Un peu plus tard, l'ambulancière réprimanda Sandy pour avoir grimpé à une échelle dans une maxi-jupe avec des talons hauts. « Faut pas s'étonner ensuite si des accidents arrivent », dit-elle d'un air écœuré.

Eva et Peter entreprirent de condamner la fenêtre tandis que la foule surexcitée exprimait sa joie, tout d'abord, puis une profonde consternation. À présent qu'Eva apparaissait dans ses vêtements quelconques, avec ses cheveux en bataille et son visage dépouillé, les gens ne pouvaient plus s'accrocher à leur ancienne croyance.

L'agent Hawk cria : « Si c'était une vraie sainte, elle serait *parfaite* ! »

Un homme armé de jumelles lança : « Elle a des marques de transpiration sous les bras ! »

Une femme vêtue d'un costume d'homme et portant un collier de chien déclara : « Les saintes ne *transpirent pas*. Je crois que Mrs Beaver est une usurpatrice. »

L'agent Hawk, qui avait reçu l'ordre de disperser la foule, s'écria : « Elle est tombée aux mains d'un esprit malin. Le véritable esprit se trouve dans le chapati ! »

Certains lui emboîtèrent le pas pour aller voir le chapati qui était exposé à la bibliothèque municipale, enduit d'une peinture anticorrosion et verni. D'autres commencèrent à remballer leurs affaires. Il y eut des adieux déchirants et un afflux de taxis qui bientôt repartirent, ne laissant plus que William Wainwright, assis dans la tente de Sandy Lake. Il lui rendrait peut-être visite à l'hôpital le lendemain, ou pas.

Il était anarchiste, non ? Personne ne pouvait le contraindre à quoi que ce soit.

64

Penchés sur le nouvel ordinateur portable de Brianne, les jumeaux exploraient les couloirs labyrinthiques du ministère de la Défense, après avoir essayé, sans succès, de détruire les données établissant la solvabilité de leur père. Il faisait chaud dans la chambre de Brianne et ils étaient tous deux en slip et maillot de corps. Des mouches tournoyaient au-dessus de sandwichs à demi mangés.

Par la fenêtre ouverte, ils entendaient les étudiants profiter de l'été indien. Un groupe était assis sur la pelouse devant le dortoir, riant et buvant du cidre en cannette.

Une fille chantait d'une voix éthérée : « L'été est arrivé… »

Brianne marmonna : « Putain, les théâtreux… Il faut toujours qu'ils se ridiculisent ! »

D'autres voix s'élevèrent, tissant avec la première une polyphonie aux lignes mélodiques imbriquées.

Des étudiants en sciences politiques s'étaient rassemblés dans une salle pour boire de la vodka polonaise et condamner tous les systèmes politiques répertoriés à ce jour. Par les fenêtres ouvertes flottait un bruit de bombes qui explosaient et de tirs à la mitraillette. Imitations très réussies — témoignant d'une pratique assidue, inversement proportionnelle à la fréquentation des cours ou aux nombres d'heures passées à plancher sur une dissertation.

Brianne dit, sans quitter l'écran des yeux : « Combien d'années, Bri ? »

C'était une plaisanterie entre eux, signifiant : « Combien d'années de prison ? »

Leurs activités illicites visaient à satisfaire, outre leur curiosité, un désir effréné de gagner beaucoup d'argent.

Avant que Brian Junior ait le temps de répondre, les portes de leurs chambres respectives s'ouvrirent avec fracas. Il tenta d'effacer le disque dur, mais son poignet fut happé par une main gantée de noir. Des cris et des éclats de voix emplirent la pièce où régnait la confusion la plus totale.

Brianne et Brian Junior furent menottés l'un après l'autre. On leur ordonna de s'asseoir sur le lit et de ne pas bouger. Brian Junior ne s'expliquait pas qui étaient ces gens en combinaisons noires et casques à visières fumées.

Au comble du chagrin, ils virent leurs ordinateurs de bureau, portables, ultraportables, netbooks, tablettes, smartphones, appareils photo et MP3 disparaître dans des sacs en plastique transparents et des boîtes en carton.

« Vous savez sûrement que nous n'avons que dix-huit ans », dit Brianne.

Une voix féminine répondit : « Oui, et c'est fini de faire joujou maintenant. Vous allez travailler pour nous, alors vous êtes priés de vous déshabiller et d'écarter les jambes. »

Une fois leurs orifices scrupuleusement examinés, et après qu'ils eurent revêtu les combinaisons blanches de la police scientifique, les jumeaux furent emmenés. Tous les autres occupants du dortoir avaient reçu l'ordre de rester dans leur chambre afin de laisser la voie libre.

Deux monospaces aux vitres teintées attendaient le long du trottoir, moteur en marche. Les jumeaux n'eurent pas le droit de se parler avant de monter chacun dans une voiture, mais Brianne fit comprendre par signes à Brian Junior que tout irait bien et, juste avant que la portière se referme sur lui, cria: «Je t'aime, frérot!»

* * *

Allongé sur son lit, Ho embrassait le ventre de Poppy enceinte. Il parlait au bébé, lui demandant s'il était un garçon ou une fille.

En ce moment même, il aurait dû être en train de disséquer le cadavre qui lui était imparti, une certaine Mrs Iris Bristol. Elle avait fait don de son corps à la science après s'être servie de l'argent qu'elle réservait à ses funérailles pour s'acheter une télévision 3D 46 pouces. Ho songea qu'il ferait bien de remettre à leur place les intestins de Mrs Bristol qui restaient éparpillés sur la table de dissection.

Poppy lui avait envoyé un texto:

Viens tout de suite

Il avait aussitôt enlevé sa blouse, son masque et ses chaussons stériles pour se précipiter auprès d'elle.

Poppy avait de nouveau besoin d'argent. Elle expliqua pourquoi, mais c'était une histoire compliquée et le niveau d'anglais de Ho ne lui permettait pas de suivre. Il se disait parfois que les manuels d'anglais fournis aux étudiants en Chine étaient un peu démodés.

Depuis qu'il était en Angleterre, jamais il n'avait entendu une seule personne s'exclamer : « Sensass ! »

Poppy se délectait encore au souvenir de Brianne et Brian Junior qu'on emmenait, menottés, dans leurs ridicules combinaisons blanches. Elle ne regrettait pas d'avoir téléphoné. La personne à l'autre bout du fil lui avait demandé de garder un œil sur les autres étudiants du professeur Nikitanova, et elle avait répondu d'une voix guillerette : « Avec plaisir. »

65

À quelques kilomètres de Leeds, Brian regardait une rediffusion de *Femmes libérées* dans la chambre douze d'un hôtel miteux. Il ne comprenait rien à ce que racontaient les animatrices, pas plus qu'il ne connaissait le bellâtre aux dents d'une blancheur grotesque et aux cheveux noirs poisseux qui, interviewé sur sa vie dans le comté d'Essex, répondait à tout bout de champ: « C'est chaud, mec. »

Brian tenta de résoudre le problème qui se posait à lui au moyen d'une approche purement logique. Mais, compte tenu de la pauvreté extrême de l'information, un décodage était-il possible ?

Avant de gagner le motel, il avait fait halte dans un Marks & Spencer et acheté une robe de chambre bleue à motif, en cachemire cent pour cent acétate. Puis il s'était demandé s'il devait acquérir ou non les chaussons assortis et, convaincu qu'un point de vue féminin s'imposait en la matière, avait abordé une jeune vendeuse qui venait de reprendre le travail après un arrêt maladie de cinq semaines pour cause de stress.

Il dit: « J'ai besoin d'une femme... »

Troublée par ses nerfs encore fragiles, la jeune Kerry s'affola. « Un psychopathe en manque, pensa-t-elle. Pourquoi faut-il que ça tombe sur moi ? »

Brian poursuivit : « Pour m'aider à choisir. J'ai une amie qui a plus ou moins votre âge. Pourriez-vous me dire ce qui est tendance en ce moment chez les jeunes ? Robe de chambre plutôt avec ou sans chaussons ? »

Voyant que Kerry ne répondait pas, il précisa : « Une robe de chambre avec des chaussons, ils trouvent ça classe, ou carrément "pas bandant", comme ils disent ? »

Kerry, qui allait boire un thé en salle de pause et ne faisait que traverser le rayon chaussures pour hommes, hésita. L'incapacité à prendre des décisions était justement le cœur de son problème. Elle bredouilla : « Je ne sais pas. Je ne peux pas vous répondre » Puis elle s'enfuit, renversant un mannequin habillé d'un short et d'une chemisette pastel vendus à prix réduit dans le cadre de l'offre spéciale Dernier Soleil.

Brian était écœuré. Et dire que Marks & Spencer se vantait de la qualité de son personnel de vente.

À l'épicerie fine, il acheta une baguette, du beurre et du fromage importés de France ainsi qu'une bouteille de vin mousseux espagnol. Moins cher que le champagne, mais Poppy ne verrait pas la différence, à son âge. Sur une impulsion, il attrapa un sac de sucettes multicolores. Il sentit l'excitation monter tandis qu'il attendait à la caisse, frétillant déjà à la pensée de sa soirée.

Il s'était montré prudent pendant tout l'été — retrouvant Poppy chaque fois dans un hôtel différent. Il ne l'avait pas revue depuis leur dernière rencontre au Palace Hotel de Leeds.

Ce jour-là, elle avait dit : « Mon amour pour toi est infini, Brian. »

Renonçant à la corriger dans son utilisation abusive du terme « infini », il avait seulement répondu : « Je t'aime plus qu'il y a d'étoiles dans le ciel. »

Ils étaient couchés sous un lustre victorien en cuivre que Poppy surveillait du coin de l'œil, craignant qu'il ne se décroche et les tue tous les deux. Elle n'aurait pas aimé qu'on la retrouve écrabouillée avec un vieux croûton approchant de la retraite.

Elle avait posé la main libre de Brian sur son ventre et annoncé : « Bri, on va avoir un bébé. »

Brian ne raffolait pas des bébés. Après la naissance des jumeaux, il avait posé sa candidature pour partir travailler en Australie, mais s'était vu refuser le poste au prétexte qu'il était maintenant « père de famille ».

Après un bref silence, il avait répondu : « Merveilleux. »

Poppy voyait bien qu'il ne voulait pas du bébé. Elle ne voulait pas de Brian non plus. Mais quand on disait que la vie était une coupe de cerises, c'était oublier qu'à l'intérieur de chaque cerise se cachait un noyau dur dont il fallait se méfier sous peine de se casser une dent ou de s'étouffer, ou de glisser dessus et tomber.

Tout ça à cause d'un petit noyau de cerise parfaitement inoffensif.

Quelques coups discrets furent frappés à la porte du motel. Brian se leva d'un bond, passa le peigne d'Eva dans sa barbe et alla ouvrir.

Poppy dit : « Ah, c'est pas trop tôt ! » Elle était vêtue d'une robe longue à fleurs, avec des babies aux pieds et un coquelicot orange piqué dans les cheveux. Elle ne portait pas ses nouveaux piercings et s'était débarrassée de tout maquillage.

Elle fut atterrée en découvrant Brian dans une robe de chambre de vieux croulant, chaussé de pantoufles comme un personnage de bande dessinée. Il tenait à la main une tasse de boisson maltée dont l'odeur lui donna envie de vomir. Ce que Poppy vit sur le seuil de la chambre était l'incarnation du grand-père dans *Heidi*. La barbe de Brian n'était pas encore blanche, mais elle ne tarderait pas à le devenir. Ses chevilles frêles et pâles dans les gros chaussons semblaient à peine capables de le soutenir. Il tira Poppy à l'intérieur comme s'il réceptionnait une livraison d'explosifs.

Brian dit : « Chérie, tu es si jolie, si mignonne. Si jeune. »

Poppy s'assit sur le lit en suçant son petit doigt.

En d'autres circonstances, on lui aurait trouvé l'air nigaud, pensa Brian. Mais c'était sa Poppy, sa femme-enfant à l'humeur changeante dont la présence le rendait fou de désir. Il mit en marche le MP3 qu'il avait exhumé d'un tiroir pour l'occasion, parcourut la liste de lecture, choisit *Je me sens si jeune auprès de toi*, de Frank Sinatra, et appuya sur « Play ».

« Berk, pensa Poppy. Encore ce macchabée. »

Poppy s'éclipsa dans la salle de bains et Brian s'allongea sur le lit, disposant sa robe de chambre pour faire apparaître le haut de ses cuisses pâles. Il garda ses chaussons à cause des cals visibles sur ses pieds.

Quand elle ressortit, Poppy était nue, mais elle avait gardé la fleur dans ses cheveux. Son ventre légèrement saillant apparut de profil avant qu'elle éteigne la lumière.

Brian se demanda s'il était scientifiquement prouvé que l'*Homo sapiens* pouvait mourir d'un amour excessif. « Dans ce cas, pensa-t-il, je suis agonisant. »

Poppy serra les dents et s'exhorta au courage : « Allez, Poppy. Accroche-toi, ma fille, ce sera fini dans cinq minutes. Ferme les yeux et pense à Brian Junior. »

Lorsque le petit combat fut terminé sur le lit et que Brian, hors d'haleine, ne bougea plus sous Poppy qui le chevauchait, elle le contempla avec mépris. Il ressemblait à un poisson rouge en train de crever d'indigestion. Mais elle dit : « Ouaouh ! C'était trop bien ! Ouaouh ! C'était dingue ! »

Brian pensa : « Eva n'a jamais réagi comme Poppy à ma façon de faire l'amour. »

Poppy retourna dans la salle de bains. Il entendit le bruit de la douche et songea un instant à la rejoindre sous l'eau chaude. Mais ses genoux le faisaient souffrir depuis quelque temps et il n'était pas sûr de parvenir à entrer dans la baignoire. L'arthrose, sans doute. C'était un trait génétique de la famille Beaver.

Poppy resta longtemps sous la douche. Plus exactement, elle était assise dans la baignoire et regardait le tourbillon aspiré par la bonde.

Quand elle ressortit de la salle de bains, Brian dormait profondément. Elle trouva deux cent cinquante livres dans son portefeuille et, à la page Informations personnelles de son agenda Letts, le code de sa carte de crédit. Les poches de son pantalon et de sa veste rendirent encore sept livres trente-neuf en menu monnaie et son téléphone. Elle fit défiler quelques-unes de ses photos, des étoiles et des planètes sans intérêt, sauf une qui le montrait avec sa femme et ses enfants devant une énorme fusée.

Brian et les jumeaux avaient l'air de parfaits abrutis, mais Eva était superbe. La gorge de Poppy se serra. Elle savait qu'elle n'était pas aussi belle, ni aussi gentille ni aussi célèbre qu'Eva, mais elle avait quelque chose qu'Eva n'aurait jamais plus : sa jeunesse. Sa chair était douce et ferme, et des hommes comme Brian paieraient cher pour la toucher.

Tout en s'habillant, elle concocta un plan. Puis elle attrapa le petit crayon et le bloc-notes fournis par l'hôtel et s'assit au bureau pour écrire.

Aller à des conférences.
Se prostituer avec d'autres vieux.
Séduire conférencier marié, lui annoncer au bout d'un mois que je suis enceinte.
Accepter participation financière aux frais du bébé.
Partir en vacances en Thaïlande juste avant la date de l'accouchement (cacher bidon à la compagnie aérienne).
Avoir le bébé.
Vendre le bébé.
Rentrer de vacances en deuil.
Montrer photos d'un joli bébé décédé aux trois amants.

Une fois habillée, après avoir remis la fleur dans ses cheveux, Poppy écrivit un texto sur le téléphone de Brian :

cher Brian j'ai pri tes £ pour acheter habits 2 bébé. suis a la bourre. dois écrire disserte sur Leonard Cohen. son role dans dépression de l'Amérique post vietnam. a+. tu me manque déja ! bisous, ta petite Poppy. p.s. besoin 2 ta carte pour taxi.

66

Alexander entendit une sirène de police, mais il continua à peindre.

Il avait attendu que le soleil se lève derrière le champ, luttant contre l'envie de renoncer avant même d'avoir essayé. Compte tenu de ses talents limités, il doutait de réussir à capturer la beauté du maïs ondoyant sous la brise avec un pinceau et de la peinture à l'eau.

Il s'arrêta une heure plus tard, sortit ses sandwichs de leur papier aluminium, ouvrit son thermos. Pourquoi le café était-il toujours meilleur à l'odeur qu'au goût ?

Tout en mangeant et en buvant, il avait conscience d'être heureux. Ses enfants allaient bien, il ne traînait aucune dette, ses tableaux commençaient à se vendre — doucement. Et maintenant qu'il n'avait plus ses dreads, il pouvait entrer dans un magasin sans que l'employé tenant la caisse ne se mette à flipper.

Il s'interdit de penser à Eva, qu'il n'avait pas vue depuis une éternité, lui semblait-il.

Eva et lui ne s'étaient jamais assis à une table pour partager un repas. Ils n'avaient pas dansé ensemble. Il ignorait quelle était sa chanson préférée, et il ne le saurait jamais.

* * *

Ruby était contente d'avoir quelqu'un à qui parler en la personne de Stanley. Elle lui raconta que le comportement d'Eva devenait de plus en plus incohérent — elle chantait, récitait des poèmes, dressait des listes. Elle avait aussi demandé qu'on barricade sa porte en ne laissant qu'une petite ouverture par laquelle il était possible de lui passer à boire et à manger.

Stanley dit : « Je ne voudrais pas vous inquiéter, Ruby, mais ça ressemble *sérieusement* à la folie. »

Peter avait obstrué la porte tandis qu'Eva lui tendait les clous. Quand Ruby revint après avoir pris le thé chez Stanley, le travail était terminé.

* * *

Il n'y a plus rien qu'Eva puisse faire maintenant, à part trier ses souvenirs et attendre de voir qui la maintiendra en vie.

Un rai de lumière pénètre dans la chambre par un interstice entre les planches qui barrent la fenêtre, éclairant le mur en face du lit. Allongée, Eva regarde l'intensité de la lumière. Juste avant le coucher du soleil, la lumière se poudre d'orange, de rose et de jaune. Des couleurs de friandises. Le rai de lumière est vital pour Eva. C'est elle qui l'a mis là et maintenant elle a terriblement peur que quelqu'un ne l'enlève.

Elle voudrait être un bébé et recommencer à zéro. D'après les histoires que Ruby raconte, elle s'est forgé un tableau plutôt sombre de sa petite enfance : on roulait son landau au fond du jardin pour la laisser crier. Elle entend encore la voix de Ruby après la naissance des jumeaux : « Ne les prends pas quand ils pleurent, tu vas leur donner de mauvaises habitudes. Il faut qu'ils comprennent dès le début qui est le chef. »

Chaque fois qu'Eva essayait de câliner les jumeaux, leurs petits corps devenaient rigides dans ses bras et deux paires d'yeux la fixaient sans même l'ombre d'un sourire.

67

Dehors, dans le monde, la manchette du *Sun* titrait avec force : « Eva meurt de faim ! » L'article en première page citait les paroles de Mrs Julie Eppingham, trente-neuf ans :

« *La dernière fois que je l'ai vue, j'ai été horrifiée. Elle est anorexique, c'est sûr. Mais elle refuse de me parler ou de regarder mon bébé. Moi, je dis qu'elle a besoin de soins médicaux.* »

En traversant la salle d'attente du cabinet médical, Mrs Spears tomba sur un exemplaire du *Sun* abandonné par un patient. L'infirmière parcourut la première page. Sa première réaction fut de penser à sa carrière. Elle aurait dû rendre visite à Mrs Beaver plus souvent pour surveiller ses escarres et son atrophie musculaire — ainsi que sa santé mentale.

Elle se rendit à Bowling Green Road et, assise dans sa voiture devant la maison, relut le dossier complet d'Eva.

Sandy Lake frappa à la vitre de sa main valide. L'autre était prise dans un plâtre sur lequel personne n'avait encore écrit. Pour sa part, William était contre.

« Eva ne va pas bien ? » demanda Sandy.

Mrs Spears abaissa la vitre et répondit : « Je ne peux divulguer aucune information sur mes patients. »

L'infirmière releva la vitre, mais Sandy Lake ne se laissait jamais décourager et continua de l'interroger. Mrs Spears se sentait mal à l'aise devant cette femme coiffée d'un ridicule bonnet en tricot. Elle fut soulagée en apercevant un policier. Elle klaxonna et l'agent Hawk s'approcha de la voiture.

Il ne se pressait pas, par principe, marchant toujours avec un air solennel et pénétré. Quand il se pencha à la vitre, Mrs Spears demanda s'il voulait bien l'escorter jusqu'à la porte du numéro 15.

Sandy Lake exigea d'accompagner l'infirmière.

L'agent Hawk répliqua : « Vous êtes censée rester à cinq cents mètres. »

— Je serai bientôt plus loin que ça, dit Sandy. William et moi, on va aller vivre dans un squat.

Mrs Spears dit : « Inadmissible. »

— Pourquoi ? Le squat, c'est chez moi.

L'agent Hawk regarda Mrs Spears et se tapota la tempe du doigt.

L'infirmière répliqua sèchement : « J'avais remarqué. »

En haut, dans le noir complet de sa chambre, Eva avait presque terminé d'exécuter les mouvements de gymnastique douce qu'elle piochait dans ses souvenirs des cours d'EPS au collège il y avait plus de trente-cinq ans. À l'époque, elle détestait toute activité s'accompagnant d'un passage par des douches communes. Elle était ébahie de voir certaines filles parler toutes nues à la prof d'EPS, Miss Brawn. Eva avait honte de sa serviette, pas assez grande pour qu'elle s'en enveloppe, grise et sale parce qu'elle oubliait sans cesse de la rapporter à la maison pour la laver.

Au petit déjeuner, durant les années soixante-dix, Ruby se faisait un plaisir d'enseigner les bonnes manières à sa fille. Ainsi lui avait-elle recommandé un matin de toujours veiller à remplir les blancs dans la conversation s'il s'en produisait.

À douze ans, Eva était sage et désireuse de bien faire. Un jour, sur le chemin de retour du stade, elle rattrapa Miss Brawn, puis s'aperçut qu'elles marchaient toutes les deux du même pas. Elle ne savait pas s'il convenait de garder l'allure, ou s'il valait mieux ralentir ou encore accélérer pour la dépasser. Glissant un regard furtif à Miss Brawn, elle lui trouva l'air effroyablement triste.

« Qu'est-ce que vous allez servir au déjeuner, dimanche ? » interrogea-t-elle à brûle-pourpoint.

Interloquée, Miss Brawn répondit : « Oh, un gigot d'agneau sans doute… »

— Et vous ferez une sauce à la menthe ? continua poliment Eva.

— Je ne la *fais pas*, dit Miss Brawn. Je l'achète !

Il y eut un long silence, qu'Eva remplit en demandant : « Avec des pommes de terre rôties ou en purée ? »

Miss Brawn soupira. « Les deux ! » répondit-elle. Puis elle ajouta : « Tes parents ne t'ont pas appris qu'on ne devait pas poser de questions indiscrètes ? »

— Non, fit Eva.

Regardant Eva bien en face, Miss Brawn déclara : « Ne parle que si tu as quelque chose d'intéressant à dire. Ton stupide interrogatoire à propos de mon déjeuner dominical n'est pas convenable. »

Eva s'était fait la réflexion : « Je n'ouvrirai plus la bouche, et je penserai à ce que je veux. »

Après toutes ces années, Eva l'adulte sentait encore l'odeur de l'herbe coupée, revoyait le bâtiment du collège en vieille brique rouge baigné de soleil, éprouvait l'humiliation qui lui serrait le cœur tandis qu'elle s'enfuyait en courant et cherchait un endroit où se cacher jusqu'à ce que s'apaise la brûlure de ses joues.

Eva termina ses exercices et s'allongea sur la couette. Elle ne pensait qu'à manger. La personne qui se chargeait principalement de la nourrir, Ruby, traitait le temps avec une insouciance toute particulière et, à cause d'une mémoire de plus en plus défaillante, oubliait l'heure et même, parfois, le nom d'Eva.

Stanley ouvrit la porte à l'infirmière et à l'agent de police. Il les salua poliment en leur serrant la main, puis les conduisit dans la cuisine. «J'ai besoin de l'avis de personnes expérimentées», dit-il.

Tout en s'affairant pour préparer le thé, il expliqua: «L'état d'Eva s'est nettement détérioré, je le crains. Grâce à son charme considérable, elle a réussi à convaincre Peter, notre laveur de carreaux à tous les deux, de barricader la porte de sa chambre. Elle n'a voulu laisser qu'une mince fente par laquelle nous pouvons voir à l'intérieur et, en théorie, lui passer une assiette.»

Dès que Stanley prononça le mot «barricader», l'agent Hawk se représenta la scène. Il rapporterait l'information, convoquerait une USS (unité de soutien spécial) et serait présent sur les lieux quand on enfoncerait la porte d'Eva avec un bélier en métal.

Miss Spears s'imagina devant un tribunal de médecins, sommée de justifier la négligence dont elle avait fait preuve envers une patiente grabataire. Elle plaiderait le surmenage, bien sûr. Et c'était la vérité. Ulcères diabétiques, piqûres, blessures diverses à panser… Une journée ne comptait que vingt-quatre heures! Elle dit: «Je transmettrai ces informations à qui de droit dès mon retour au cabinet médical. Il faudra peut-être intervenir pour raisons de santé mentale et envisager l'internement. »

Stanley s'empressa de mentir : « Non, elle n'est pas *folle.* Elle a toute sa tête. Je lui ai parlé ce matin en lui apportant un œuf à la coque avec des mouillettes. Elle était contente, je crois. »

Miss Spears et l'agent Hawk échangèrent un regard qui signifiait : « Peu importe ce qu'en pensent les civils. Les décisions, ce sont les professionnels comme nous qui les prennent. »

Abandonnant leur tasse de thé sur la table, ils se dirigèrent tous les trois vers la chambre barricadée d'Eva.

Stanley s'approcha de la porte et dit : « Vous avez de la visite, Eva. L'infirmière Spears et l'agent Hawk. »

Il n'y eut aucune réponse.

— Elle dort peut-être, suggéra Stanley.

— Ça suffit, dit Miss Spears, je n'ai pas de temps à perdre.

Elle cria : « Mistress Beaver, écoutez-moi ! »

Eva se remémorait diverses comédies musicales. Elle en était à l'acte II de *Company* et chanta *Being Alive* pendant toute la tirade de Miss Spears qui se vantait du nombre de fous qu'elle avait réussi à guérir.

***

Titania approcha ses lèvres de la fente et dit à travers la porte barricadée : « Eva, il faut que je vous parle. »

Eva marmonna : « Je vous en prie, Titania, je n'ai pas envie de discuter de votre relation avec mon ex-mari dans une conversation à cœur ouvert. »

— C'est à propos de Brian.

— Comme toujours.

— Vous pourriez venir à la porte ?

— Non. Je ne peux pas me lever.

Titania plaida. « S'il vous plaît, Eva, déroulez le Chemin blanc. »

— Je ne peux l'utiliser que pour une seule raison.

Eva était épuisée. Depuis quelques jours, elle sentait ses forces la quitter. Elle pouvait à peine soulever ses bras et ses jambes, et quand elle essayait de déplacer sa tête sur l'oreiller, elle ne réussissait à la tenir qu'un bref instant avant de la laisser retomber avec soulagement.

Titania dit : « On aurait pu être amies. »

— L'amitié n'est pas mon fort.

Collant un œil contre la fente, Titania crut voir un rayon de lumière qui tombait sur une silhouette blanche en position allongée. « Je suis venue vous dire que je suis vraiment désolée pour ces huit ans de mensonge, continua-t-elle. Je vous demande de me pardonner. »

Eva répondit : « Bien sûr que je vous pardonne. Je pardonne tout à tout le monde. Je me pardonne même à moi-même. »

Titania avait été surprise par l'état désastreux de la maison. La plupart des machines étaient en panne. Des fissures alarmantes couraient sur les murs de la cuisine. Une odeur nauséabonde montait des canalisations.

Elle dit : « Laissez-moi entrer, Eva. Je veux vous parler en face. »

— Je regrette, Titania, mais je vais dormir maintenant.

À l'absence de lumière sur le mur, Eva savait qu'il faisait sombre dehors. Elle avait faim, mais s'était maintenant fixé comme règle de ne pas réclamer à manger. Si les autres voulaient la nourrir, ils viendraient d'eux-mêmes.

En redescendant dans la cuisine, Titania trouva Ruby en train de préparer des sandwichs. Elle fut frappée de voir combien Ruby avait vieilli.

68

En accueillant les deux médecins et l'infirmière, Ruby s'excusa pour les feuilles mortes qui jonchaient le perron. « Dès que je les ramasse, il en tombe d'autres. »

— C'est dans la nature des choses, répondit le Dr Lumbogo.

Ils tinrent conciliabule au pied de l'escalier.

Ruby déclara : « Je ne me rappelle pas la dernière fois qu'elle a pris un repas chaud. Je lui lance à manger. »

Miss Spears fit observer : « On dirait que vous parlez d'un lion dans un zoo. »

Ruby continua :

« Je perds un peu la mémoire. En plus, j'ai du mal à monter l'escalier maintenant. J'attends toujours qu'on me remplace ma hanche ! »

Elle regarda le Dr Lumbogo. « Vous êtes sur la liste, Mistress Brown-Bird », dit-il.

Le Dr Bridges demanda : « Sait-on si elle pourrait présenter un danger pour elle-même ou pour autrui ? »

Ruby répondit : « Je ne l'ai vue être violente qu'une seule fois, contre une femme qui traînait un petit gamin à genoux. »

Miss Spears dit : « J'ai perçu une agressivité latente chaque fois que j'ai eu affaire à Mrs Beaver. »

— Mais aucune attaque frontale ? s'enquit le Dr Bridges.

Miss Spears répliqua : « Disons que je ne lui tournerais pas le dos si je me trouvais seule avec elle. »

Ils montèrent à l'étage et s'approchèrent de la porte d'Eva. Celle-ci était recroquevillée contre le mur au coin du lit. Elle ne s'était pas lavée depuis des jours et son odeur âcre, animale, ne lui déplaisait pas.

Elle avait tellement faim qu'il lui semblait que sa chair se désagrégeait. Elle se palpa les côtes à travers sa chemise de nuit blanche — elle aurait pu y jouer une mélodie comme sur un piano. Il y avait à manger près de la porte, des sandwichs, des fruits, des biscuits et des gâteaux confiés au facteur par les habitants du quartier, mais elle ne voulait pas se lever pour aller les chercher. Ruby, au désespoir, avait essayé de viser le lit en lançant des pommes, des oranges, des prunes et des poires.

Lorsqu'on lui demanda qui était le premier ministre, Eva répondit : « Est-ce vraiment important ? »

Le Dr Lumbogo rit. « Non. De toute façon, ce sont tous des imbéciles. »

Le Dr Bridges interrogea : « Vous est-il jamais arrivé de vous faire du mal ? »

— Seulement quand je m'épile le maillot, dit-elle.

À la question : « Avez-vous envie de faire du mal à autrui ? », elle répondit : « Rien n'a vraiment d'importance, n'est-ce pas ? Au regard de l'infini. Vous-même, docteur Bridges… Vous êtes une masse de particules, ici à Leicester, et en un huitième de seconde vous pouvez passer de l'autre côté de l'univers. »

Les deux médecins échangèrent un regard complice.

Le Dr Lumbogo chuchota au Dr Bridges : « Une cure de repos en service psychiatrique, peut-être ? »

Miss Spears dit : « Il vous faudra l'accord d'un professionnel de la santé mentale… Catégorie 4, si je puis me permettre. »

Après le départ des médecins, Ruby mit son manteau et son chapeau et se rendit chez Stanley.

Quand il ouvrit la porte, elle annonça : « Ils vont emmener Eva dans un service. » Elle ne pouvait se résoudre à dire « psychiatrique ». Rien que la sonorité du mot lui donnait froid dans le dos.

Stanley lui fit traverser le vestibule tapissé de livres du sol au plafond et la conduisit dans son petit salon propret, où d'autres livres étaient empilés contre les murs.

« Elle n'est pas folle, dit-il. J'ai connu des fous. Je l'ai été moi-même. » Il rit doucement. Puis il demanda : « Alexander est au courant ? »

Ruby répondit : « Ça fait une paye que je l'ai pas vu. Brian n'est plus jamais là, maintenant que sa Tit a mis les voiles. Yvonne repose dans une vie meilleure, et on n'a aucune nouvelle des jumeaux depuis des mois. Je suis seule dans le bateau, on dirait. »

Stanley prit Ruby dans ses bras et sentit qu'elle se laissait aller contre lui. Il la trouva chaude et délicieusement molle.

Il demanda : « Mon visage ne vous dérange pas, Ruby ? »

Ruby répondit : « Quand je vous regarde, je vois comment vous deviez être avant. Et puis, de toute façon, à nos âges, on a tous une sale trombine, pas vrai ? »

* * *

À présent qu'ils ne pouvaient plus espérer être reçus, les derniers fidèles d'Eva se retirèrent peu à peu. Il ne resta bientôt plus que Sandy Lake et William Wainwright.

Ils avaient de longues conversations tous les deux, parlant à voix basse par respect pour les voisins. Ils soutenaient l'un comme l'autre que le prince Philip avait assassiné la princesse Diana, que le premier atterrissage sur la Lune avait été filmé dans un studio d'Hollywood, et que George Bush avait commandité les attentats du World Trade Center.

Sandy avait préparé un chocolat sur son réchaud. Pendant qu'ils buvaient à petites gorgées, William raconta à Sandy que les propriétaires des plantations de cacao étaient des esclavagistes.

Sandy se défendit : « Je ne peux pas dormir sans mon chocolat chaud ! »

William dit : « La prochaine boîte, on la chourre. D'accord ? »

Il passa un bras autour des larges épaules de Sandy. Elle appuya sa joue contre sa barbe naissante. Une chouette lança son cri derrière eux. Sandy sursauta de frayeur et William la serra plus fort.

— C'est juste une chouette qui hulurle, dit-il.

— *Hulule,* corrigea-t-elle.

— Oui, c'est ça. Elle hulurle.

Ils parlèrent longtemps, assis l'un contre l'autre, dans la douce clarté de la lune qui se levait à l'horizon.

69

Le 19 septembre, Eva se réveilla en pleine nuit et fut aussitôt inondée d'une sueur froide. Elle avait peur du noir. Le calme régnait dans la maison, un silence troublé seulement par les petits bruits que font toutes les maisons quand leurs occupants sont absents.

Elle essaya de maîtriser son début de panique en se parlant à elle-même, se demandant pourquoi elle avait peur du noir. Elle dit à voix haute : « Il y avait un manteau militaire sur un cintre accroché à la porte de ma chambre. Il ressemblait à un homme. Je restais éveillée toute la nuit à le regarder, et je le voyais bouger — imperceptiblement, mais j'étais sûre qu'il bougeait. Je ressentais la même terreur quand je passais devant chez Leslie Wilkinson. Il guettait mon arrivée et il se dressait brusquement devant moi pour exiger que je lui donne de l'argent ou des bonbons. J'espérais que quelqu'un sortirait de la maison et viendrait à mon secours. Je voyais Mrs Wilkinson par la fenêtre de la cuisine, je l'entendais chanter en faisant la vaisselle. Parfois, elle levait les yeux et me faisait un petit signe alors que son fils était en train de me harceler. »

Eva se raconta sa chute dans un fossé enneigé aux bords abrupts et glacés qu'elle ne réussissait pas à escalader. Son amie l'ayant abandonnée, elle passa toute la nuit à chercher une aspérité où poser le pied, une prise pour se hisser à la surface. Il avait fallu trois couvertures et deux édredons pour qu'elle cesse de grelotter.

La fois où un homme, un inconnu, l'avait traitée de « grosse vache » quand elle lui avait marché sur les pieds dans un Woolworths bondé au moment de Noël. Depuis, elle entendait sa voix chaque fois qu'elle entrait dans une cabine d'essayage.

Un jour, elle avait trouvé une main humaine en train de se décomposer parmi les roseaux au bord du canal. On ne l'avait pas crue au collège. Elle avait été punie pour son retard et, en plus, pour avoir menti.

Elle ne voulait pas penser à sa fausse couche à Paris. Elle avait appelé le bébé Babette. À son retour de l'hôpital, le grand appartement était vide. *Il* avait emporté toutes ses affaires et le jeune cœur d'Eva avec.

Elle avait envie de pleurer, mais les larmes restaient bloquées quelque part dans sa gorge. Ses yeux étaient désespérément secs, son cœur lui semblait pris dans un bloc de glace qui ne fondrait jamais.

Elle se parla tout haut à nouveau, avec dureté cette fois. « Eva ! D'autres ont connu bien pire. Tu as été heureuse dans la vie. Rappelle-toi les perce-neige dans le bois de bouleaux, le ruisseau où tu buvais en rentrant de l'école, la colline que tu descendais en courant jusqu'à l'herbe toute douce et les fleurs avec la tige sucrée. L'odeur des pommes de terre cuisant dans les braises du feu de joie. Ton souvenir le plus ancien — la bogue d'un marron d'Inde ouverte avec l'aide de papa et la découverte de son minuscule joyau brillant à l'intérieur. Une surprise pareille à un miracle. La salle de bal d'un manoir abandonné où tu as dansé après avoir ignoré le panneau

“Défense d’entrer”. Et les livres ! Tu riais au milieu de la nuit en lisant P. G. Wodehouse. Et l’été, allongée au frais sur une courtepointe de coton avec un livre, un sac de bâtonnets glacés au citron à portée de main. Oui, pensa-t-elle, j’ai été heureuse. Quand j’ai écouté mon premier 33 tours d’Elvis avec mon premier petit ami, Gregory Davis — tous deux aussi beaux l’un que l’autre. »

Elle se rappela avoir regardé, subrepticement, les gestes tendres de Brian en train de donner un biberon aux jumeaux en pleine nuit. C’était un spectacle magnifique.

Mais tandis qu’elle se rendormait à moitié, elle s’aperçut que la cruelle réalité revenait toujours assaillir les souvenirs heureux. Le bois de bouleaux avait été remplacé par un lotissement de maisons minuscules, le ruisseau charriait des ordures. Sur la colline aplanie se dressait maintenant un centre commercial, et Brian ne s’était plus jamais levé pour les jumeaux la nuit.

* * *

Alexander s’était installé dans un champ d’orge à moisson tardive, ayant obtenu par courriel l’autorisation du fermier. Celui-ci, sur son tracteur, lui fit un petit signe de loin.

Il peignait à l’huile maintenant et essayait de rendre l’importance de chaque brin d’orge, montrant qu’il fallait un brin unique pour que des centaines, des milliers, des millions de tiges d’orge composent un champ de trois hectares.

Sentant son téléphone vibrer contre sa poitrine, il répondit à contrecœur. Juste au moment où son pinceau devenait un prolongement de son corps… Il prit l’appel bien qu’il ne reconnût pas le numéro.

— Allô.

— Alexander Tate ?
— Oui. Qui est-ce ?
— Ruby ! La mère d'Eva.
— Comment va-t-elle ?
— C'est pour ça que j'appelle. Elle n'a fait qu'empirer, Alex. Ils vont envoyer un...

Ruby consulta son papier et lut : « ... un "professionnel de la santé mentale", pour une "catégorie 4". Il y aura la police avec un bélier pour enfoncer la porte. »

Alexander rassembla aussitôt son matériel et regagna en courant le bas-côté où il avait garé sa camionnette. Il conduisit à toute vitesse sur les routes de campagne, coupant les virages, talonnant les véhicules plus lents et actionnant son klaxon comme un excité du volant.

Tuut ! Tuut ! Tuuut !

Il s'arrêta devant la maison d'Eva, découvrant avec consternation que l'arbre qu'elle aimait tant avait disparu. Tandis qu'il se précipitait vers la porte, il remarqua aussi que la foule était partie sans laisser de traces, hormis quelques taches sur le macadam.

Stanley et Ruby vinrent ouvrir la porte ensemble. En voyant le visage de Ruby, Alexander comprit que ça n'allait pas du tout. Ils passèrent dans la cuisine et Ruby raconta ce qui était arrivé depuis la dernière fois qu'il avait vu Eva.

— Quand ils ont abattu l'arbre, ça a été la goutte d'eau qui fait déborder le vase, dit-elle.

Alexander parcourut la cuisine du regard. Graisse et poussière sur les surfaces, tasses sales dans l'évier. Il refusa le thé que lui offrait Ruby et courut à l'étage.

Il vit la porte d'Eva et, par la fente, l'obscurité de l'autre côté. « Eva, mon amour ! dit-il. Je vais à la camionnette. J'en ai pour moins de deux minutes. »

Dans sa chambre, Eva acquiesça.

La vie était trop difficile pour qu'on puisse faire le voyage tout seul.

Alexander revint avec sa caisse à outils et dit à travers la fente : « N'aie pas peur. Je suis là. »

Il enfonça la porte à coups de pied, arrachant avec une pince-levier le bois qui restait maintenu par des clous. Quand le passage fut dégagé, il vit Eva sur le lit, recroquevillée contre les planches obstruant la fenêtre.

Elle avait voulu regarder sa vie en face. Tous les chagrins, toutes les déceptions.

Ruby et Stanley se pressaient derrière Alexander.

Il demanda à Ruby de faire couler un bain pour Eva et de lui trouver une chemise de nuit propre. « Éteignez les lumières, dit-il à Stanley. C'est trop éblouissant pour elle. »

Enjambant la nourriture putréfiée et les éclats de bois, il s'approcha d'Eva. Il lui prit la main et la serra fort.

Ils ne parlèrent ni l'un ni l'autre.

Au début, Eva versa des larmes qu'elle retenait poliment, mais quelques secondes plus tard, elle sanglotait la bouche ouverte, pleurant pour ses trois enfants et pour la jeune fille qu'elle était à dix-sept ans.

Quand Ruby cria : « Le bain est prêt ! », Alexander souleva Eva dans ses bras, la porta jusqu'à la salle de bains et la déposa doucement dans la baignoire remplie d'eau chaude.

Sa chemise de nuit flottait à la surface.

Ruby dit : « On va enlever ça. Allez, lève les bras… »

Alexander dit : « Je m'en occupe, Ruby. »

Eva dit : « Non, laisse faire maman », et elle s'abandonna en renversant la tête en arrière.

En bas, dans le salon, Stanley allumait un feu.

Il ne faisait pas froid, mais il pensa que cela plairait à Eva, qui était restée enfermée si longtemps.

Il avait raison.

Alexander descendit avec Eva dans les bras. Quand il l'allongea sur le canapé devant le feu, elle dit : « La bienveillance… C'est ça, hein ? La bienveillance, tout simplement. »